iPad 2

TÍTULO ESPECIAL

TÍTULO DE LA OBRA ORIGINAL:
iPad® 2 Portable Genius

RESPONSABLE EDITORIAL:
Eugenio Tuya Feijoó

TRADUCTOR:
Ana Belén Rubio Orraca

REALIZACIÓN DE CUBIERTA:
Cecilia Poza Melero

iPad 2

Paul McFedries

ANAYA
MULTIMEDIA

Edición española:

© EDICIONES ANAYA MULTIMEDIA (GRUPO ANAYA, S.A.), 2011
Juan Ignacio Luca de Tena, 15. 28027 Madrid
Depósito legal: M. 22.495-2011
ISBN: 978-84-415-2975-5
Printed in Spain
Impreso en: Varoprinter, S.A.

A Karen.

AGRADECIMIENTOS

Ser escritor técnico *freelance* es maravilloso: trabajo desde casa, tengo mis propios horarios y ayudo a otras personas a entender y utilizar la tecnología, algo que resulta muy gratificante. Pero, quizás, lo mejor de ser escritor técnico es estar entre los primeros usuarios que utilizan las versiones de software y hardware más recientes. La parte del hardware suele ser la más divertida, porque hay que utilizar distintos *gadgets* y ése es el trabajo ideal para un apasionado de los *gadgets* como yo. Por eso, decir que investigar y escribir sobre el iPad ha sido una experiencia increíble es quedarse corto. Si le gustan los *gadgets*, ¿no sería completamente feliz experimentando con el iPad para descubrir qué puede hacer?

¿Y qué escritor técnico no estaría encantado de trabajar con el estupendo equipo editorial de Wiley? Han trabajado muy duro para que este libro saliera a la luz. Entre las personas con las que he trabajado directamente están Stephanie McComb (editora de adquisiciones), que descubrió la forma para que pudiera cumplir mi sueño de escribir un libro sobre el iPad; Kristin Vorce (editora de proyecto), una auténtica máquina de sugerencias que ha mejorado este libro de muchas formas y Kim Heusel (correctora), cuya corrección sensata y cuidadosa me hace parecer un escritor mucho más competente de lo que soy en realidad. Gracias a todos por vuestro trabajo duro y por vuestra competencia inigualable.

SOBRE EL AUTOR

Paul McFedries es escritor técnico a jornada completa. Lleva escribiendo libros sobre temas informáticos desde 1991 y en su currículum ya hay más de 70. Ha vendido más de cuatro millones de copias en todo el mundo. Ha escrito sobre dispositivos como el iPhone 4 y el portátil MacBook Air, sobre el sistema operativo Mac, sobre temas de informática general y sobre Internet. Paul también es el propietario de Word Spy (`www.wordspy.com`), un sitio Web que realiza un seguimiento de las nuevas palabras y frases que se incorporan a la lengua inglesa. Paul le invita a que se pase por su sitio Web personal `www.mcfedries.com` y a que le siga a través de Twitter en `http://twitter.com/paulmcf` y en `www.twitter.com/wordspy`.

ÍNDICE DE CONTENIDOS

ÍNDICE DE CONTENIDOS

ÍNDICE DE CONTENIDOS

ÍNDICE DE CONTENIDOS

ÍNDICE DE CONTENIDOS

ÍNDICE DE CONTENIDOS

INTRODUCCIÓN

Para que se haga una idea del éxito que ha tenido el iPad le daremos algunos datos: para vender un millón de televisores han tenido que pasar veinte años; para vender un millón de reproductores de DVD, un año y medio, y para vender un millón de iPod, casi tres años. Sin embargo, se vendieron un millón de iPad en 28 días. Ningún producto electrónico tiene una tasa de adopción tan rápida como el iPad. Son muchas las razones del éxito del iPad y de sus primos pequeños: el iPhone y el iPod Touch. Pero si hacemos una encuesta entre los seguidores de estos dispositivos estoy seguro de que hay una razón común a todos ellos: la interfaz táctil. Es ingeniosa, elegante y sencilla: pulsar aquí, pulsar allí y listos para empezar.

Utilizar la interfaz táctil del iPad es como jugar en una de esas zonas de playa en las que el agua sólo tiene unos centímetros de profundidad: podemos disfrutar sin tener que nadar mucho y es muy difícil ahogarse. Sin embargo, si caminamos mar adentro lo suficiente, de repente llegaremos al borde de una plataforma submarina en la que el fondo arenoso deja paso a las profundidades de un océano cada vez más oscuro.

El iPad también tiene profundidades sin explorar: ajustes ocultos, funciones escondidas, preferencias encubiertas y técnicas poco conocidas. La utilidad de algunas de estas funciones es, como mucho, discutible, pero muchas nos ayudan a trabajar más rápido y de forma más sencilla y eficiente. En lugar de bucear a ciegas por las sucias aguas del fondo marino del iPad, puede que sea mejor concertar una cita con el Genius Bar de su tienda Apple más cercana. Y, seguramente, el Genius que esté de guardia nos dará buenos consejos sobre cómo aprovechar al máximo nuestra inversión. El Genius Bar está muy bien, pero no siempre es práctico: hay que pedir cita, ir a la tienda, esperar al Genius, recibir la información que necesitamos (o la solución a nuestro problema) y, después, volver a casa; en algunos casos puede que tengamos que dejar allí el iPad durante un tiempo para localizar el problema y resolverlo.

Lo que necesitamos de verdad es una versión del Genius Bar a la que se pueda acceder más fácilmente, que sea más cómoda, a la que no haya que dedicar mucho tiempo y en la que no tengamos que dejar nuestro iPad en manos de un desconocido. Lo que necesitamos es un Genius "portátil" que nos permita ser más productivos y solucionar los problemas en el momento.

Bienvenido al Genius portátil para el iPad. Este libro es una especie de "pequeño Genius Bar" comprimido en un formato portátil fácil de utilizar y de acceso sencillo. En este libro aprenderá a sacar más partido a su iPad accediendo a todas las funciones que no vemos a simple vista, pero que son realmente importantes y nos permiten ahorrar tiempo. Aprenderá a evitar algunas funciones molestas del iPad y, en aquellos casos en los que pueda evitarse un comportamiento, aprenderá a hacerlo. Por último, aprenderá a tomar las medidas necesarias para que no aparezcan problemas y, en caso de que dichas medidas preventivas no funcionen, aprenderá a solucionar usted mismo muchos problemas habituales. Esta edición también incluye actualizaciones de las nuevas características del iPad 2 y del sistema operativo iOS 4.3, entre las que se incluyen la multitarea, las carpetas de aplicaciones, AirPlay, AirPrint, Compartir en casa, Buscar mi iPad, una aplicación de correo mejorada, etc.

Este libro está dirigido a los usuarios de iPad que tienen conocimientos básicos pero que quieren pasar a un nivel superior. Es un libro para aquellas personas que quieren ser más productivas, más eficientes, más creativas y más autosuficientes (por lo menos hasta donde el iPad lo permita, claro está) y para aquéllos que utilizan el iPad a diario pero que quieran utilizarlo en sus actividades cotidianas. Es un libro que disfruté mucho escribiendo; por eso, creo que disfrutará leyéndolo.

Capítulo 1

Conectar el iPad a una red

Podemos hacer muchas cosas en el iPad de forma local sin tener que acceder a sitios ni servicios remotos: escribir notas, añadir citas, editar contactos o simplemente experimentar con los ajustes del iPad. No hay nada de malo en ello, pero no creo que haya comprado un iPad sólo para pasar el rato con aplicaciones como Notas. No lo creo. Después de todo, el iPad ha sido diseñado para conectarse a Internet: navegar por la Web, acceder a las tiendas App Store o iBookStore para comprar contenido o utilizar Google Maps para saber cuál es el camino; el iPad cobra vida cuando está conectado a la red.

● ● ● COMPRENDER LAS REDES QUE PROPORCIONAN ACCESO A INTERNET

Para entrar en una página Web el iPad tiene que estar conectado primero a una red con acceso a Internet. Para que esto sea sencillo y no se produzca ningún problema, el iPad trae consigo un hardware interno que le permite detectar las redes disponibles y conectarse a ellas. La forma exacta en la que se desarrolla este proceso y el tipo de redes a las que puede conectarse son aspectos que varían dependiendo del tipo de iPad:

- **iPad con Wi-Fi:** Este tipo de iPad puede conectarse únicamente a redes inalámbricas.
- **iPad con Wi-Fi y 3G:** Este tipo de iPad puede conectarse a redes inalámbricas y redes móviles.

Las dos secciones que aparecen a continuación ofrecen más información al respecto.

Comprender las redes Wi-Fi

Los dispositivos inalámbricos como el iPad transmiten datos y se comunican con otros dispositivos por medio de señales de radiofrecuencia (RF) que se propagan de uno a otro. Aunque estas señales de radio son similares a las que se utilizan en la difusión de la radio comercial, funcionan en una frecuencia diferente. Por ejemplo, un teclado o un ratón inalámbricos tienen un dispositivo receptor RF conectado, normalmente, a un puerto USB del ordenador. El teclado y el ratón disponen de transmisores RF integrados. Al pulsar una tecla o mover o hacer clic con el ratón, el transmisor envía la señal RF apropiada; el receptor recoge dicha señal y transmite la pulsación de la tecla o la acción del ratón al sistema operativo, como si el dispositivo estuviera conectado directamente al ordenador. Un "transceptor de radio" es un dispositivo que puede actuar tanto de transmisor como de receptor de señales de radio. Todos los dispositivos inalámbricos que realizan comunicaciones bidireccionales utilizan un transceptor y el iPad no es una excepción.

La tecnología de redes inalámbricas más frecuente es la Wi-Fi y el estándar designado por el IEEE (Institute of Electrical and Electronics Engineers, Instituto de Ingenieros Eléctricos y Electrónicos) es el 802.11. Existen cuatro tipos principales: 802.11a, 802.11b, 802.11g y 802.11n. Cada uno de ellos tiene sus propias limitaciones de alcance y velocidad, como se explica a continuación.

Advertencia

La velocidad estándar de las redes inalámbricas es teórica. Esto se debe a que las interferencias y las limitaciones del ancho de banda casi siempre tienen como resultado una velocidad real más lenta. Tenga esto presente cuando lea las especificaciones de los distintos estándares Wi-Fi.

- **802.11b:** El estándar 802.11 original fue presentado por el IEEE en 1997 pero fueron pocos los que lo tomaron en serio debido a una velocidad máxima de transmisión de tan sólo 2 Mbps. En 1999, el IEEE desarrolló dos nuevos estándares basados en el anterior: 802.11a y 802.11b. El 802.11b se convirtió en el estándar más popular de los dos, así que vamos a tratarlo en primer lugar. 802.11b aumentó la velocidad de transmisión de datos Wi-Fi hasta los 11 Mbps y tenía un alcance en interiores de hasta 35 metros. Por otra parte, este estándar utiliza la banda de frecuencia de 2.4 GHz, una frecuencia no regulada que suelen utilizar otros productos de consumo como microondas, teléfonos inalámbricos e intercomunicadores. Gracias a esto el precio del hardware 802.11b es reducido, pero pueden producirse interferencias si intentamos conectarnos a una red y hay cerca otro dispositivo que utilice la misma frecuencia.

- **802.11a:** Este estándar salió al mercado casi al mismo tiempo que el estándar 802.11b. Existen dos diferencias fundamentales entre ambos: 802.11a tiene una velocidad máxima de transferencia de 54 Mbps y utiliza la banda de frecuencia regulada de 5.0 GHz. Esta banda de frecuencia hace que los dispositivos 802.11a no tengan los problemas de interferencias que aparecen en los dispositivos 802.11b, pero también significa que el hardware 802.11a es más caro, ofrece alcances más cortos (unos 20 metros) y tiene problemas a la hora de penetrar en superficies sólidas como las paredes. Por tanto, a pesar de su impresionante velocidad de transmisión, el estándar 802.11a tenía demasiados factores negativos en su contra; por eso, 802.11b se ganó el corazón de los consumidores y se convirtió en el primer estándar real de redes inalámbricas.

- **802.11g:** Durante la batalla entre los estándares 802.11a y 802.11b quedó claro que los consumidores y las pequeñas empresas lo que querían de verdad era lo mejor de ambos mundos. Es decir, querían una tecnología WLAN (*wireless local area network*, red de área local inalámbrica) rápida y sin interferencias como 802.11a, pero con alcance mayor y más barata, como 802.11b. Pero "lo mejor de ambos mundos" es algo que raramente se consigue en la vida real, aunque el IEEE casi lo logra en el año 2003, cuando presentó la siguiente versión del estándar de redes inalámbricas: 802.11g. Como su predecesor 802.11a, este estándar ofrecía una velocidad de transferencia máxima (teórica) de 54 Mbps y, como 802.11b, el alcance en interiores era de unos 35 metros y su fabricación no era tan cara. Este abaratamiento se debía a que utilizaba la banda de frecuencia de 2.4 GHz, por lo que los dispositivos 802.11g producían interferencias con cualquier otro dispositivo de consumo cercano que utilizara la misma frecuencia. A pesar de las posibles interferencias, 802.11g se convirtió rápidamente en el estándar Wi-Fi más popular y la mayor parte de los dispositivos WLAN que hay en el mercado son compatibles con él.

- **802.11n:** Es el último estándar inalámbrico. Implementa una tecnología llamada MIMO (*Multiple-Input Multiple-Output*, Varias entradas, varias salidas) que utiliza varios transmisores y receptores en cada dispositivo. Esto permite varios flujos de datos en un único dispositivo, algo que mejora mucho el rendimiento WLAN. Por ejemplo, con tres transmisores y dos receptores (la configuración estándar), el estándar 802.11n promete una velocidad de transmisión teórica de hasta 248 Mbps y un alcance de casi el doble, unos 70 metros.

Nota

Cuando hablamos de transmisión de datos, un megabit (Mb) es igual a un millón de bits. Por tanto, la velocidad de transmisión de 11 Mbps del estándar 802.11b significa que, en teoría, puede transferir 11 millones de bits de datos por segundo. Y, para complicar las cosas un poco más, cuando hablamos de memoria o almacenamiento de datos, un megabit es igual a 1.048.576 bits.

¿Dónde encaja el iPad entre todos estos estándares? Es un placer informarle que el iPad es compatible con el estándar 802.11n, lo que significa que puede aprovechar las redes inalámbricas más rápidas, concretamente aquéllas que utilizan la estación base AirPort Extreme de Apple (AirPort es el nombre que utiliza Apple en lugar de Wi-Fi). Sin embargo, el iPad es compatible con 802.11a/b/g/n, lo que significa que también funcionará con redes inalámbricas más antiguas que se basen en cualquiera de los estándares que acabamos de mencionar. En otras palabras, el iPad funciona perfectamente con cualquier red inalámbrica.

Ésta es una buena noticia, porque aunque sepamos qué tipo de tecnología Wi-Fi tenemos en casa o en la oficina, seguramente no tendremos ésa sobre otras redes con las que nos encontremos en cualquier ciudad: cafeterías, restaurantes, establecimientos de comida rápida, hoteles, aeropuertos, trenes e incluso clínicas dentales. Algunas ciudades ya ofrecen acceso libre a una red Wi-Fi en las zonas más céntricas. Estas redes inalámbricas comparten la conexión a Internet, por eso es posible conectarse a la red y utilizarla para navegar por la Web, revisar el correo electrónico, actualizar las fuentes RSS, acceder a la red de la oficina, etc. Una red inalámbrica pública que comparte una conexión a Internet se denomina *hot spot* o punto de acceso inalámbrico. En algunos casos, el establecimiento ofrece acceso gratuito a Internet a cambio de utilizar sus servicios, aunque lo habitual es que cobren la conexión.

La mayoría de las redes inalámbricas tienen conexión a Internet de alta velocidad; por eso, la tecnología Wi-Fi es la mejor opción para conectarse a Internet desde el iPad. Las descargas son rápidas y, si tiene un iPad con 3G, no utilizará la transferencia de datos que haya contratado con su proveedor móvil. Si hay una red Wi-Fi cerca y puede conectarse a ella, el iPad siempre la utilizará de forma predeterminada para conectarse a Internet.

Truco

*¿No sabe si hay cerca algún punto de acceso inalámbrico? Una forma fácil de encontrar una red Wi-Fi es abrir la aplicación Mapas en el iPad, buscar su ubicación actual (véase el capítulo 12) y escribir **Wi-Fi** en el cuadro de búsqueda. Así, obtendrá un mapa con chinchetas que representan los puntos de acceso inalámbricos cercanos a su posición. En la tienda App Store también hay muchas aplicaciones que pueden ayudarle a localizar no sólo los puntos de acceso inalámbricos, sino también las redes inalámbricas desprotegidas. Puede probar, por ejemplo, las aplicaciones Wi-FiTrak de Bitrino y Free Wi-Fi Finder de JiWire.*

Comprender las redes móviles

Si su iPad es un modelo con Wi-Fi y 3G, significa que no sólo puede conectarse a redes Wi-Fi y puntos de acceso inalámbrico, sino que también puede utilizar una red móvil en caso de no haya ninguna red Wi-Fi cerca. De hecho, el iPad es tan sociable que se lleva bien con dos tipos de redes móviles:

- **3G:** Es la abreviatura de "Tercera Generación" y en la actualidad está disponible en casi todas las áreas metropolitanas del territorio español. De hecho, muchos países ofrecen una cobertura 3G generalizada, por lo que no se encontrará sin servicio 3G. La red 3G es una red móvil y mientras estemos en una zona de cobertura podremos acceder a Internet desde cualquier lugar, incluso en un coche en movimiento. La tecnología 3G es más lenta que la tecnología Wi-Fi, pero la velocidad de descarga es entre 2 y 2,5 veces más rápida que la que ofrece EDGE (se describe a continuación), así que no va a hacerse viejo esperando a que se abra un sitio Web. Si el iPad 3G no tiene ninguna red Wi-Fi cerca, pasa automáticamente a la red 3G, siempre y cuando esté en una zona con cobertura.

- **EDGE:** Es una abreviatura de *Enhanced Data Rates for GSM Evolution* (Tasas de datos mejoradas para la evolución de GSM), un nombre absurdamente grandilocuente para una tecnología de red que ha sido criticada con razón. ¿De dónde proviene la mala fama de EDGE? En una palabra, es lenta. La pintura se seca más rápido de lo que tarda en descargarse un sitio Web a través de una conexión EDGE. Entonces, ¿para qué perder el tiempo con EDGE? Básicamente porque, a pesar de que la tecnología 3G está bastante extendida, no tiene tanta cobertura como EDGE. Así que, si no tiene una red Wi-Fi cerca ni está en una zona de cobertura 3G, el iPad (equipado con un chip móvil) pasa al modo EDGE para poder recibir por lo menos una señal.

Aunque podamos conectarnos a Internet de forma gratuita con una red Wi-Fi, no tendremos la misma suerte a la hora de hacerlo con las redes móviles. El chip del iPad 3G no funcionará a menos que insertemos una tarjeta micro-SIM (*Suscriber Identity Module*, Módulo de identificación del suscriptor) en la bandeja de la tarjeta micro-SIM del iPad, situada en el lateral izquierdo cuando está en posición vertical. Para tener una tarjeta micro-SIM es necesario contratar un plan de datos con un proveedor móvil.

Puede que se esté preguntando si es posible extraer la tarjeta SIM de un teléfono móvil e introducirla en el iPad.

Eso sería perfecto, ¿no? Pero no funciona, porque en la actualidad la mayoría de los teléfonos móviles utilizan tarjetas SIM normales y el iPad sólo es compatible con una tarjeta micro-SIM, una tarjeta mucho más pequeña (una SIM tradicional tiene un tamaño de 15 x 25 mm, mientras que una micro-SIM tiene un tamaño de 12 x 15 mm). Por tanto, la tarjeta SIM de su teléfono móvil es demasiado grande para la bandeja de la tarjeta micro-SIM del iPad. ¿Y la tarjeta micro-SIM de un iPhone 4? Lo siento, pero este tipo de tarjeta tampoco funciona en el iPad.

Nota

Si echa un vistazo a una tarjeta SIM normal y a una micro-SIM verá que la zona de contacto metálica tiene el mismo tamaño en ambas. La zona de contacto es la parte "que trabaja" en una tarjeta SIM y el resto es, sencillamente, plástico o cartón. Por eso (yo no se lo he dicho), puede coger unas tijeras muy afiladas y recortar con mucho cuidado una SIM normal para que tenga el mismo tamaño y la misma forma que una micro-SIM (dejando la zona de contacto intacta, claro). Entonces sí podrá utilizar la SIM recortada en el iPad.

Insertar una tarjeta micro-SIM en el iPad

Si ha contratado un plan de datos o si su proveedor móvil ya le ha proporcionado una tarjeta micro-SIM, tendrá que introducirla en el iPad para poder utilizar la red móvil. Así es cómo se hace:

1. Apague el iPad.

2. Busque la herramienta de expulsión de la tarjeta SIM que se incluye con el iPad. Esta herramienta es un trozo de metal fino y alargado con una especie de mango en uno de sus extremos. También puede utilizar un clip de tamaño mediano y estirar uno de sus extremos.

3. Ponga el iPad en posición vertical y busque la ranura de la tarjeta micro-SIM en el lateral izquierdo del dispositivo. Se trata de una ranura estrecha con un pequeño agujero en su interior.

4. Inserte con cuidado el extremo de la herramienta de expulsión de la tarjeta SIM (o el clip) en el agujero de la ranura de la tarjeta micro-SIM. No es necesario hacer mucha presión.

5. Tire de la herramienta de expulsión de la tarjeta SIM y, al hacerlo, la bandeja de la tarjeta micro-SIM acompañará a la herramienta. Si no es así, inserte la herramienta un poco más.

6. Una vez que la bandeja esté fuera, coloque la tarjeta micro-SIM en ella. Asegúrese de que está colocada correctamente.

7. Coloque la bandeja de la tarjeta micro-SIM de nuevo en la ranura. Asegúrese de colocar la bandeja con la misma orientación que tenía al extraerla. Compruebe también que introduce la bandeja por completo en la ranura.

8. Coloque un dedo sobre la bandeja de la tarjeta micro-SIM para colocarla en su sitio y retire el clip (o la herramienta de expulsión de la tarjeta SIM).

CONECTARSE A UNA RED WI-FI

Como veremos un poco más adelante, en la sección dedicada a la conexión con redes móviles, un iPad con 3G se conecta a una red móvil de forma automática. Sin embargo, cuando hablamos de conexiones Wi-Fi el proceso no es tan automático, al menos la primera vez. Al intentar acceder a algún contenido de Internet (un sitio Web, el correo electrónico, un mapa de Google, etc.), el iPad rastrea las ondas cercanas en busca de la señal de una red Wi-Fi. Si no se ha conectado nunca a una red Wi-Fi o se encuentra en una zona en la que no hay ninguna red Wi-Fi a la que se haya conectado anteriormente, aparecerá un cuadro de diálogo en el que puede seleccionar una red Wi-Fi, tal y como puede ver en la figura 1.1. Aunque no aparezca este cuadro de diálogo puede conectarse a una red inalámbrica.

En el cuadro de diálogo aparece una lista de las redes Wi-Fi cercanas. Verá tres elementos informativos sobre cada red:

- **Nombre de la red:** Es el nombre que el administrador ha asignado a la red. Si está en una cafetería o en un lugar público con un punto de acceso inalámbrico y quiere utilizar esa red, sólo tiene que buscar el nombre del establecimiento (o una variante del mismo).

- **Protegida con contraseña:** Si en una red Wi-Fi aparece el icono de un candado, significa que la red está protegida con una contraseña y necesitamos saber dicha contraseña para establecer la conexión.

- **Intensidad de la señal:** Este icono nos da una idea aproximada de la intensidad de la señal inalámbrica. Cuanto más fuerte sea la señal (aparecerán más barras y la señal será mejor) habrá más probabilidades de tener una conexión rápida y fiable.

Figura 1.1. *Si es la primera vez que se conecta a una red Wi-Fi, el iPad muestra una lista de redes Wi-Fi cercanas.*

Realizar la primera conexión

Siga los pasos que se indican a continuación para conectarse a una red Wi-Fi:

1. Seleccione con el dedo la red que quiere utilizar. Si la red está protegida con una contraseña, el iPad le pedirá que introduzca una, tal y como puede ver en la figura 1.2.

Figura 1.2. *Si la red Wi-Fi está protegida con una contraseña, utilice esta pantalla para escribirla.*

2. Utilice el teclado para escribir la contraseña.
3. Pulse **Conectarse**. El iPad se conecta a la red y añade el icono de intensidad de señal de la red Wi-Fi a la barra de estado.

Para conectarse a una red Wi-Fi comercial, como las que hay en aeropuertos, hoteles y centros de convenciones, casi siempre tendremos que realizar un paso adicional. En la mayoría de los casos, la red nos pide el nombre y la información de tarjeta de crédito para poder facturar el acceso a la red. Es posible que esta petición no aparezca en el momento de establecer la conexión, pero aparecerá cuando intentemos acceder a un sitio Web o queramos revisar el correo electrónico. Escriba la información solicitada y disfrute de Internet a través de la conexión Wi-Fi.

Advertencia

En el campo de la contraseña aparecen puntos en vez del texto real por motivos de seguridad, así que no es el lugar adecuado para demostrar su velocidad de escritura en el iPad. Escriba la contraseña lentamente y con tranquilidad.

Conectarse a redes conocidas

Si la red Wi-Fi es una de las que utilizamos habitualmente (por ejemplo, la red de casa o de la oficina), la buena noticia es que el iPad recuerda cualquier red a la que nos conectemos. Tan pronto como estemos cerca de una red conocida, el iPad establece la conexión de forma automática.

Detener los avisos constantes sobre las redes Wi-Fi disponibles

El cuadro de diálogo Seleccione una red inalámbrica es muy útil cuando no sabemos si hay alguna red Wi-Fi cerca, pero cuando nos movemos por la ciudad, este cuadro de diálogo aparecerá cada vez que estemos cerca de una nueva red Wi-Fi.

Una solución es tener el dedo preparado para pulsar el botón **Cancelar** cada vez que aparezca el aviso, pero hay una forma mejor: decirle al iPad que no aparezcan estos avisos sobre las redes Wi-Fi. Hágalo así:

1. En la pantalla de inicio, pulse **Ajustes**. Aparecerá la pantalla Ajustes.

2. Pulse Wi-Fi. Se abrirá la pantalla Redes Wi-Fi.

3. Pulse el regulador Preguntar al conectar para desactivarlo, como puede ver en la figura 1.3. Ya no aparecerán avisos sobre las redes cercanas.

Seguro que se está preguntando cómo puede conectarse a una red Wi-Fi si ya no aparecen las notificaciones sobre las redes cercanas. Es una buena pregunta y, a continuación, tiene una buena respuesta:

1. En la pantalla de inicio, pulse **Ajustes**. Aparecerá la pantalla Ajustes.

2. Pulse **Wi-Fi**. Aparece la pantalla Redes Wi-Fi y en la sección Seleccione una red aparecen las redes disponibles.

3. Seleccione la red que quiere utilizar. Si la red está protegida con una contraseña, el iPad le indicará que tiene que escribirla.

4. Utilice el teclado para escribir la contraseña.

5. Pulse **Conectarse**. El iPad se conecta a la red y añade el icono de intensidad de señal de la red Wi-Fi a la barra de estado.

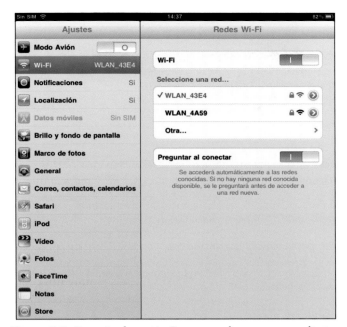

Figura 1.3. *Desactive la opción Preguntar al conectar para eliminar las notificaciones sobre las redes Wi-Fi.*

Conectarse a una red Wi-Fi oculta

Cada red Wi-Fi tiene un nombre, denominado SSID (*Service Set Identifier*, Identificador de conjunto de servicios), que sirve para identificar la red ante dispositivos compatibles como el iPad. La mayoría de las redes Wi-Fi transmiten el nombre de red para que podamos verla y conectarnos a ella. Sin embargo, algunas redes Wi-Fi desactivan la transmisión del nombre de red como medida de seguridad. El motivo es que, si un usuario no autorizado no puede ver la red, no podrá conectarse a ella. De todas formas, algunos dispositivos pueden obtener el nombre de la red cuando los ordenadores autorizados se conectan a ella, por lo que no es una medida de seguridad infalible.

Es posible conectarse a una red Wi-Fi oculta introduciendo los ajustes de conexión manualmente. Sólo necesitamos el nombre de la red, el tipo de seguridad y de cifrado y la contraseña. Éstos son los pasos que hay que seguir:

1. En la pantalla de inicio, seleccione Ajustes para abrir la pantalla Ajustes.
2. Pulse **Wi-Fi**. Verá la pantalla Redes Wi-Fi.
3. Pulse **Otra**. Aparecerá la pantalla Otra red, tal y como puede ver en la figura 1.4.
4. Utilice el cuadro de texto Nombre para escribir el nombre de la red.
5. Pulse **Seguridad** para abrir la pantalla Seguridad.

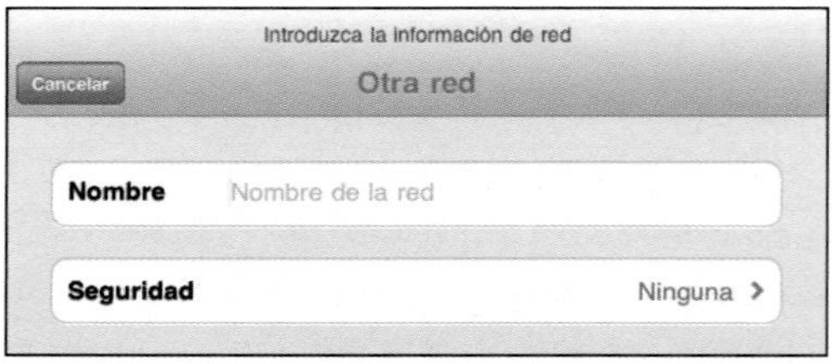

Figura 1.4. Utilice la pantalla Otra red para conectarse a una red Wi-Fi oculta.

6. Seleccione el tipo de seguridad utilizado por la red Wi-Fi: WEP, WPA, WPA2, WPA Empresa, WPA2 Empresa o Ninguna.

7. Pulse **Otra red** para volver a la pantalla anterior. Si selecciona WEP, WPA, WPA2, WPA Empresa o WPA2 Empresa, el iPad le pedirá que introduzca la contraseña.

8. Utilice el teclado para escribir la contraseña.

9. Pulse **Conectarse**. El iPad se conecta a la red y añade el icono de intensidad de señal de la red Wi-Fi a la barra de estado.

Desactivar la antena Wi-Fi para ahorrar energía

La antena Wi-Fi del iPad busca constantemente redes Wi-Fi cercanas. Esto es útil porque significa que siempre tendremos una lista actualizada de redes, pero también implica un consumo de batería adicional. Si no va a utilizar la red Wi-Fi puede ahorrar batería para tareas más importantes desactivando la antena Wi-Fi del iPad.

Así es cómo se hace:

1. En la pantalla de inicio, pulse **Ajustes**. Aparecerá la pantalla Ajustes.

2. Pulse **Wi-Fi**. Aparece la pantalla Redes Wi-Fi.

3. Pulse el regulador Wi-Fi para desactivarlo. El iPad se desconecta de la red Wi-Fi a la que esté conectado y oculta la lista de redes, como puede ver en la figura 1.5.

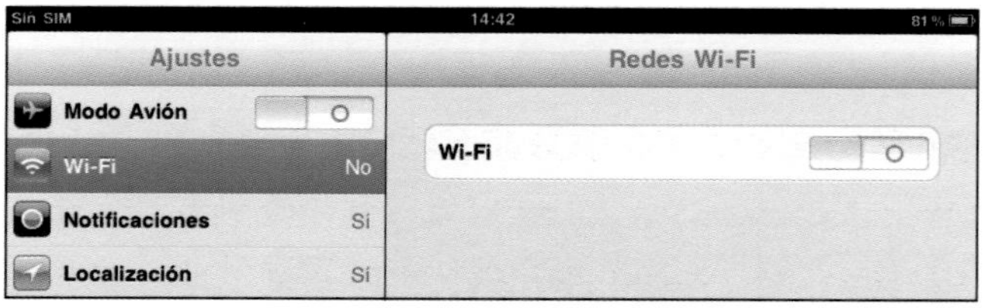

Figura 1.5. Si no necesita la conexión Wi-Fi, desactive la antena para ahorrar consumo de batería.

Cuando necesite de nuevo la red Wi-Fi, vuelva a la pantalla Redes Wi-Fi y pulse el regulador Wi-Fi para activar la antena.

iOS 4.3

Compartir la conexión de un iPhone con un iPad

Si tiene un iPad Wi-Fi pero no tiene cerca ninguna red Wi-Fi, ¿cómo puede conectarse a Internet? Si además tiene un iPhone con iOS 4.3 puede solucionar este problema utilizando una nueva función llamada Compartir Internet que le permite configurar su iPhone como un dispositivo para acceder a Internet, como los puntos de acceso inalámbricos que existen en cafeterías y otros sitios públicos. Entonces podrá conectar el iPad al iPhone mediante la red Wi-Fi y el iPad utilizará la conexión a Internet del móvil para conectarse. Esto se denomina *Internet tethering* o anclaje a red.

Esto suena demasiado bien para ser cierto, pero es real, créame. El inconveniente (siempre tiene que haber uno) es que tiene costes adicionales. En Estados Unidos, por ejemplo, tanto A&T como Verizon facturan 20 dólares al mes por descargar hasta 2 GB de datos con la opción Compartir Internet (y, que quede claro, son 20 dólares que se añaden al plan de datos que haya contratado para el iPhone). El primer paso para compartir Internet es activar esta característica en el iPhone. Así es cómo se hace:

1. En la pantalla de inicio del iPhone, pulse **Ajustes**. Aparecerá la pantalla Ajustes.

2. Pulse **Compartir Internet**. Aparecerá la pantalla Compartir Internet.

3. Pulse el regulador Compartir Internet para activarlo. Si no tiene la antena Bluetooth activada, como se describe en el capítulo 3, el iPhone le preguntará si quiere activarla.

4. Compartir Internet genera una contraseña Wi-Fi de manera automática, pero es posible configurar una nueva si pulsa **Contraseña Wi-Fi** y escribe la nueva contraseña.

Cuando haya activado la opción Compartir Internet en el iPhone, siga estos pasos para conectarlo con el iPad mediante Wi-Fi:

1. En el iPad vaya a la lista de redes inalámbricas cercanas.

2. En la lista de redes haga clic en la que tenga el mismo nombre que su iPhone. El dispositivo le pedirá la contraseña Wi-Fi.

3. Escriba la contraseña Wi-Fi para compartir Internet y haga clic en **Conectar**. En la barra de estado del iPhone aparecerá el icono **Compartir Internet** (dos anillos entrelazados).

● ● ● TRABAJAR CON CONEXIONES DE RED MÓVILES

Las conexiones a redes móviles son automáticas y se realizan de forma interna. Al encender el iPad 3G, éste busca una señal 3G y, si encuentra una, se conecta a ella y aparecen los iconos 3G y de intensidad de la señal (cuantas más barras, mejor será la señal) en la barra de estado.

Si en nuestra ubicación actual no hay cobertura 3G, el iPad intenta conectarse a una red EDGE. Si lo consigue, veremos el icono E y las barras de intensidad de señal en la barra de estado. Si no hay cobertura para ninguna de estas redes, aparecerá la leyenda No Signal.

Realizar el seguimiento del consumo de datos en la red móvil

Si contratamos un plan de datos con un proveedor móvil no tendremos que preocuparnos en ningún momento por el acceso a la red. Sin embargo, si no tenemos una tarifa plana hay que tener cuidado y no superar el consumo máximo mensual del plan de datos. Sobrepasar este límite significa tener que pagar por cada megabyte adicional, por lo que es muy fácil acumular facturas elevadas en poco tiempo.

Para evitarlo, puede realizar un seguimiento del consumo de datos en la red móvil:

1. En la pantalla de inicio, pulse **Ajustes**. Aparecerá la pantalla Ajustes.

2. Pulse **General** para ver la pantalla General.

3. Pulse **Uso** para ver la pantalla Uso.

4. Examine los valores Enviados y Recibidos en la sección Datos de la red móvil.

Nota

Los valores de uso de las redes móviles en el iPad sólo serán útiles si coinciden con el ciclo mensual de datos de su proveedor. Consulte con su proveedor de datos cuándo se inicia el período de facturación, siga los pasos que acabamos de indicar para abrir la pantalla Uso *y después seleccione* Restablecer estadísticas. *Cuando el iPad le pida confirmación, pulse* **Restablecer.**

Desactivar la itinerancia de datos o roaming

La itinerancia de datos o *roaming* es una característica muy práctica del plan de datos que nos permite navegar por la Web, comprobar el correo electrónico e intercambiar mensajes de texto cuando viajamos a otro país. El inconveniente es que los cargos por este servicio suelen ser bastante elevados dependiendo de nuestra ubicación y del tipo de servicio que utilicemos. Si tenemos activada la opción de itinerancia de datos en nuestro iPad, la factura aumentará aunque no utilicemos esta característica. Esto se debe a que el iPad realiza tareas en segundo plano, como comprobar si hay mensajes de correo electrónico o de texto entrantes. Para evitar esta locura, desactive la característica de itinerancia de datos en su iPad cuando no la necesite. Siga estos pasos:

1. En la pantalla de inicio, pulse **Ajustes**. Aparecerá la pantalla Ajustes.

2. Pulse **Datos móviles**. Aparecerá la pantalla Datos móviles.

3. Pulse el regulador Itinerancia de datos para desactivar este ajuste.

Desactivar la antena 3G para ahorrar energía

La antena 3G del iPad busca constantemente una conexión móvil 3G. Esto es útil, porque siempre tendremos acceso a la red si estamos en una zona de cobertura 3G. Sin embargo, esta búsqueda constante implica un uso enorme de la batería.

Si está conectado a una red Wi-Fi o simplemente no necesita la conexión a una red 3G, puede ahorrar bastante batería desactivando la antena 3G del iPad:

1. En la pantalla de inicio, pulse **Ajustes**. Aparecerá la pantalla Ajustes.

2. Pulse **Datos móviles**. Aparecerá la pantalla Datos móviles.

3. Pulse el regulador Datos móviles para desactivar este ajuste. El iPad se desconecta entonces de la conexión móvil 3G y se conecta a la red EDGE si está en su zona de cobertura.

Cuando necesite la conexión, vuelva a la pantalla Datos móviles y pulse el regulador Datos móviles para activarlo.

CAMBIAR EL IPAD AL MODO AVIÓN

La mayoría de los países tienen una normativa muy estricta con respecto a las llamadas de teléfonos móviles y las señales inalámbricas de cualquier tipo a bordo de un avión.

Esto significa que el iPad es una amenaza real para el delicado equipo del avión, porque también transmite señales Wi-Fi y Bluetooth aunque no haya dispositivos receptores en un radio de 9 km.

El piloto o la amable azafata sugerirán a los pasajeros que apaguen todos sus dispositivos. Sí, eso soluciona el problema, pero es una lástima si tiene un iPad, porque puede hacer muchas cosas sin utilizar sus características inalámbricas: escuchar música o un audiolibro, ver un programa de televisión, ver fotografías, etc.

Entonces, ¿cómo conciliamos la normativa que prohíbe cualquier tipo de red inalámbrica con la multitud de aplicaciones que no necesitan una red inalámbrica? Poniendo el iPad en un estado especial llamado Modo Avión. Este modo desactiva los transceptores (los componentes internos que transmiten y reciben señales inalámbricas) de la antena 3G, de la señal Wi-Fi y de las características Bluetooth.

Una vez que el iPad cumpla de forma segura con la normativa aérea, puede utilizar cualquier aplicación que no dependa de las transmisiones inalámbricas.

Para activar el Modo Avión siga estos pasos:

1. En la pantalla de inicio pulse **Ajustes**. Aparecerá la pantalla Ajustes.

2. Pulse **Modo Avión** para activar/desactivar este ajuste, tal y como puede observar en la figura 1.6. El iPad desconecta las redes móvil e inalámbrica (si tiene una conexión en ese momento). Cuando está activado este modo aparece el icono de un avión en la barra de estado en lugar de los iconos de intensidad de la señal y de red.

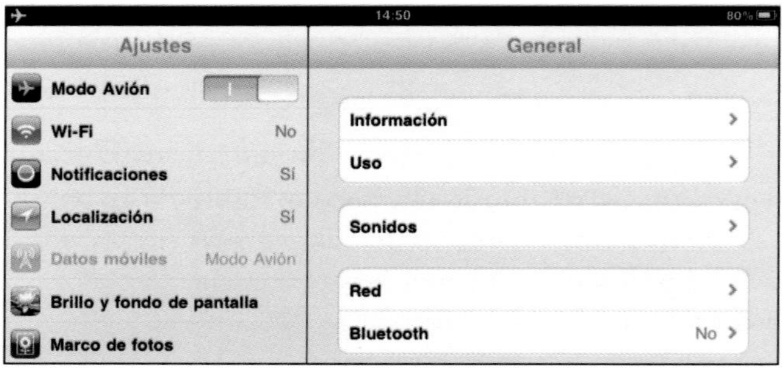

Figura 1.6. *Cuando el iPad está en el Modo Avión aparece el icono de un avión en la barra de estado.*

Capítulo 2

Sincronizar el iPad

El peso de un iPad es de unos 600 gramos (un poco más si tiene un chip 3G incorporado), por lo que se trata de un dispositivo tan portátil como un ordenador portátil. Esta portabilidad inherente significa que podemos llevarnos nuestro fiel iPad con nosotros a cualquier parte. Pero nos estamos olvidando de algo: incluir en el iPad todos nuestros archivos. Los contactos, el calendario, los favoritos, la música, los vídeos y otros archivos multimedia; todo esto está almacenado en nuestro ordenador de sobremesa, así que, ¿por qué no llevarlo con nosotros? Podemos hacerlo sincronizando todos estos datos o algunos de ellos con el iPad, tal y como aprenderemos en este capítulo.

CONECTAR EL IPAD AL ORDENADOR

Todos estamos esperando a que llegue ese día en el que los ordenadores y los dispositivos como los iPad puedan detectarse unos a otros e iniciar una conversación digital sin que sea necesario algo tan poco elegante como una conexión "física". Sin embargo, a pesar de que el iPad es compatible con dos tecnologías inalámbricas (Wi-Fi, como se detalla en el capítulo 1, y Bluetooth, como veremos en el capítulo 3), para intercambiar datos entre el iPad y un Mac o un PC es necesaria una conexión con cable.

La conexión puede hacerse de dos formas:

- **Cable USB:** Utilice el cable de conector Dock a USB que viene con el iPad para enchufar un extremo a un puerto USB libre de su Mac o PC y el otro al conector Dock situado en la parte inferior del iPad.

- **Base Dock:** Si se ha gastado el dinero en una base Dock opcional (una base Dock normal o una para teclado), enchúfela primero a una toma de corriente. Utilice el cable de conector Dock a USB que viene con el iPad para enchufar el extremo USB a cualquier puerto USB libre de su Mac o PC y el otro extremo al conector Dock situado en la parte trasera de la base Dock. Coloque el iPad en la base Dock.

⊖ ⊖ ⊖ SINCRONIZAR EL IPAD AUTOMÁTICAMENTE

Dependiendo de la capacidad de almacenamiento de su iPad (16 GB, 32 GB o 64 GB), podrá transferir todo el contenido digital compatible con el iPad a su disco duro. Si es esto lo que quiere hacer puede usar un método de sincronización muy sencillo, en el que puede desentenderse completamente del proceso: la sincronización automática. Si no es esto lo que quiere hacer, no se preocupe, vaya a la sección dedicada a la sincronización manual del iPad un poco más adelante en este capítulo. Ya sabe que puede transferir todo el contenido de su Mac o PC al iPad, así que sólo tiene que encender el iPad y conectarlo al ordenador.

Advertencia

*En algunas ocasiones, el proceso de sincronización puede fallar si el iPad tiene abierta la pantalla de ajustes de una aplicación al ejecutar la sincronización. Pulse el botón **Inicio** antes de ejecutar la sincronización para que no haya ningún ajuste o aplicación abiertos.*

¡Y eso es todo! iTunes se abre automáticamente, se conecta con el iPad y comienza la sincronización. Y, por si fuera poco, tenemos la ventaja adicional de que el puerto USB también empieza a cargar la batería del iPad. Fíjese en estos tres aspectos durante la sincronización (véase la figura 2.1):

• El iPad aparecerá en la lista DISPOSITIVOS de iTunes.

• Aparecerá el mensaje "Sincronizando iPad" en la zona de estado de iTunes.

• En el iPad aparecerá una pantalla que indica que la sincronización está en proceso.

Tenga en cuenta que no podrá utilizar el iPad mientras se esté sincronizando. De todas formas, una de las características más interesantes del iPad es que podemos interrumpir inmediatamente una sincronización.

Durante la sincronización aparece el regulador Cancelar en la parte inferior de la pantalla del iPad. Si en algún momento necesita detener la sincronización para realizar otra tarea, arrastre el regulador hacia la derecha. iTunes cancela obedientemente la sincronización, permitiéndole de este modo realizar su tarea. Cuando quiera restablecer la sincronización, haga clic en el botón **Sincronizar** en iTunes.

Cuando termine la sincronización, tiene que hacer dos cosas:

1. En iTunes, haga clic en el icono **Expulsar** situado junto a iPad en la lista DISPOSITIVOS (véase la figura 2.1).

2. Retire el cable de conector Dock a USB del conector Dock del iPad.

Expulsar

Figura 2.1. *Al conectar el iPad, iTunes entra en acción y empieza a sincronizar los datos.*

Asignar otro nombre al iPad

Aunque no es un aspecto específico del proceso de sincronización, aprovechando que estamos en iTunes, tal vez quiera cambiar el aburrido nombre "iPad" que viene por defecto. Esto es lo que tiene que hacer:

1. *Haga doble clic en iPad en la lista DISPOSITIVOS. iTunes convierte el elemento en un campo de texto que puede editar.*

2. *Escriba el nombre que quiere asignarle. Puede utilizar cualquier carácter y el nombre puede tener la extensión que quiera, aunque no es recomendable utilizar más de 15 o 16 caracteres; de lo contrario, no aparecerá completo en la lista DISPOSITIVOS.*

3. *Pulse* **Retorno** *o* **Intro** *para guardar el nuevo nombre.*

En cuanto pulse **Retorno** *o* **Intro***, iTunes se conecta al iPad y guarda el nuevo nombre. De esta forma, aunque conecte su iPad a otro ordenador, la versión de iTunes de ese ordenador mostrará el nombre personalizado de su iPad.*

Omitir la sincronización automática

A veces, queremos conectar el iPad al ordenador pero sin intención de ejecutar una sincronización automática. No se trata de cambiar a la sincronización al modo manual; trataremos este tema enseguida. Más bien se trata de omitir la sincronización sólo una vez.

Por ejemplo, puede que sólo queramos conectar el iPad al ordenador para cargarlo (si no tenemos una base Dock opcional o no la tenemos a mano en ese momento). O puede que simplemente queramos utilizar iTunes para ver cuánto espacio libre hay en el iPad o para buscar actualizaciones de software.

No importa la razón, podemos decirle a iTunes que cancele la sincronización automática sólo una vez utilizando una de las siguientes técnicas:

- **Mac:** Conecte el iPad al Mac y luego pulse rápidamente la combinación de teclas **Opción-Comando**.

- **Windows:** Conecte el iPad al PC con Windows y pulse rápidamente la combinación de teclas **Control-Mayús**.

Cuando vea que iTunes incluye el iPad en la lista DISPOSITIVOS, suelte las teclas.

No es necesario utilizar iTunes para ver el espacio libre que hay en el iPad. En la pantalla de inicio, pulse Ajustes>General>Información. En la pantalla Información, el valor Disponible le informa de los gigabytes o megabytes que hay libres.

Solucionar problemas con la sincronización automática

Conecta el iPad al ordenador y no sucede nada. iTunes no se está ejecutando, se niega a despertarse de su sueño digital. ¿Qué pasa?

Pueden ser dos las causas de este problema. En primer lugar, conecte el iPad, abra iTunes en el ordenador y haga clic en iPad en la lista DISPOSITIVOS. En la ficha Resumen (véase la figura 2.2), asegúrese de que esté seleccionada la opción Abrir iTunes al conectar este iPad.

Si la casilla ya está seleccionada, investigue un poco más para solucionar el misterio. Siga estos pasos:

1. Abra las preferencias de iTunes:
   - **Mac:** Seleccione iTunes>Preferencias o pulse **Comando-,** (coma).
   - **Windows:** Seleccione Edición>Preferencias o pulse **Control-,** (coma).
2. Haga clic en la ficha Dispositivos.
3. Desactive la casilla de verificación No permitir la sincronización automática de los iPod, iPhone y iPad.
4. Haga clic en **OK** para aplicar los nuevos ajustes y permitir nuevamente la sincronización automática.

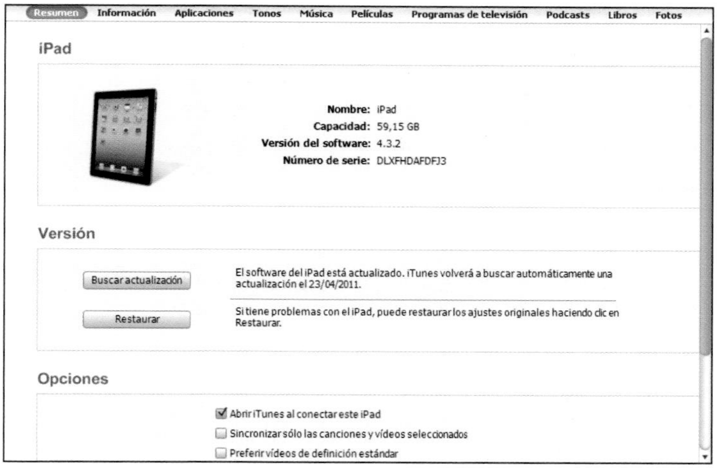

Figura 2.2. *Seleccione la casilla de verificación Abrir iTunes al conectar este iPad.*

SINCRONIZAR EL IPAD MANUALMENTE

La primera vez que se conecta el iPad a iTunes, la breve rutina de configuración incluye una pantalla que nos pregunta si queremos sincronizar automáticamente determinado contenido, como música o fotografías. Si activó la casilla de verificación para un tipo de contenido particular, iTunes configuró el iPad para sincronizar todo ese contenido. Eso está muy bien, pero dependiendo de la cantidad de contenido que tenga en su ordenador, tal vez acabe transfiriendo demasiados archivos a su iPad.

Cuando menos se lo espere, un día, mientras hace sus gestiones y realiza lo que considera una operación de sincronización rutinaria, aparecerá en pantalla un cuadro de diálogo si iTunes no puede copiar todos los archivos en el iPad. Ese desagradable cuadro de diálogo significa que no tenemos suficiente espacio libre en el iPad para sincronizar todo el contenido desde el ordenador. Podemos tratar este problema de dos formas:

- **Borrar parte del contenido en el ordenador:** Este método es ideal cuando al iPad le falta poco espacio para poder albergar todo el contenido del ordenador. Por ejemplo, el cuadro de diálogo dice que el ordenador quiere transferir 100 MB de datos pero el iPad tan sólo tiene 98 MB de espacio libre. Bastaría con eliminar unos pocos megabytes en el ordenador para poder seguir trabajando sin problemas.

- **Sincronizar el iPad manualmente:** Esto significa que no se va a sincronizar todo el contenido del ordenador. Tendremos que elegir qué listas de reproducción, *podcast*, audiolibros, etc., se envían al iPad. Aunque sea algo más laborioso, es la única forma de hacerlo si existe una diferencia importante entre la cantidad de contenido que hay en el ordenador y el espacio libre disponible en el iPad.

Sincronizar manualmente significa que tenemos que controlar la sincronización de los distintos tipos de contenido: contactos, calendarios, correo electrónico, favoritos, música, *podcast*, audiolibros, libros electrónicos, fotografías, vídeos y aplicaciones. Para ello, basta con utilizar el resto de fichas que aparecen en la ventana iPad en iTunes: Información, Música, Fotos, etc. Para saber cómo tratar cada uno de los tipos de datos consulte las siguientes secciones del libro:

- **Favoritos de Safari:** En el capítulo 4 consulte la sección dedicada a la sincronización de favoritos.

- **Información de la cuenta de correo electrónico:** En el capítulo 5 consulte la sección dedicada a la sincronización de cuentas de correo electrónico.

- **Notas de la aplicación Mail:** En el capítulo 5 consulte la sección dedicada a la sincronización de notas.

- **Fotos:** En el capítulo 6 consulte la sección dedicada a la sincronización de fotografías.

- **Libros electrónicos:** En el capítulo 7 consulte la sección dedicada a la sincronización de libros electrónicos.

- **Música, *podcast* y audiolibros:** En el capítulo 8 consulte la sección dedicada a la sincronización de música y otro contenido de audio.

- **Películas y programas de televisión:** En el capítulo 9 consulte la sección dedicada a la sincronización de vídeos.

- **Contactos:** En el capítulo 10 consulte la sección dedicada a la sincronización de contactos.

- **Calendarios:** En el capítulo 11 consulte la sección dedicada a la sincronización de calendarios.

- **Aplicaciones:** En el capítulo 13 consulte la sección dedicada a la sincronización de aplicaciones.

Cuando haya configurado los ajustes de sincronización, basta con hacer clic en el botón **Sincronizar** para iniciar el proceso de sincronización.

⬤ ⬤ ⬤ LLEVAR LA SINCRONIZACIÓN A UN NIVEL SUPERIOR

Sincronizar datos entre el iPad y el Mac o el PC no es complicado y, en general, es una tarea sencilla que consiste en conectar y sincronizar. No tengo intención de añadir complejidad a un proceso admirablemente sencillo, pero tiene que saber cómo tratar algunos problemas que pueden surgir durante la sincronización. En las siguientes secciones, aprenderá a manejar los conflictos de sincronización, a tratar cambios extensos en la sincronización, a sustituir y actualizar datos en el iPad y a combinar y sincronizar datos de dos o más ordenadores.

Manejar cambios contradictorios en la sincronización

Cuando sincronizamos información entre el iPad y un ordenador, no siempre se realiza la transferencia de datos nuevos: canciones nuevas, contactos nuevos, nuevas citas de calendario, etc. La sincronización también incluye los datos editados o modificados. Por ejemplo, si cambiamos una dirección de correo electrónico en el iPad, cuando ejecutemos la sincronización iTunes actualiza la dirección de correo electrónico en el ordenador, que es exactamente lo que queremos.

Pero, ¿qué pasa si ya hemos cambiado esa dirección en el ordenador? Si el cambio ha sido el mismo, no habrá ningún problema puesto que no hay nada que sincronizar. Pero, ¿qué pasa si hemos hecho un cambio diferente? Aquí sí tenemos un problema, porque iTunes no sabe qué versión contiene la información correcta. En este caso, el programa se encoge de hombros y pasa el problema a un programa llamado Resolución de conflictos. Si quiere solucionar el problema en ese momento, haga clic en **Revisar ahora**. Resolución de conflictos le ofrece detalles sobre el conflicto. Por ejemplo, que la dirección de correo electrónico de un contacto de la agenda es diferente a la que aparece en el iPad.

Para solucionar la incidencia, haga clic en la versión correcta y después haga clic en **Aceptar**. Si Resolución de conflictos le indica que el problema se reparará durante la siguiente sincronización, haga clic en **Sincronizar ahora**.

Manejar cambios extensos en la sincronización del iPad con el ordenador

La sincronización funciona en dos sentidos: el iPad recibe contenido del ordenador y el ordenador también recibe contenido del iPad. Por ejemplo, si creamos favoritos, contactos o citas en el iPad, estos elementos se transferirán al ordenador durante la sincronización.

Sin embargo, lo normal es que la mayoría del contenido se transfiera del ordenador al iPad; algo que resulta lógico porque, en general, es más sencillo añadir, editar y borrar elementos en el propio ordenador. Por eso, si realizamos muchos cambios en el contenido del iPad, iTunes mostrará un mensaje de advertencia indicando que la sincronización va a realizar muchos cambios en el contenido del ordenador. El umbral es del 5 por 100, es decir, si la sincronización cambia más del cinco por ciento de un tipo concreto de contenido (favoritos, calendarios, etc.), aparecerá esa advertencia. Por ejemplo, en la figura 2.3 puede ver la alerta de sincronización que aparece cuando el proceso va a modificar más del 5 por 100 de los favoritos del ordenador.

Si realmente es lo que quiere hacer (porque ha realizado muchos cambios en el iPad), haga clic en el botón **Sincronizar [elementos]**, donde "elementos" es el tipo de datos: favoritos, contactos, etc. Si no está seguro, haga clic en **Mostrar detalles** para ver los cambios. Si después de hacerlo sigue teniendo dudas, haga clic en **Sincronizar más tarde** para omitir esta parte de la sincronización.

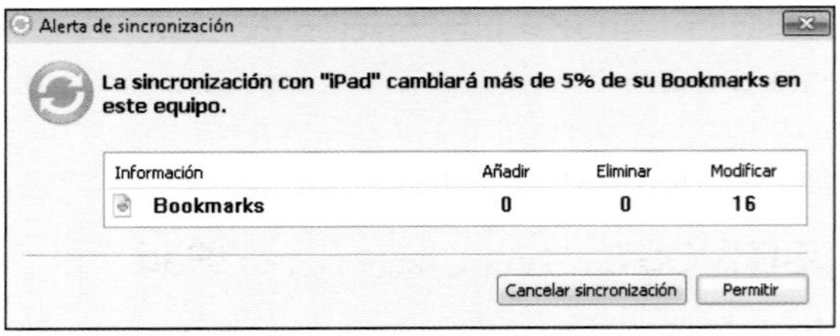

Figura 2.3. *iTunes le avisa si la sincronización va a modificar más del cinco por ciento del contenido del ordenador. En este ejemplo, la sincronización cambiará más del 25 por 100 de los favoritos.*

Si tiene la versión de iTunes para Windows, puede desactivar esta advertencia o simplemente ajustar el umbral (por alguna extraña razón, la versión de iTunes para Mac no incluye esta opción). Siga estos pasos:

1. Seleccione Edición>Preferencias o pulse **Control-,** (coma) para abrir el cuadro de diálogo de preferencias.

2. Haga clic en la ficha Dispositivos.

3. Si quiere desactivar por completo las alertas de sincronización, desactive la casilla de verificación Avisar cuando. De lo contrario, deje la casilla activada y vaya al paso 4.

4. Utilice la lista Avisar cuando más del [porcentaje] de los datos de este equipo vayan a modificarse para configurar el umbral de la alerta, donde "porcentaje" es uno de los siguientes valores:

   • **cualquiera:** Seleccione esta opción para hacer que la alerta aparezca siempre que la sincronización con el iPad vaya a cambiar datos en el ordenador. Las sincronizaciones del iPad siempre modifican datos en el ordenador, así que prepárese para ver alertas cada vez que ejecute el proceso de sincronización. Aunque puede que eso sea exactamente lo que quiera.

   • **más del x%:** Seleccione una de estas opciones (5% (la opción predeterminada), 25% y 50%) para que aparezca la alerta cuando la sincronización vaya a cambiar más del "x%" de algún tipo de datos del ordenador.

5. Haga clic en **OK** para aplicar los nuevos ajustes.

Borrar datos en el iPad y sustituirlos por información actualizada

Una vez que ya sabemos cómo hacerlo, sincronizar contactos, calendarios, cuentas de correo electrónico y favoritos con el iPad es un procedimiento relativamente seguro que debería desarrollarse sin problemas. Evidentemente, los problemas técnicos pueden producirse en cualquier momento y, como resultado, puede terminar con información dañada o repetida. Puede que haya sincronizado el iPad con un par de ordenadores distintos (consulte la sección dedicada a la sincronización multimedia con dos o más ordenadores que encontrará más adelante en este capítulo) y quiera eliminar uno de los ordenadores del proceso, quedándose únicamente con uno solo para todas las sincronizaciones.

En ambos casos, es necesario sustituir la información del iPad por un nuevo lote de datos. Por suerte, iTunes cuenta con una función que hace exactamente eso. Así es cómo funciona:

1. Conecte el iPad al ordenador.

2. En la lista DISPOSITIVOS de iTunes, haga clic en iPad.

3. Haga clic en la ficha Información.

4. Seleccione las casillas de verificación para cada tipo de información que quiera incluir en el procedimiento (contactos, calendarios, cuentas de correo electrónico, favoritos o notas). Si no selecciona ninguna casilla de verificación, iTunes no sustituirá esa información en el iPad. Por ejemplo, si quiere que los favoritos del iPad permanezcan tal y como están, no seleccione la casilla de verificación Sincronizar favoritos con.

5. En la sección Avanzado seleccione la casilla de verificación que aparece junto al tipo de información que quiere sustituir. En la figura 2.4 puede ver cinco casillas de verificación: Contactos, Calendarios, Cuentas de correo, Marcadores y Notas.

6. Haga clic en **Aplicar**. iTunes sustituye la información seleccionada en el iPad.

Nota

Si alguna casilla de verificación de la sección Avanzado está desactivada, se debe a que no ha seleccionado antes la casilla para sincronizar correspondiente. Por ejemplo, en la figura 2.4 puede ver que la casilla de verificación Sincronizar notas no está seleccionada; por eso, en la sección Avanzado la casilla de verificación Notas está deshabilitada.

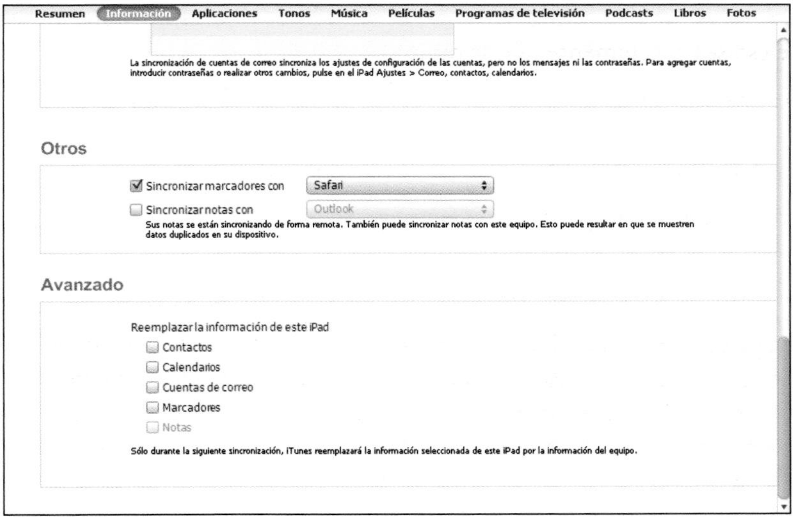

Figura 2.4. *Utilice las casillas de verificación de la sección Avanzado para decidir qué información quiere sustituir en el iPad.*

Combinar datos de dos o más ordenadores

Ha pasado mucho tiempo desde que toda la información residía en un solo ordenador. Hoy en día es habitual disponer de un ordenador (o dos) en casa, uno en el trabajo, un *smartphone* (como el iPhone) y, por supuesto, un iPad. Poseer todo este potencial digital es estupendo, pero genera un gran problema: tenemos contactos, calendarios y otra información dispersa en varias máquinas. ¿Cómo podemos controlar todo esto?

La última solución de Apple es MobileMe, una aplicación que proporciona una integración perfecta de la información de varios ordenadores (Mac y Windows). Hablaremos de esta tecnología más adelante en este capítulo, en la sección dedicada a la sincronización del iPad con MobileMe.

Si no tiene una cuenta en MobileMe, puede armonizar los datos gracias a la posibilidad que ofrece iTunes de combinar información de dos o más ordenadores en el iPad. Por ejemplo, si tiene contactos en el ordenador de su casa, puede sincronizarlos con el iPad. Si tiene un grupo distinto de contactos en un portátil, también puede sincronizarlos con el iPad.

iTunes le ofrece dos opciones:

- **Combinar información:** Con esta opción el iPad mantiene la información sincronizada del primer ordenador y la combina con la información sincronizada del segundo ordenador.

- **Sustituir información:** Con esta opción el iPad borra la información sincronizada del primer ordenador y la sustituye con la información sincronizada del segundo ordenador.

Siga estos pasos para configurar la combinación de información:

1. Sincronice el iPad con la información de un ordenador. Esta técnica funciona con contactos, calendarios, cuentas de correo electrónico y favoritos.

2. Conecte el iPad al segundo ordenador.

3. En iTunes, haga clic en iPad en la lista DISPOSITIVOS.

4. Haga clic en la ficha Información.

5. Seleccione las casillas de verificación para sincronizar aquella información que ya se ha sincronizado en el primer ordenador. Por ejemplo, si ha sincronizado los contactos, seleccione la casilla de verificación Sincronizar contactos con.

6. Haga clic en **Aplicar**; en iTunes aparece el cuadro de diálogo que puede observar en la figura 2.5.

7. Haga clic en **Combinar información**. iTunes sincroniza el iPad y combina la información del segundo ordenador con la información existente del primer ordenador.

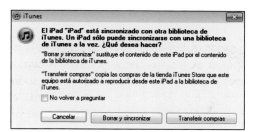

Figura 2.5. *Puede combinar contactos, calendarios, cuentas de correo electrónico y favoritos de dos o más ordenadores.*

Sincronización multimedia de dos o más ordenadores

Es un obstáculo importante, pero no podemos sincronizar el mismo tipo de contenido en el iPad desde más de un ordenador. Por ejemplo, si sincronizamos fotografías desde un ordenador de sobremesa y conectamos el iPad a otro ordenador (un portátil), abrimos iTunes y seleccionamos la casilla de verificación **Sincronizar fotos de**, aparecerá el cuadro de diálogo que puede ver en la figura 2.6. iTunes nos avisa de que si seguimos con la sincronización en ese ordenador, desaparecerán todos los álbumes y fotografías en el iPad.

Figura 2.6. *Sincronizar el mismo tipo de contenido en dos ordenadores diferentes está prohibido en iTunes.*

Entonces, no hay ninguna posibilidad de sincronizar el mismo iPad con dos ordenadores diferentes, ¿no? Bueno, no vaya tan deprisa. Realicemos otro experimento. Supongamos que vamos a sincronizar el iPad con un ordenador de sobremesa pero no sincronizamos las películas. Conectamos el iPad con el portátil u otro ordenador, abrimos iTunes y seleccionamos la casilla de verificación **Sincronizar películas**. No aparece ningún cuadro de diálogo. ¿Qué está pasando?

Lo que ocurre es que si iTunes detecta que no hay ningún archivo de un tipo de contenido concreto en el iPad (como las películas), nos permite sincronizar ese tipo de contenido sin hacer preguntas. En otras palabras, podemos sincronizar el iPad con varios ordenadores, aunque de una forma indirecta. La clave es no tener contenido superpuesto en los ordenadores que utilicemos para la sincronización. Por ejemplo, supongamos que tenemos un ordenador de sobremesa, un portátil y otro ordenador de sobremesa en el trabajo. A continuación, exponemos una situación de ejemplo para sincronizar el iPad con los tres ordenadores:

- **Ordenador de sobremesa de casa (sólo música y vídeos):** Seleccione la casilla de verificación Sincronizar la música en la ficha Música y Sincronizar películas en la ficha Películas. Desactive las casillas de verificación para sincronizar en las fichas Fotos y Podcasts.

- **Portátil (sólo fotos):** Seleccione la casilla de verificación Sincronizar fotos de en la ficha Fotos. Desactive todas las casillas de verificación para sincronizar en las fichas Música, Podcasts y Películas.

- **Ordenador de sobremesa de la oficina (sólo podcasts):** Seleccione la casilla de verificación Sincronizar podcasts en la ficha Podcasts. Desactive las casillas de verificación para sincronizar en las fichas Música, Fotos y Películas.

⬤ ⬤ ⬤ SINCRONIZAR EL IPAD CON MOBILEME

Cuando estamos conectados a Internet nos llevamos nuestra vida con nosotros, de forma que el mundo en línea se convierte en una extensión natural de nuestro mundo real. Sin embargo, eso no significa que la versión digital de nuestra vida sea menos ajetreada, caótica o compleja que la vida real. El servicio MobileMe de Apple está diseñado para simplificar parte de ese caos y complejidad mediante la sincronización automática de los datos más importantes: correo electrónico, contactos, calendarios, favoritos, etc. Aunque la sincronización en sí misma es automática, su configuración no lo es. El resto del capítulo le enseña cómo hacerlo.

MobileMe funciona muy bien con el iPad, porque si estamos fuera de casa o de viaje podemos acceder a nuestros datos. Para asegurarnos de que el iPad funciona correctamente con MobileMe, tenemos que añadir una cuenta MobileMe y configurar sus ajustes de sincronización en el iPad.

Configurar una cuenta de MobileMe en el iPad

Empezaremos por configurar una cuenta de MobileMe en el iPad:

1. En la pantalla de inicio, seleccione Ajustes. Se abrirá la pantalla Ajustes.

2. Seleccione Correo, contactos, calendarios. Aparecerá la pantalla Correo, contactos, calendarios.

3. Pulse **Añadir cuenta**. Aparecerá la pantalla Añadir cuenta.

4. Seleccione el logotipo MobileMe. Aparecerá la pantalla MobileMe, tal y como puede ver en la figura 2.7.

5. Pulse el cuadro de texto Nombre y escriba su nombre.

Figura 2.7. *Utilice esta pantalla para configurar su cuenta MobileMe en el iPad.*

6. Pulse el cuadro de texto Dirección y escriba su dirección de correo electrónico de MobileMe.

7. Pulse el cuadro Contraseña y escriba su contraseña de MobileMe. Puede pulsar también el cuadro de texto Descripción y escribir una descripción breve de la cuenta.

8. Pulse **Siguiente**. El iPad verifica la información de la cuenta y aparece la pantalla MobileMe, como puede ver en la figura 2.8.

Figura 2.8. *Utilice esta pantalla de MobileMe para activar los servicios de correo electrónico, contactos, calendarios y favoritos.*

9. Si quiere utilizar el servicio de correo electrónico, deje el regulador Mail activado.

10. Si quiere utilizar el servicio de contactos, deje el regulador Contactos activado y luego pulse **Sincronizar**.

11. Si quiere utilizar el servicio de calendarios, deje el regulador Calendarios activado y pulse **Sincronizar**.

12. Si quiere utilizar el servicio de favoritos, deje el regulador Favoritos activado y pulse **Sincronizar**.

13. Pulse **Guardar**. El iPad vuelve a la pantalla de ajustes del correo electrónico y la cuenta MobileMe aparecerá incluida en la lista Cuentas.

Configurar la sincronización de MobileMe en el iPad

La parte "*mobile*" (móvil) de MobileMe significa que no importa cuál sea nuestra ubicación, los mensajes de correo electrónico, los contactos y los calendarios son enviados a nuestro iPad y se sincronizarán con cualquier otro dispositivo. El iPad tiene esta funcionalidad activada, pero podemos configurar sus ajustes siguiendo estos pasos:

1. En la pantalla de inicio, seleccione Ajustes. Aparecerá la pantalla Ajustes.

2. Seleccione Correo, contactos, calendarios. Aparecerá la pantalla Correo, contactos, calendarios.

3. Pulse **Obtener datos**. En el iPad aparecerá la pantalla Obtener datos, como puede ver en la figura 2.9.

Figura 2.9. *Utilizamos la pantalla Obtener datos para configurar la sincronización de MobileMe en el iPad.*

4. Si quiere que los datos de MobileMe se envíen automáticamente, pulse el regulador Push para activarlo. De lo contrario, pulse **Push** para desactivarlo.

5. Si desactivó el regulador o si el iPad tiene aplicaciones que no son compatibles con esta funcionalidad, seleccione la frecuencia con la que quiere actualizar los datos: Cada 15 minutos, Cada 30 minutos, Cada hora o Manualmente.

Si quiere que el Mac esté sincronizado con los servicios de MobileMe, añada una cuenta de MobileMe a la aplicación Mail y configurar la sincronización de MobileMe en el Mac.

Configurar una cuenta de MobileMe en un Mac

Siga los pasos que se indican a continuación para incluir una cuenta de MobileMe en la aplicación Mail:

1. En el Dock, haga clic en el icono **Mail**; aparecerá la aplicación Mail.

2. Seleccione Mail>Preferencias para abrir las preferencias de Mail.

3. Haga clic en la ficha Cuentas.

4. Haga clic en +. Aparecerá el cuadro de diálogo Añadir cuenta.

5. Escriba su nombre en el cuadro de texto Nombre.

6. Escriba su dirección de correo electrónico de MobileMe en el cuadro de texto Dirección de correo.

7. Escriba su contraseña de MobileMe en el cuadro de texto Contraseña.

8. Deje activada la casilla de verificación Configurar cuenta automáticamente.

9. Haga clic en **Crear**. Mail verifica la información de la cuenta y vuelve a la ficha Cuentas, a la que se ha añadido la cuenta de MobileMe.

Configurar la sincronización de MobileMe en un Mac

Los Mac están pensados para sincronizarse con MobileMe, así que la sincronización no tiene ninguna complejidad. De todas formas, es necesario configurar el Mac para activar la sincronización con MobileMe e incluir las cuentas de correo electrónico, los contactos y los calendarios en el proceso de sincronización. Siga estos pasos para configurar sus preferencias:

1. Haga clic en el icono **Preferencias del Sistema** en el Dock. Se abre la ventana Preferencias del Sistema.

2. En la sección Internet y conexiones inalámbricas haga clic en el icono **MobileMe**. Aparecerá la ventana de preferencias MobileMe.

3. Haga clic en la ficha Sincronización.

4. Seleccione la casilla de verificación Sincronizar con MobileMe. De este modo, el Mac activa las casillas de verificación situadas debajo de los distintos elementos que se pueden sincronizar, como puede ver en la figura 2.10.

5. En la lista Sincronizar con MobileMe seleccione Automáticamente.

6. Seleccione la casilla de verificación situada junto a cada elemento que quiera sincronizar con su cuenta de MobileMe, en especial los elementos:

   • Favoritos.

   • Calendarios.

   • Contactos.

   • Cuentas de Mail.

7. Cierre la ventana de preferencias MobileMe. Ahora el Mac ya está listo para la sincronización con MobileMe.

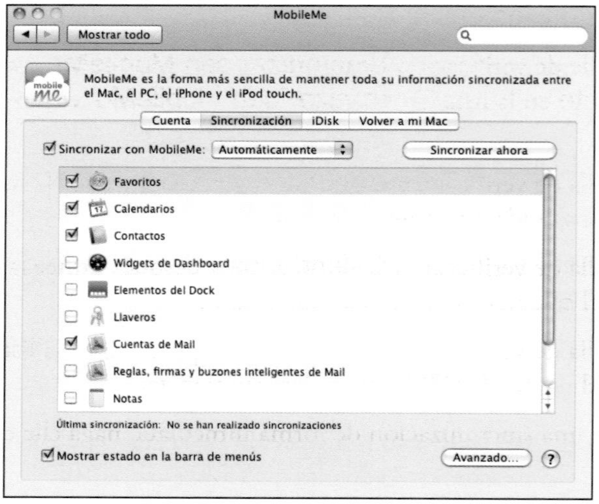

Figura 2.10. *Seleccione la casilla de verificación Sincronizar con MobileMe*
y después seleccione los elementos que quiere sincronizar.

Configurar una cuenta de MobileMe en un PC con sistema operativo Windows

MobileMe también puede enviar todos los datos a un PC con el sistema operativo Windows. Sin embargo, a diferencia de Mac, un ordenador con Windows no está preparado para reconocer la aplicación MobileMe. Para que Windows funcione con MobileMe tiene que hacer dos cosas:

• Descargar e instalar la versión más reciente de iTunes.

• Descargar e instalar el Panel de control MobileMe para Windows, que puede encontrar en `http://support.apple.com/kb/DL769?viewlocale=es_ES`.

Una vez hecho esto, puede configurar MobileMe para que funcione en su PC con Windows siguiendo estos pasos:

1. En el PC con Windows en el que quiera configurar MobileMe, seleccione Inicio> Panel de control para abrir la ventana Panel de control.

2. Haga doble clic en el icono **MobileMe**. Si no ve este icono, abra primero a la categoría Redes e Internet. Aparecerá la ventana Preferencia de MobileMe.

3. En el cuadro de texto Nombre de miembro escriba el nombre de la cuenta de MobileMe.

4. En el cuadro de texto Contraseña escriba la contraseña de la cuenta de MobileMe.

5. Haga clic en **Iniciar sesión** para iniciar sesión con su cuenta.

6. Haga clic en la ficha **Sincronizar**.

7. Seleccione la casilla de verificación **Sincronizar con MobileMe** y después seleccione **Automáticamente** en la lista **Sincronizar con MobileMe**, como puede ver en la figura 2.11.

8. Seleccione la casilla de verificación **Contactos** y después utilice la lista **Contactos** para seleccionar la agenda que quiere sincronizar.

9. Seleccione la casilla de verificación **Calendarios** y después utilice la lista **Calendarios** para seleccionar el calendario que quiere sincronizar.

10. Seleccione la casilla de verificación **Favoritos** y después utilice la lista **Favoritos** para seleccionar el navegador Web que quiere sincronizar.

11. Si quiere ejecutar una sincronización de forma inmediata, haga clic en **Sincronizar ahora**.

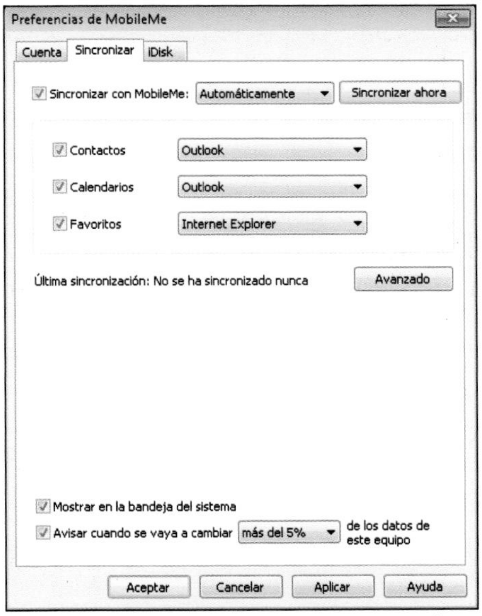

Figura 2.11. *Utilice el cuadro de diálogo Preferencias MobileMe para configurar una cuenta de MobileMe en un PC con Windows.*

12. Si aparece un cuadro de diálogo, pulse **Combinar datos** y haga clic en **Permitir**.

13. Haga clic en **Aceptar**.

Capítulo 3

Configuración del iPad

Si ha leído los dos primeros capítulos del libro, ya estará conectado a una red y habrá sincronizado todos los datos de su ordenador de sobremesa con el iPad. Este libro debería terminar aquí, ¿no? ¿Qué más puede necesitar? Se sorprendería. Aunque el iPad funciona muy bien cuando se enciende por primera vez, podemos mejorar su rendimiento. En concreto, verá que los ajustes predeterminados del iPad están pensados para el usuario medio, pero ambos sabemos que usted no es precisamente un usuario medio (por eso ha comprado este libro, obviamente). Este capítulo le ayuda a configurar el iPad para que funcione de acuerdo a sus necesidades.

⬤ ⬤ ⬤ CREAR UNA PANTALLA DE INICIO PERSONALIZADA

La primera vez que encienda el iPad y cada vez que pulse el botón **Inicio**, aparecerá la pantalla de inicio, que utilizamos como plataforma de lanzamiento para todas nuestras aventuras por el iPad. Utilizar la pantalla de inicio no tiene ningún misterio: basta con pulsar el icono que queremos y la aplicación se carga inmediatamente. Es la perfección en persona. Pero las cosas nunca son tan perfectas como parecen a primera vista. De hecho, hay varios aspectos de la pantalla de inicio que tenemos que tener en cuenta:

- Los iconos de la fila superior son más fáciles de encontrar y es un poco más sencillo pulsarlos.

- Si tiene más de 20 iconos, éstos ocuparán una segunda, tercera o cuarta pantalla de inicio. Si la aplicación que queremos abrir no está en la pantalla de inicio principal, tendremos que desplazarnos hasta la pantalla que contiene el icono de esa aplicación (o pulsar el punto que representa la pantalla que queremos) y, a continuación, pulsar el icono.

- Si los iconos ocupan varias pantallas de inicio, los cuatro iconos del Dock (situados en la zona inferior de la pantalla) aparecen en cada pantalla de inicio para que estén siempre disponibles.

Nota

¿Cómo es posible tener más de 20 iconos? Muy fácil: gracias a la tienda App Store. Se trata de un minorista en línea dedicado exclusivamente a la distribución de aplicaciones compatibles con las tecnologías del iPad: Multi-Touch, GPS, el acelerómetro, el sistema inalámbrico, etc. Puede descargar aplicaciones a través de la red móvil o de la conexión inalámbrica, por lo que tendrá acceso a las aplicaciones siempre que las necesite. En la pantalla de inicio, pulse el icono de la tienda App Store para ver qué aplicaciones hay disponibles.

Todo esto significa que podemos hacer que la pantalla de inicio sea más eficiente realizando tres operaciones: mover los cuatro iconos más utilizados hasta el Dock, mover otros cuatro iconos utilizados habitualmente hasta la fila superior de la pantalla principal de inicio y hacer que todos los iconos que pulsamos con más frecuencia aparezcan en algún lugar de la pantalla principal de inicio.

Para ello, basta con reorganizar los iconos de la pantalla de inicio de la siguiente forma:

1. Vaya a la pantalla de inicio.

2. Pulse y mantenga pulsado cualquier icono de la pantalla de inicio. Cuando vea que los iconos se mueven, quite el dedo.

3. Pulse y arrastre los iconos hasta sus nuevas ubicaciones. Para mover un icono hasta una pantalla diferente, pulse y arrastre el icono hacia el borde izquierdo de la pantalla actual (si lo que quiere es moverlo a la pantalla anterior) o hacia el borde derecho de la pantalla actual (si lo que quiere es moverlo a la pantalla siguiente), espere hasta que aparezca la nueva pantalla y suelte el icono en su nueva ubicación. Puede incluir un máximo de seis iconos en el Dock, así que si tiene espacio suficiente puede soltar el icono en él.

4. Reorganice los iconos que ya están en el Dock arrastrándolos hacia la izquierda o derecha para cambiar el orden.

5. Para sustituir un icono del Dock, primero pulse y arrastre el icono fuera del Dock para tener algo de espacio y, a continuación, pulse y arrastre cualquier icono de la pantalla de inicio hasta el Dock.

6. Pulse el botón **Inicio**. El iPad guarda la nueva organización de iconos.

Truco

Los iconos que aparecen en la barra de menús de la pantalla de inicio también son muy legales. Es decir, podemos arrastrarlos hacia la izquierda o hacia la derecha para cambiar el orden y sustituirlos por otros iconos de la pantalla de inicio. Para esto último, haga que los iconos se muevan y después pulse y arrastre un icono fuera de la barra de menús para tener algo de espacio. Luego, pulse y arrastre cualquier icono de la pantalla de inicio hasta la barra de menús.

Crear una carpeta de aplicaciones

La mejor forma de que la pantalla de inicio sea más manejable es reducir el número total de iconos con el que tenemos que trabajar. Esto no supone un problema cuando estamos empezando a utilizar el iPad porque tiene un número limitado de aplicaciones. Sin embargo, la naturaleza adictiva de la tienda App Store casi siempre hace que tengamos varias pantallas llenas de aplicaciones. De hecho, el iPad nos permite utilizar un máximo de once pantallas y, si las tenemos todas llenas (es decir, 20 aplicaciones por pantalla), tendremos un total de 224 iconos (incluyendo los cuatro iconos del Dock). Y son muchos iconos.

Cuando hablamos de reducir el número de iconos de las pantallas de inicio no nos referimos a eliminar aplicaciones. Eso sería demasiado drástico. Puede utilizar una nueva función que se introdujo en el sistema operativo iOS 4.2: las carpetas de aplicaciones. Como cualquier carpeta del disco duro en la que podemos almacenar varios archivos, una carpeta de aplicaciones puede almacenar varios iconos de aplicaciones (hasta un máximo de 16). Esto nos permite agrupar aplicaciones relacionadas bajo un único icono, lo que reduce el desorden general de la pantalla de inicio y además hace que las aplicaciones individuales sean más fáciles de encontrar.

Éstos son los pasos para crear una carpeta de aplicaciones y añadirle contenido:

1. Vaya a la pantalla de inicio que contenga por lo menos una de las aplicaciones que quiere incluir en la carpeta.

2. Pulse y mantenga pulsado un icono hasta que vea que todos los iconos se mueven.

3. Pulse y arrastre el icono que quiera incluir en la carpeta y suéltelo sobre otro icono que también quiera incluir en la misma carpeta. El iPad crea una carpeta y aparece un cuadro de texto para escribir su nombre. El nombre predeterminado es la categoría subyacente que utilizan las aplicaciones, como puede ver en la figura 3.1. Si las aplicaciones son de categorías distintas, el iPad utiliza la categoría de la aplicación que hemos arrastrado y soltado.

Figura 3.1. *Suelte el icono de una aplicación sobre otro icono para crear una carpeta de aplicaciones.*

4. Pulse dentro del cuadro de texto para editar el nombre de la carpeta.

5. Pulse el botón **Inicio**. El iPad guardará la nueva organización de iconos.

Utilice las técnicas que aparecen a continuación para trabajar con las carpetas de aplicaciones:

- Para añadir otra aplicación a la carpeta, pulse y arrastre el icono de la aplicación y suéltelo sobre la carpeta.

- Para iniciar una aplicación pulse en la carpeta para abrirla (véase la figura 3.2) y después pulse la aplicación.

Figura 3.2. *Pulse una carpeta de aplicaciones para ver sus iconos.*

- Para cambiar el nombre de una carpeta o reorganizar las aplicaciones que hay dentro de ella pulse la carpeta para abrirla y después pulse y mantenga pulsado el icono de cualquier aplicación que haya dentro de la carpeta. Entonces podrá editar el nombre de la carpeta y arrastrar y soltar las aplicaciones que hay dentro de ella.

- Para eliminar una aplicación de una carpeta pulse la carpeta para abrirla, pulse y mantenga pulsado el icono de cualquier aplicación que haya dentro de la carpeta y después arrastre la aplicación fuera de la carpeta.

Añadir un clip Web de Safari a la pantalla de inicio

Si visitamos con frecuencia una página Web determinada podemos crear un favorito a esa página en el navegador Safari del iPad, pero una forma más rápida de acceder a esa página es añadirla a la pantalla de inicio como un icono *clip Web*. Un *clip Web* es un enlace a una página que conserva las barras de desplazamiento y los niveles de zoom. Por ejemplo, supongamos que una página contiene un formulario en la parte inferior. Para utilizar ese formulario es necesario ir a la página, desplazarse hasta la parte inferior de la misma y aumentar el zoom sobre el formulario para verlo mejor. Podemos realizar estas tres acciones (navegar, desplazamiento y zoom) de forma automática con un *clip Web*.

Siga estos pasos para guardar una página como un icono *clip Web* en la pantalla de inicio:

1. Utilice el navegador Safari del iPad para ir hasta la página que quiere guardar.

2. Desplácese hasta el fragmento de la página que quiere ver.

3. Pulse con dos dedos y sepárelos sobre el área que quiere ampliar hasta que pueda leer el texto cómodamente.

4. Ahora pulse el icono en forma de flecha que aparece en la parte superior izquierda de la pantalla. Aparecerá una lista de opciones.

5. Pulse **Añadir a pantalla de inicio**. El iPad le preguntará si quiere editar el nombre del *clip Web*.

6. Edite el nombre si es necesario. Los nombres formados por 10-14 caracteres aparecerán en la pantalla de inicio sin ser recortados. Cuantas menos letras mayúsculas utilice, más largo podrá ser el nombre. En los nombres más extensos, el iPad muestra los primeros y los últimos caracteres (dependiendo de los espacios que tenga el nombre), separados por unos puntos suspensivos entre paréntesis (...). Por ejemplo, si el nombre es "Mi página de inicio", aparecerá en la pantalla de inicio como "Mi pá...inicio".

7. Pulse **Guardar**. El iPad añade el *clip Web* a la pantalla de inicio y muestra esa pantalla. Si su pantalla de inicio ya está llena de iconos, el iPad añade el *clip Web* a la primera pantalla en la que haya espacio disponible. En la figura 3.3 puede ver una pantalla de inicio con un *clip Web*.

Figura 3.3. *Se ha añadido el clip Web a la pantalla de inicio.*

Truco

*Para borrar un clip Web de la pantalla de inicio, pulse y mantenga pulsado cualquier icono de la pantalla de inicio hasta que comience el baile de iconos. Cada icono clip Web muestra una **X** en su esquina superior izquierda. Pulse la **X** del clip Web que quiera eliminar. Cuando el iPad le solicite confirmación, seleccione **Eliminar** y después pulse el botón **Inicio** para guardar la configuración.*

Restablecer el diseño predeterminado de la pantalla de inicio

Si ha convertido la pantalla de inicio en un completo desastre o si va a utilizar el iPad otra persona, puede restablecer los iconos a su diseño predeterminado.

Para ello, siga estos pasos:

1. En la pantalla de inicio, pulse **Ajustes**. Aparecerá la pantalla Ajustes.

2. Pulse **General**. Aparecerá la pantalla General.

3. Pulse **Restablecer**. Aparecerá la pantalla Restablecer.

4. Pulse **Restablecer pantalla de inicio**. El iPad le informa que la pantalla de inicio va a ser restablecida a sus valores de fábrica.

5. Pulse **Restablecer**. El iPad restablece la pantalla de inicio a su configuración predeterminada, pero no elimina los iconos de las aplicaciones que se han añadido.

⬤ ⬤ ⬤ PROTEGER EL IPAD CON UNA CONTRASEÑA

Cuando el iPad está inactivo se bloquea: no pasa nada al tocar la pantalla o pulsar los controles de volumen. Esta configuración evita pulsaciones accidentales cuando el dispositivo está en una mochila o en un bolso. Para desbloquear el dispositivo bastaría con pulsar el botón **Inicio** o el botón **Reposo/Activación** y después arrastrar el regulador Desbloquear.

Lamentablemente, esta sencilla técnica implica que cualquiera que ponga las manos sobre nuestro iPad puede acceder a su contenido rápidamente. Si tenemos información personal o confidencial en el dispositivo o si simplemente queremos evitar conexiones a Internet involuntarias (con los consiguientes cargos por conexión), es necesario bloquear el iPad de verdad.

Podemos hacerlo especificando una contraseña de cuatro dígitos que hay que escribir antes de poder utilizar el iPad. Siga estos pasos para configurar una contraseña:

1. En la pantalla de inicio pulse **Ajustes**. Aparecerá la pantalla Ajustes.

2. Pulse **General**. Aparecerá la pantalla General.

3. Si prefiere configurar una contraseña compleja desactive el regulador Código simple.

4. Pulse **Activar código**. Aparecerá la pantalla Ajustar código.

5. Escriba la contraseña. Por motivos de seguridad, los números aparecen en el cuadro de texto en forma de puntos.

6. Si escribe una contraseña compleja pulse **Siguiente**. El iPad le pedirá que vuelva a escribir la contraseña.

7. Escriba la contraseña de nuevo.

8. Si está escribiendo una contraseña compleja pulse **OK**.

Con la contraseña activada, el iPad muestra la pantalla Bloqueo con código. También puede acceder a esta pantalla seleccionando Ajustes>General>Bloqueo con código en la pantalla de inicio. Esta pantalla incluye cinco botones:

• **Desactivar código**: Si quiere dejar de utilizar la contraseña, pulse este botón y escriba la contraseña (es por motivos de seguridad; de lo contrario, cualquiera podría desactivar la contraseña).

• **Cambiar código**: Pulse este botón para introducir una nueva contraseña. Tenga en cuenta que es necesario escribir primero la contraseña antigua y después la nueva.

• Solicitar: Este ajuste determina cuánto tiempo pasa antes de que el iPad se bloquee y solicite la contraseña. El ajuste predeterminado es Inmediatamente, lo que significa que verá la pantalla Introduzca el código (véase la figura 3.4) en cuanto termine de arrastrar Desbloquear. Las otras opciones son Tras 1 minuto, Tras 5 minutos, Tras 15 minutos, Tras 1 hora, Tras 4 horas. Utilice uno de estos ajustes si quiere trabajar con el iPad durante un tiempo antes de que se bloquee. Por ejemplo, la opción Tras 1 minuto es ideal para revisar rápidamente el correo electrónico sin tener que introducir la contraseña.

Figura 3.4. *Para desbloquear el iPad es necesario escribir una contraseña de cuatro dígitos.*

• Código simple: Utilice este regulador para cambiar una contraseña sencilla de cuatro dígitos por una contraseña compleja.

• Marco de fotos: Pulse este ajuste para desactivarlo si no quiere utilizar el iPad como marco de fotografías mientras está bloqueado.

- **Borrar datos:** Cuando este ajuste está activado el iPad borrará toda la información que contiene al detectar diez intentos fallidos para escribir la contraseña. Escribir la contraseña erróneamente diez veces suele significar que alguien está en posesión de su iPad e intenta adivinar la contraseña. Si dispone de información confidencial o privada en el dispositivo, es una buena idea hacer que los datos se borren de forma automática.

Una vez que la contraseña está activada, cuando reactivamos el iPad después de un período de reposo bastará con arrastrar el regulador Desbloquear para que aparezca la pantalla Introduzca el código, tal y como puede ver en la figura 3.4. Para desbloquear el iPad simplemente hay que escribir la contraseña.

Advertencia

Le recomendamos encarecidamente que recuerde la contraseña de su iPad. Si la olvida no podrá acceder al dispositivo y la única forma de recuperarlo es utilizar iTunes para restablecer sus datos y ajustes a partir de una copia de seguridad.

CONFIGURAR EL IPAD PARA QUE ENTRE EN MODO DE REPOSO

Es posible poner el iPad en modo de reposo en cualquier momento pulsando una vez el botón **Reposo/Activación**. Al hacerlo disminuye de forma considerable el consumo de energía (básicamente porque se apaga la pantalla), pero podemos seguir recibiendo notificaciones y, si tenemos la aplicación iPod en ejecución, continúa reproduciéndose.

No obstante, si el iPad está encendido pero no lo estamos utilizando, el dispositivo pasa automáticamente a modo de reposo pasados cinco minutos. Esta funcionalidad es conocida como Bloqueo automático y es muy útil porque ahorra batería cuando no utilizamos el iPad y además evita pulsaciones accidentales.

Si no le convence el intervalo predeterminado de cinco minutos puede ampliarlo, reducirlo o simplemente desactivarlo. Siga estos pasos:

1. En la pantalla de inicio, pulse **Ajustes**. Se abrirá la pantalla Ajustes.

2. Pulse **General**. Aparecerá la pantalla General.

3. Pulse **Bloqueo automático**. Aparecerá la pantalla Bloqueo automático, como puede ver en la figura 3.5.

4. Pulse el intervalo que desea utilizar. Hay cinco opciones: 2 minutos, 5 minutos, 10 minutos, 15 minutos o Nunca.

Figura 3.5. *Utilice la pantalla Bloqueo automático para configurar el intervalo de bloqueo automático o para desactivarlo.*

CONFIGURAR EL FONDO DE PANTALLA DEL IPAD

La imagen de fondo de pantalla del iPad es la que vemos al desbloquear el dispositivo. Es decir, la imagen que nos encontramos cuando aparece el regulador Desbloquear o la pantalla Introduzca el código (si el iPad está protegido con una contraseña, tal y como hemos descrito anteriormente en este capítulo).

El fondo de pantalla predeterminado es la imagen de un cristal salpicado de pequeñas gotas de agua. Aunque le guste esta imagen, puede que se canse de ella. No se preocupe, el iPad incluye 30 fondos de pantalla distintos e incluso es posible escoger una fotografía propia y configurarla como fondo de pantalla.

Utilizar un fondo de pantalla predefinido

Siga estos pasos para utilizar uno de los fondos de pantalla predefinidos del iPad:

1. En la pantalla de inicio, pulse **Ajustes**. Aparecerá la pantalla Ajustes.
2. Pulse **Brillo y fondo de pantalla**. Aparecerá la pantalla Brillo y fondo de pantalla.
3. Pulse **Fondo de pantalla**. El iPad le indicará que seleccione una carpeta de origen para las fotografías.
4. Pulse **Fondo de pantalla**. Aparecerá la colección de imágenes de fondo del iPad, como puede ver en la figura 3.6.
5. Pulse la imagen que quiera utilizar. Aparecerá una vista previa del fondo seleccionado.
6. Pulse **Pantalla de inicio**. Si quiere utilizar la imagen como fondo para la pantalla de bloqueo, pulse **Pantalla bloqueada**.

Figura 3.6. *El iPad incluye varias imágenes de fondo predefinidas.*

Utilizar una fotografía propia como fondo de pantalla

Si el iPad tiene imágenes en un álbum de fotografías sincronizado desde un ordenador, puede utilizar una de esas imágenes como fondo de pantalla.

Para ello, siga estos pasos:

1. En la pantalla de inicio, pulse **Ajustes**. Aparecerá la pantalla Ajustes.

2. Pulse **Brillo y fondo de pantalla**. Aparecerá la pantalla Brillo y fondo de pantalla.

3. Pulse **Fondo de pantalla**. El iPad le pedirá que seleccione una carpeta de origen para la fotografía.

4. Seleccione el álbum de fotografías que contiene la imagen que quiere utilizar. El iPad mostrará las imágenes del álbum que escoja.

5. Pulse la imagen que quiere utilizar. Aparecerá la pantalla de vista previa con el fondo seleccionado, como puede ver en la figura 3.7.

6. Seleccione dónde quiere que aparezca la imagen de fondo.

   • **Pantalla bloqueada:** Seleccione este botón para que la imagen de fondo aparezca únicamente en la pantalla de bloqueo.

   • **Pantalla de inicio:** Seleccione este botón para que la imagen de fondo aparezca únicamente en la pantalla de inicio.

   • **Ambas:** Seleccione este botón para que la imagen de fondo aparezca tanto en la pantalla de bloqueo como en la de inicio.

7. Pulse y arrastre la imagen para colocarla en pantalla como quiera.

8. Pulse con dos dedos y sepárelos para configurar el nivel de zoom.

9. El iPad establece la imagen como fondo de pantalla.

Figura 3.7. *Utilice la pantalla para mover y escalar la imagen y para modificar el nivel de zoom del nuevo fondo de pantalla.*

CONECTAR EL IPAD A UNOS AURICULARES BLUETOOTH

El iPad está configurado para utilizar una tecnología inalámbrica llamada Bluetooth que permite establecer conexiones inalámbricas con otros dispositivos compatibles con esa tecnología. La mayoría de los Mac vienen con Bluetooth integrado y pueden utilizar esta tecnología para conectarse a una amplia gama de dispositivos Bluetooth: ratones, teclados, teléfonos móviles, PDA, impresoras, cámaras digitales e incluso a otros Mac. El iPad también puede conectarse a unos auriculares Bluetooth, lo que nos permite escuchar música y películas sin cables y sin molestar a los vecinos.

En teoría, conectarse a un dispositivo Bluetooth es muy fácil: se activa la función Bluetooth en ambos dispositivos (en la jerga Bluetooth esto se denomina hacer el dispositivo "visible"), que tienen que estar situados a una distancia máxima de 10 metros, y se conectan entre sí sin problemas. En la práctica, sin embargo, es necesario tener en cuenta algunos aspectos para poder establecer la conexión. Normalmente tendremos que realizar alguno de los procesos que se indican a continuación (o ambos):

- **Poner el dispositivo en modo visible:** A diferencia de los dispositivos inalámbricos que emiten sus señales de forma constante, la mayoría de los dispositivos Bluetooth sólo emiten cuando así se lo indicamos. Esto tiene sentido en muchos casos, ya que lo normal es querer conectar un componente Bluetooth, como unos auriculares, con un único dispositivo. Al controlar la visibilidad de un dispositivo nos aseguramos de que funciona sólo con el dispositivo que nosotros queremos.

- **Enlazar el iPad y el dispositivo:** Como medida de seguridad, hay que enlazar el dispositivo Bluetooth con otro dispositivo antes de establecer la conexión. En la mayoría de los casos, el enlace se realiza introduciendo una clave de varios dígitos (el iPad lo llama PIN) en el dispositivo Bluetooth (siempre y cuando tenga algún tipo de teclado). En el caso de los auriculares, el dispositivo tiene una clave predeterminada que hay que introducir en el iPad para establecer el enlace.

Hacer que el iPad sea visible

El primer paso consiste en asegurarnos de que el iPad sea visible mediante la activación de la funcionalidad Bluetooth. Compruebe que el Bluetooth está activado: busque su logotipo en la barra de estado, a la izquierda del icono de estado de batería (véase la figura 3.8).

Figura 3.8. *Si el iPad está en modo visible, verá el icono Bluetooth en la barra de estado.*

Si no encuentra el icono de Bluetooth, siga estos pasos para activarlo y hacer que el iPad esté en modo visible:

1. En la pantalla de inicio, pulse **Ajustes**. Aparecerá la pantalla Ajustes.
2. Pulse **General**. Aparecerá la pantalla General.
3. Pulse **Bluetooth**. Aparecerá la pantalla Bluetooth.
4. Pulse el regulador Bluetooth para activar el ajuste, como puede ver en la figura 3.9.

Figura 3.9. *Utilice la pantalla Bluetooth para hacer que el iPad esté en modo visible.*

Enlazar el iPad con unos auriculares Bluetooth

Si queremos escuchar música, la mejor opción es utilizar unos auriculares, porque el sonido suele ser mejor que el de los altavoces del iPad y nadie a nuestro alrededor tendrá que soportar la música a todo volumen. Añada el elemento Bluetooth y conseguirá una solución de audio inalámbrica y sencilla.

Siga los pasos que se describen a continuación para enlazar el iPad con unos auriculares Bluetooth:

1. En la pantalla de inicio, seleccione Ajustes y aparecerá la pantalla Ajustes.

2. Pulse **General**. Aparecerá la pantalla General.

3. Seleccione Bluetooth. Aparecerá la pantalla Bluetooth.

4. Si los auriculares tienen un regulador o botón para ponerlos en modo visible, púlselo para activarlo. Espere hasta que vea el nombre de los auriculares en la pantalla Bluetooth, como puede ver en la figura 3.10.

Figura 3.10. *Cuando los auriculares Bluetooth estén en modo visible, el dispositivo aparecerá en la pantalla Bluetooth.*

5. Pulse el nombre de los auriculares Bluetooth. El iPad se enlazará automáticamente con los auriculares y verá que aparece "Conectado" en la pantalla **Bluetooth** (véase la figura 3.11); si es así, puede saltarse los pasos restantes. De lo contrario, aparecerá la pantalla **Introduzca el PIN**.

6. Escriba la contraseña de los auriculares en el cuadro **PIN**. Consulte la documentación de los auriculares para saber cuál es; normalmente es 0000.

7. Pulse **Enlazar**. El iPad se enlaza con los auriculares y vuelve a la pantalla **Bluetooth**, donde ahora aparecerá "Conectado" junto al nombre de los auriculares.

8. Pulse el botón **Inicio** y ya podrá utilizar los auriculares.

Figura 3.11. *Cuando haya enlazado el iPad con los auriculares Bluetooth, aparecerá el texto "Conectado" junto al nombre del dispositivo en la pantalla Bluetooth.*

Seleccionar unos auriculares enlazados como dispositivo de salida de audio

Una vez que haya enlazado los auriculares Bluetooth, el iPad los utilizará como dispositivo de salida. Si no es así, siga estos pasos:

1. En la pantalla de inicio, pulse **iPod**. Se cargará la aplicación iPod. En la parte superior izquierda de la pantalla aparece el dispositivo actual de salida. Si ve el icono de un altavoz (véase la figura 3.12), significa que el iPad utiliza el altavoz integrado como dispositivo de salida de audio.

2. Pulse el icono **Bluetooth** que aparece en la barra de estado en la parte superior de la pantalla. Aparecerá el cuadro de diálogo **Dispositivo de audio**, véase la figura 3.13.

3. Seleccione los auriculares Bluetooth enlazados. El iPad empezará a reproducir la música a través de los auriculares.

Desenlazar el iPad de unos auriculares Bluetooth

Cuando ya no tenga intención de utilizar los auriculares Bluetooth, debería desenlazarlos del iPad. Para ello, siga estos pasos:

1. En la pantalla de inicio, pulse **Ajustes**. Aparecerá la pantalla Ajustes.

2. Pulse **General**. Aparecerá la pantalla General.

3. Pulse **Bluetooth**. Aparecerá la pantalla Bluetooth.

4. Pulse el nombre de los auriculares Bluetooth.

5. Seleccione **Omitir este dispositivo**. El iPad se desenlaza de los auriculares.

Figura 3.12. *El icono del altavoz indica que el iPad está usando el altavoz integrado como salida de audio.*

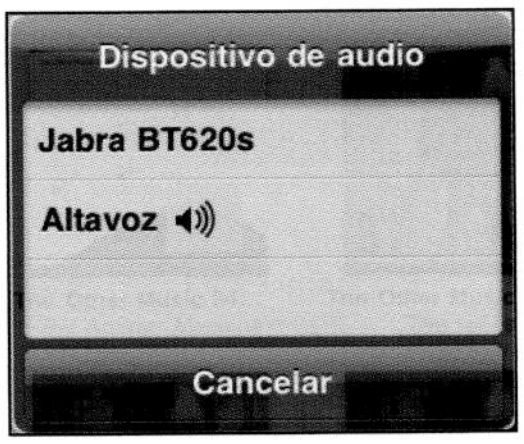

Figura 3.13. *Utilice el cuadro de diálogo Dispositivo de audio para seleccionar los auriculares Bluetooth enlazados.*

OTRAS TÉCNICAS ÚTILES PARA CONFIGURAR EL IPAD

Hemos visto unos cuantos trucos para personalizar el iPad, pero todavía no hemos terminado, ni mucho menos. En las siguientes secciones verá algunas técnicas bastante útiles y reconfortantes para personalizar el iPad.

Activar y desactivar los sonidos

El iPad suele ser un dispositivo que emite todo tipo de sonidos. Algunos eventos que activan la reproducción de sonido son los siguientes:

- Mensajes entrantes de correo electrónico.

- Mensajes salientes de correo electrónico.

- Alertas del calendario.

- Bloquear y desbloquear el dispositivo.

- Pulsar las teclas en el teclado que aparece en pantalla.

Aunque seguramente no nos molestan cuando estamos solos, puede que queramos desactivar algunos de estos efectos de sonido o todos cuando estemos en una reunión, en el cine o el algún otro lugar en el que los sonidos externos no son bien recibidos.

Para evitar imprevistos, podemos poner el iPad en el modo Silencio, lo cual significa que no reproducirá ningún tipo de alerta ni efecto de sonido.

Podemos pasar del modo Silencio al normal y viceversa utilizando el interruptor lateral que está situado al lado de los botones de volumen (si tiene el iPad en posición vertical con el botón **Inicio** en la parte inferior, el interruptor lateral está en la parte superior del borde derecho del dispositivo).

Siga estos pasos para pasar de un modo a otro:

- **Poner el dispositivo en silencio:** Deslice el interruptor lateral hacia los botones de volumen. Verá un punto rojo en el interruptor lateral y en la pantalla del iPad aparecerá el icono de volumen con una línea diagonal que lo cruza.

- **Volver al modo normal:** Deslice el interruptor lateral hacia el lado contrario de los botones de volumen. Ya no verá el punto rojo en el interruptor lateral y en la pantalla del iPad aparecerá el icono de volumen.

Si el modo Silencio le parece demasiado drástico, puede controlar exactamente qué sonidos emite el iPad. Para ello, siga estos pasos:

1. En la pantalla de inicio, pulse **Ajustes**. Aparecerá la pantalla Ajustes.

2. Pulse **General**. Aparecerá la pantalla General.

3. Pulse **Sonidos**. Aparecerá la pantalla Sonidos. En la figura 3.14 puede ver la versión de esta pantalla en un iPad con 3G.

4. Arrastre el regulador Timbre y alertas para configurar el nivel de volumen general del iPad.

5. Si tiene un iPad con 3G y quiere que los botones de volumen controlen el volumen de las alertas, pulse el regulador Ajustar con botones para activarlo.

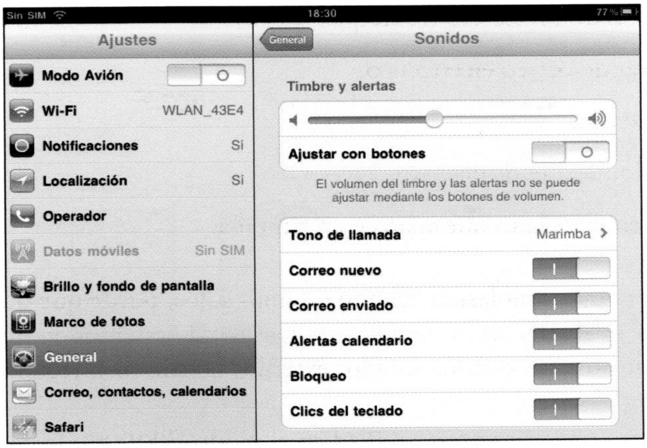

Figura 3.14. *Utilice la pantalla Sonidos para activar o desactivar los sonidos del iPad.*

Ajustar el brillo de la pantalla

El iPad tiene una pantalla clara y brillante en la que se puede leer de forma cómoda. Lamentablemente, mantener la pantalla con el brillo necesario implica un consumo elevado de batería. Para establecer un equilibrio entre el brillo de la pantalla y el consumo de la batería, el iPad tiene un sensor de luz ambiente integrado. Este sensor comprueba los niveles de luz y ajusta el brillo de la pantalla del iPad en base a esos niveles:

- Si hay poca luz ambiente es muy fácil leer en la pantalla del iPad, por lo que el sensor reduce el brillo de la pantalla para ahorrar batería.

- Si hay mucha luz cuesta más leer la pantalla del iPad, por lo que el sensor ilumina la pantalla para mejorar la legibilidad.

Esta función es conocida como Brillo automático y es tan sensible que permite al iPad controlar este aspecto automáticamente. Sin embargo, si no le convence cómo funciona o quiere configurar los ajustes usted mismo, puede seguir estos pasos para ajustar el brillo de la pantalla manualmente:

1. En la pantalla de inicio pulse **Ajustes**. Aparecerá la pantalla Ajustes.

2. Pulse **Brillo y fondo de pantalla**. Aparecerá la pantalla Brillo y fondo de pantalla, como puede ver en la figura 3.15.

Nota

En algunos casos puede que sólo quiera ajustar el brillo para determinadas tareas, como leer libros electrónicos. En lugar de ajustar el brillo general del iPad (que afecta a todas las aplicaciones), ajuste el control de brillo para esa aplicación en concreto. Por ejemplo, tanto la aplicación iBooks como la aplicación Kindle tienen un control de brillo integrado.

Figura 3.15. *Utilice la pantalla Brillo y fondo de pantalla para controlar manualmente el brillo de la pantalla del iPad.*

3.   Arrastre el regulador de brillo hacia la izquierda para oscurecer la pantalla o hacia la derecha para hacer que la pantalla tenga más brillo.

4.   Para evitar que el iPad controle el brillo automáticamente, desactive el ajuste Brillo automático.

Truco

Aunque deje el regulador Brillo automático *activado, puede que tenga que ajustar el regulador de brillo, ya que éste afecta al brillo relativo de la pantalla. Por ejemplo, supongamos que ajustamos el regulador para aumentar el brillo un 50 por 100 y dejamos* Brillo automático *activado. En este caso,* Brillo automático *seguirá ajustando automáticamente la pantalla, pero cualquier nivel de brillo que escoja será un 50 por 100 más brillante de lo normal.*

Configurar el interruptor lateral

iOS 4.3   Si tiene el iPad en posición vertical con el botón **Inicio** en la parte inferior, verá que el lado derecho del iPad tiene dos controles: los botones de volumen y, encima, un interruptor que Apple denomina, sencillamente, el "interruptor lateral". Este interruptor no tiene nombre porque podemos configurarlo para que realice dos tareas distintas. Por defecto, este interruptor es un control de volumen que activa y desactiva el modo Silencio. Pero también podemos utilizar el interruptor lateral como un control de bloqueo para la rotación: si lo activamos evitaremos que el iPad rote cuando cambiemos la posición. Siga estos pasos para configurar el interruptor lateral:

1.   En la pantalla de inicio, pulse **Ajustes**. Aparecerá la pantalla Ajustes.

2.   Pulse **General**. Aparecerá la pantalla General.

3.   En la sección Usar interruptor lateral para pulse una de las dos opciones disponibles: Bloquear rotación o Silenciar.

Configurar los controles parentales

Si sus hijos tienen acceso al iPad o incluso si tienen uno propio, puede que le preocupe el tipo de contenido al que pueden acceder en la Web, YouTube o iTunes. Tampoco querrá que instalen aplicaciones o que indiquen su ubicación actual.

Para todas estas preocupaciones y muchas otras, dormirá mejor por las noches si activa los controles parentales del iPad. Estos controles limitan el contenido que pueden ver los niños y las actividades que pueden realizar. Ahora, se indica cómo configurar estos controles:

1. En la pantalla de inicio, pulse **Ajustes**. Aparecerá la pantalla Ajustes.

2. Pulse **General**. Aparecerá la pantalla General.

3. Pulse **Restricciones**. Aparecerá la pantalla Restricciones.

4. Pulse **Activar restricciones**. Aparecerá la pantalla Ajustar código, que usaremos para especificar una contraseña de cuatro dígitos que omitirá los controles parentales. Tenga en cuenta que esta contraseña no es la misma que la de bloqueo del iPad que explicamos anteriormente en este capítulo.

5. Escriba la contraseña de cuatro dígitos y, a continuación, vuelva a escribirla. El iPad vuelve a la pantalla Restricciones y activa todos los controles, como puede ver en la figura 3.16.

6. En la sección Permitir, pulse el regulador de cada aplicación o tarea para habilitar o deshabilitar la restricción.

7. Si no quiere que sus hijos puedan comprar aplicaciones, pulse el regulador Compras integradas para desactivarlo.

8. Pulse **Puntuaciones para** y seleccione el país cuyas valoraciones quiera aplicar.

9. En cada uno de los controles de contenido (Música y podcasts, Películas, Programas y Aplicaciones), pulse el control y después pulse el nivel máximo de restricción que quiera aplicar.

10. En la sección Game Center pulse los reguladores para activar o desactivar las opciones Juegos multijugador y Añadir amigos.

11. Pulse **General**. El iPad aplicará los nuevos ajustes.

Personalizar el teclado

Si nunca le han gustado los teclados en pantalla, en especial los que se activan en la mayoría de dispositivos de tipo tableta, ni el teclado del iPhone, porque es demasiado pequeño para escribir rápido, le encantará el teclado del iPad. En modo horizontal, el teclado se extiende a lo largo del borde del iPad, lo que quiere decir que ocupa todo el ancho de pantalla disponible. Para que se haga una idea, el teclado del iPad en modo horizontal es, en realidad, más grande que el teclado inalámbrico de Apple (si medimos únicamente el teclado alfabético, de la **Q** a la **P**). En otras palabras, escribir con el pulgar o con un lápiz ha pasado a la historia. A menos que tenga las manos del tamaño de un jugador de baloncesto, con el teclado del iPad puede escribir de forma normal.

Figura 3.16. *Utilice la pantalla Restricciones para configurar los controles parentales que quiera utilizar.*

Además, el teclado del iPad cambia en función de la aplicación que utilicemos. Por ejemplo, un teclado normal incluye una **Barra espaciadora** en la parte inferior. Sin embargo, si estamos navegando por la Web con el navegador Safari, el teclado que aparece para escribir en la barra de direcciones no incluye la **Barra espaciadora**. En su lugar, veremos dos puntos (:), una barra inclinada (/), un subrayado (_), un guión (-) y la tecla **.com**. Las direcciones Web no utilizan espacios; por eso, Apple ha sustituido la **Barra espaciadora** por tres elementos que aparecen de forma habitual en una dirección Web.

Otra interesante innovación que aparece en el teclado del iPad es una característica llamada **Mayúsculas automáticas**. Si escribimos un signo de puntuación que indica el final de una frase (un punto, una interrogación o una exclamación) o si pulsamos la tecla **Intro** para pasar a un párrafo nuevo, el iPad activa automáticamente la tecla **Mayús**, ya que asume que estamos iniciando una frase nueva. De la misma forma, al pulsar dos veces la **Barra espaciadora** se activa un método abreviado del teclado: en lugar de introducir dos espacios, el iPad introduce automáticamente un punto seguido de un espacio. Así, evitamos tener que pulsar la tecla **Números** (.?123) y la **Barra espaciadora**.

Truco

*Para escribir un número o un signo de puntuación normalmente tenemos que realizar tres pulsaciones: primero **Números** (.?123), después el número o símbolo y, por último, **ABC**. Aquí tiene una forma más rápida de hacerlo: pulsar y mantener pulsada la tecla **Números** para abrir el teclado numérico, deslizar el mismo dedo hasta el número o signo de puntuación que queramos escribir y soltar la tecla. De esta forma se introduce el número o símbolo y se vuelve a mostrar el teclado normal con un solo toque.*

Una funcionalidad que el teclado del iPad parece no ofrecer es la de la tecla **Bloq Mayús**. Esta tecla, cuando se encuentra activada, nos permite escribir todo en mayúsculas. Para ello, tenemos que mantener pulsada la tecla **Mayús** y utilizar otro dedo para pulsar las letras. Sin embargo, el teclado del iPad sí que dispone de una tecla de este tipo; lo que ocurre es que no está activada por defecto.

Para activar **Bloq Mayús** y para controlar la funcionalidad Mayúsculas automáticas y el método abreviado de teclado de doble pulsación en la barra espaciadora, siga estos pasos:

1. En la pantalla de inicio, pulse **Ajustes**. Aparecerá la pantalla Ajustes.

2. Pulse **General**. Aparecerá la pantalla General.

3. Seleccione Teclado. Aparecerá la pantalla Teclado, como puede ver en la figura 3.17.

Figura 3.17. *Utilice la pantalla Teclado para personalizar algunos ajustes del teclado.*

4. Si ya no quiere que iPad le sugiera correcciones ortográficas mientras escribe, pulse el regulador Autocorrección para desactivarlo.

5. Utilice el ajuste **Mayúsculas automát.** para activar o desactivar esta funcionalidad.

6. Utilice el ajuste **Bloqueo de mayús** para activar o desactivar esta funcionalidad.

7. Utilice el ajuste **Función rápida de "."** para activar o desactivar esta funcionalidad.

8. Para añadir una configuración de teclado internacional, pulse **Teclados internacionales**. Se abrirá la pantalla Teclados y podrá activar la configuración de teclado que quiera.

Nota

*Cuando se utilizan dos o más configuraciones de teclado, en el teclado aparece una nueva tecla a la izquierda de la **Barra espaciadora** (un globo terráqueo). Pulse esa tecla para cambiar entre las distintas configuraciones y los nombres de cada configuración aparecerán en la **Barra espaciadora**.*

Personalizar las notificaciones de las aplicaciones

Muchas aplicaciones utilizan una característica de iOS que se llama "notificaciones" y que habilita a la aplicación a enviar mensajes y otros datos al iPad. Por ejemplo, la aplicación Facebook muestra una alerta en el iPad cuando un amigo le envía un mensaje; la aplicación Foursquare, que permite realizar un seguimiento de la ubicación de sus amigos, le envía un mensaje cuando un amigo realiza un *check in* en una ubicación determinada. Existen tres tipos de notificaciones:

- **Sonidos:** Efecto de sonido que se reproduce cuando tiene lugar un evento relacionado con una aplicación.

- **Alertas:** Mensaje que aparece en la pantalla del iPad.

- **Globos:** Pequeño icono rojo que aparece en la esquina superior derecha del icono de una aplicación y que suele incluir un número, que el número de mensajes que están esperando en el servidor.

Si una aplicación es compatible con las notificaciones, la primera vez que la abra en el iPad aparecerá un mensaje como el que puede ver en la figura 3.18, que le preguntará si quiere recibir notificaciones de la aplicación. Pulse **OK** o **No permitir**.

El iPad también le permite activar notificaciones individuales (sonidos, alertas y globos) para cada aplicación e incluso puede desactivar todas las notificaciones. Así es cómo se hace:

1. En la pantalla de inicio, pulse **Ajustes**. Aparecerá la pantalla Ajustes.

2. Pulse **Notificaciones**. Aparecerá la pantalla Notificaciones (véase la figura 3.19). Si no aparece este elemento en la pantalla de ajustes, significa que ninguna de sus aplicaciones envía notificaciones.

3. Para desactivar todas las notificaciones, pulse el regulador **Notificaciones** para desactivarlo. El iPad oculta las aplicaciones para que pueda saltarse el resto de pasos.

Figura 3.18. *El iPad le permite habilitar o deshabilitar las notificaciones de una aplicación.*

Figura 3.19. *Utilice la pantalla Notificaciones para controlar las notificaciones que recibe.*

4. Para personalizar las notificaciones de una aplicación en particular, pulse esa aplicación. Aparecerá la página de notificaciones para esa aplicación.

5. Puede controlar las notificaciones pulsando cada uno de los reguladores **Sonidos**, **Alertas** o **Globos** para activarlos o desactivarlos.

6. Pulse **Notificaciones** para volver a la pantalla **Notificaciones**.

7. Repita los pasos 4 a 6 para personalizar todas las aplicaciones.

Restablecer el iPad

Después de haber dedicado un poco de tiempo a la pantalla **Ajustes** del iPad, seguramente el dispositivo se parecerá poco al que venía de fábrica. Eso está bien, ya que se trata de adaptarlo a nuestros gustos. Sin embargo, si hemos realizado demasiadas personalizaciones, el iPad puede acabar teniendo un diseño extraño y un funcionamiento poco cómodo. Algo que también está bien, porque existe una solución muy fácil: podemos borrar todas las personalizaciones y volver a los ajustes predeterminados del iPad.

Nos encontramos con un problema parecido cuando queremos vender o regalar el iPad a otra persona. Seguramente, no querremos que esa persona tenga acceso a nuestros datos (contactos, citas, correos, sitios Web favoritos, música, etc.) y, además, el nuevo propietario no querrá perder el tiempo con esos datos.

Para solucionar este problema no sólo podemos borrar los ajustes de usuario, sino también todo el contenido que hayamos almacenado en el iPad.

La función **Restablecer** del iPad resuelve estas situaciones y otras parecidas que puedan surgir. A continuación, se explica su funcionamiento:

1. En la pantalla de inicio, pulse **Ajustes**. Aparecerá la pantalla Ajustes.

2. Pulse **General**. Aparecerá la pantalla General.

3. Pulse **Restablecer**. Aparecerá la pantalla Restablecer, como ve en la figura 3.20.

Figura 3.20. *Utilice la pantalla Restablecer para restaurar distintos aspectos del iPad.*

4. Pulse una de las siguientes opciones:

- **Restablecer ajustes**: Pulse esta opción para sustituir sus ajustes de usuario por los ajustes de fábrica.

- **Borrar contenidos y ajustes**: Pulse esta opción para sustituir sus ajustes personalizados de usuario y borrar cualquier dato que haya almacenado en el iPad.

- **Restablecer ajustes de red**: Pulse esta opción para borrar los ajustes de redes inalámbricas. Éste es un método efectivo para solucionar problemas relacionados con la tecnología Wi-Fi.

- **Restablecer diccionario teclado**: Pulse esta opción para restablecer el diccionario del teclado. Este diccionario contiene una lista de las sugerencias de teclado que hemos rechazado. Pulse esta opción para limpiar el diccionario y empezar de cero.

- **Restablecer pantalla de inicio**: Pulse esta opción para restaurar los iconos de la pantalla de inicio a su configuración predeterminada.

- **Restablecer avisos de localización**: Pulse esta opción para borrar las preferencias de localización de sus aplicaciones. Un aviso de localización es el cuadro de diálogo que verá al abrir por primera vez una aplicación que haga uso de la tecnología GPS: el iPad le pregunta a la aplicación si puede utilizar su ubicación actual. Las opciones disponibles son **OK** o **No permitir**.

5. Cuando el iPad le solicite su confirmación, pulse **Restablecer**.

Advertencia

Si tiene en el iPad contenido que no está sincronizado con iTunes, por ejemplo, música que haya descargado recientemente o un programa de la tienda App Store recién instalado, perderá ese contenido si pulsa Borrar contenidos y ajustes. *En primer lugar, sincronice el iPad con su ordenador para guardar el contenido y después siga con el proceso para restablecer el iPad.*

Nota

Recuerde que el diccionario de teclado contiene las sugerencias rechazadas. Por ejemplo, si escribe "Kasa", el iPad sugiere "Casa". Si decide rechazar la sugerencia "Casa" y mantener "Kasa", la palabra "Casa" se añadirá al diccionario del teclado.

Capítulo 4

APROVECHAR AL MÁXIMO LA NAVEGACIÓN WEB EN EL IPAD

Cuando Apple realizó el lanzamiento del iPad en enero de 2010, uno de los presentadores realizó una demostración del funcionamiento del navegador Web Safari en el iPad y resumió la experiencia con un comentario fantástico: "Es como tener Internet en las manos". Seguramente, es la descripción más precisa de la navegación Web en el iPad con la que nos hemos encontrado, no sólo por ser concisa y expresiva a la vez, sino también porque el iPad podría ser la herramienta de navegación Web definitiva. El iPad es portátil, rápido, intuitivo y no pone al usuario en situaciones comprometidas; muestra las páginas Web a tamaño completo, tal y como fueron pensadas por su diseñador. Sin embargo, esto no significa que no sea posible mejorar la navegación. En este capítulo, encontrará mis herramientas y técnicas favoritas para sacar más partido a la navegación Web con el iPad.

TRUCOS DE LA PANTALLA TÁCTIL PARA LA NAVEGACIÓN WEB

No es difícil encontrar argumentos que coronen al iPad como el mejor dispositivo para la navegación Web: es extraordinariamente veloz, interpreta la mayoría de sitios Web perfectamente y la amplitud de su pantalla permite visualizar una versión completa de cada página (al menos horizontalmente), en lugar de una visualización parcial o la antiestética versión recortada para móvil.

Pero lo que de verdad marca la diferencia en la navegación Web con el iPad (no sólo con respecto a otros dispositivos de tipo tableta, sino también con respecto a ordenadores de sobremesa, portátiles y *netbook*) es la pantalla táctil. En otros dispositivos, aunque es posible hacer clic en enlaces y rellenar formularios, la página no es más que una entidad estática que simplemente está ahí. Sin embargo, con el iPad (y con su primo de pantalla táctil más pequeño, el iPhone), es posible aumentar y reducir el zoom en una página haciendo el gesto de juntar y separar dos dedos, así como recorrerla moviendo un dedo en la dirección deseada. De esta forma, no sólo tenemos la sensación de interactuar con la página Web, sino que parecerá que la manipulamos con nuestras propias manos.

La pantalla táctil es la clave para navegar en el iPad de forma entretenida y eficiente; por eso, detallamos a continuación una serie de trucos táctiles que harán de sus excursiones Web una experiencia más sencilla y agradable:

- **Pulsar dos veces:** Una forma rápida de aumentar el zoom en una página que contiene varias secciones es pulsar dos veces sobre la sección (puede ser una imagen, un párrafo, una tabla o una columna de texto) que queremos aumentar. El iPad amplia la sección ocupando todo el ancho de la pantalla. Pulse dos veces para volver a la visualización normal de la página.

Nota

El truco de pulsar dos veces para aumentar el zoom funciona únicamente en páginas que tengan secciones identificables. Si una página está compuesta de una sola capa de texto, puede tocar la pantalla todas las veces que quiera, no ocurrirá nada.

- **Aplicar zoom con precisión:** Aplicar zoom en el iPad es sencillo. Para aumentar el zoom separe dos dedos; para reducir el zoom junte dos dedos imitando el gesto de un pellizco. Sin embargo, cuando se aumenta el zoom en una página Web, casi siempre suele ser porque queremos ampliar algo concreto. Puede ser una imagen, un enlace, un cuadro de texto o simplemente un fragmento de texto. Para asegurarnos de que el objetivo aparecerá en el centro de la página, imite el gesto de un pellizco con los dedos pulgar e índice sobre la pantalla, como si estuviera pellizcando el objetivo que quiere ampliar. Separe los dedos para reducir el zoom.

- **La vieja técnica de aplicar zoom y deslizar:** Otra técnica útil para colocar un objetivo en el centro de una página es ampliar y deslizar con el dedo a la vez. Es decir, mientras separamos (o juntamos) los dedos, también podemos moverlos hacia arriba, hacia abajo, hacia la izquierda o hacia la derecha para desplazar la página al mismo tiempo. Este truco requiere algo de práctica y, aunque el iPad permite el desplazamiento horizontal y vertical, no deja de ser una técnica de gran utilidad.

- **Un toque para volver al principio:** Si está leyendo una página Web especialmente larga y se encuentra cerca del final, tendrá que desplazarse mucho por la página para volver a la parte superior. En lugar de recorrer la página entera, pulse el título de la página, que aparece justo encima de la barra de direcciones; Safari le llevará inmediatamente hasta la parte superior de la página.

- **Pulsar un enlace y mantenerlo pulsado para ver dónde nos lleva:** Para hacer clic en el enlace de una página Web basta con pulsar sobre él con el dedo. En un navegador Web normal, podemos ver dónde nos lleva un enlace colocando el cursor del ratón sobre él y verificando la dirección en la barra de estado. Aunque esto no funciona en el iPad, existe una forma de saber el destino de un enlace antes de pulsarlo: mantenga el dedo sobre el enlace durante unos segundos y aparecerá una pantalla emergente que indica la dirección del enlace, como puede ver en la figura 4.1. Si el enlace es aparentemente legal, pulse **Abrir** para acceder directamente a la página Web o **Abrir en una página nueva**. Más adelante, en este capítulo, encontrará información sobre la apertura y el manejo de varias páginas del navegador. Si, por el contrario, decide no seguir el enlace, pulse en cualquier lugar fuera de la pantalla emergente.

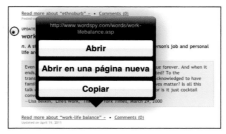

Figura 4.1. *Mantenga el dedo sobre un enlace para ver su dirección y otras opciones.*

- **Pulsar un enlace y mantenerlo pulsado para hacer una copia de su dirección:** Si quiere incluir la dirección de un enlace en otra aplicación (una nota o en un mensaje de correo electrónico) puede copiarla. Pulse con el dedo sobre el enlace y mantenga pulsado durante unos segundos; aparecerá una pantalla emergente que indica la dirección del enlace (véase la figura 4.1). Haga clic en **Copiar** para guardar la dirección del enlace, cambie a la otra aplicación, pulse sobre el cursor y seleccione **Pegar**.

- **Usar la vista vertical para navegar por una página extensa:** Al girar el iPad 90 grados la pantalla táctil pasa a la vista horizontal, lo que nos proporciona una vista más ancha de la página. Al volver a girar el iPad hasta su posición original, éste pasa a la vista normal. Si tiene que desplazarse mucho por una página, utilice primero la vista vertical para desplazarse hacia abajo y, a continuación, pase a la vista horizontal para ampliar el tamaño del texto. El desplazamiento en vertical es mucho más rápido que en horizontal.

- **Desplazarse por los marcos con dos dedos:** Algunos sitios Web se estructuran usando una técnica conocida como marcos: el sitio Web completo ocupa toda la ventana del navegador, pero algunas de sus páginas aparecen en áreas rectangulares independientes llamadas marcos, normalmente con sus propias barras de desplazamiento. En este tipo de sitios, la técnica habitual de desplazamiento con un dedo desplaza la ventana completa del navegador, no el contenido de un marco. Para desplazarse por el interior de un marco tiene que utilizar dos dedos.

- **Conseguir un teclado más grande:** El teclado aparece en pantalla cuando se pulsa un cuadro que permite la escritura. Sin embargo, el teclado que aparece en la vista horizontal tiene teclas más grandes que el que aparece en la vertical. Por ello, si puede, gire el iPad para colocarlo en posición horizontal cuando vaya a escribir texto.

- **Escribir menos con direcciones Web estándar:** La mayoría de sitios Web empiezan por `http://www.` y terminan por `.com/`. Safari lo sabe y lo utiliza para que el usuario no tenga que escribir más de la cuenta. Si escribe en la barra de direcciones un bloque de texto único (una sola palabra como **google** o más de una combinadas en una sola, como **applesfera**) y pulsa **Ir**, Safari añade automáticamente `http://www.` al comienzo y `.com/` al final. Por tanto, **google** se convierte en `http://www.google.com` y **applesfera** en `http://www.applesfera.com`.

Nota

Recuerde que al girar el iPad se cambia la vista sólo si el dispositivo está en posición vertical. El iPad utiliza la gravedad para detectar el cambio en la orientación; por eso, si está apoyado en una mesa, al girarlo no sucederá nada. Gírelo primero antes de colocarlo en una mesa.

REALIZAR MALABARISMOS CON VARIAS PÁGINAS WEB

En la actualidad, es raro que un usuario navegue de forma secuencial por varias páginas Web. En las sesiones de navegación, normalmente dejamos algunas páginas Web abiertas durante mucho tiempo (para realizar búsquedas en Google o para la supervisión de fuentes RSS) y nos encontramos con muchos enlaces que queremos seguir a la vez que dejamos la página original abierta en el navegador. En el navegador Web de un ordenador manejamos ésta y otras situaciones similares abriendo una pestaña para cada página que queremos tener abierta. Se trata de una técnica de navegación esencial pero, ¿es posible llevarla a cabo en el navegador del iPad?

Por supuesto, aunque no con pestañas. Safari ofrece un concepto diferente: las páginas. Una página es una especie de ventana del navegador y, cuando creamos una nueva, podemos utilizarla para ver un sitio Web diferente. Entonces, sólo tenemos que pulsar pasar de una a otra. Las dos secciones que aparecen a continuación analizan esta funcionalidad en más detalle. Además, el navegador no nos limita a abrir sólo dos páginas, sino que nos permite tener hasta nueve páginas abiertas.

Abrir y gestionar varias páginas en el navegador

Siga estos pasos para abrir y cargar varias páginas:

1. En Safari, pulse el icono **Páginas** en la barra de estado, como puede ver en la figura 4.2. Aparecerá una versión en miniatura de la página actual.

2. Pulse **Nueva página**. Aparecerá una página en blanco que ocupa toda la pantalla.

Icono Páginas

Figura 4.2. *Pulse el icono Páginas para crear una página nueva.*

3. Cargue un sitio Web en la nueva página. Para ello, seleccione un favorito, escriba una dirección o busque un sitio Web.

4. Repita los pasos del 1 al 3 para cargar tantas páginas como necesite. Mientras añadimos páginas, Safari realiza un seguimiento de las que están abiertas y aparecerá el número en el icono **Páginas**, como puede ver en la figura 4.3.

Figura 4.3. *El icono Páginas indica el número de páginas que están abiertas.*

Nota

Algunas aplicaciones Web y ciertos enlaces con páginas Web están configurados para abrir automáticamente la página en una ventana nueva, por eso se abre una página nueva al hacer clic sobre un enlace. Además, si añadimos un clip Web a la pantalla de inicio (como hemos visto en el capítulo 3), al pulsar el icono se abre el clip Web en una página nueva de Safari.

Advertencia

Tenga cuidado si tiene nueve páginas abiertas en el navegador. Al hacer clic en un enlace que abre automáticamente una página nueva, se cierra de forma automática la primera página del navegador, lo que puede suponer un problema en caso de tener información importante en esa ventana. Para evitar este problema, trate de abrir ocho páginas como máximo, para disponer de una página adicional si la necesitamos.

Navegar por páginas abiertas utilizando las miniaturas de las páginas

Cuando tenga dos o más páginas abiertas, puede utilizar estas técnicas para impresionar a sus amigos:

- **Cambiar a otra página:** Pulse el icono **Páginas** para acceder a la vista de miniaturas, tal y como puede ver en la figura 4.4, y después pulse la página deseada.

- **Cerrar una página:** Pulse el icono **Páginas** y después pulse en la **X** situada en la esquina superior izquierda. Se cerrará la página.

Truco

Si el iPad está en posición vertical y tiene problemas para leer el texto o para ver las imágenes en miniatura, colóquelo en posición horizontal. De esta forma, verá las miniaturas más grandes y podrá leer su contenido de forma más sencilla.

⬤ ⬤ ⬤ RELLENAR FORMULARIOS EN LÍNEA

Muchas páginas Web incluyen formularios para que introduzcamos una serie de datos y después los enviemos a un servidor para su procesamiento. Rellenar estos formularios en el navegador Safari del iPad es bastante sencillo:

Figura 4.4. *Pulse el icono Páginas para ver las versiones en miniatura de las páginas abiertas.*

- **Cuadro de texto:** Pulse en el cuadro de texto para que aparezca el teclado táctil y escriba.

- **Área de texto:** Pulse dentro del área de texto y utilice el teclado para escribir. La mayoría de áreas de texto permiten escribir varias líneas, así que puede pulsar **Intro** para empezar una línea nueva.

- **Casilla de verificación:** Pulse la casilla de verificación para marcarla o desmarcarla.

- **Botón de opción:** Pulse un botón de opción para activarlo.

- **Botón de comando:** Pulse el botón para ejecutar su acción (normalmente enviar el formulario).

Muchos formularios en línea están compuestos por una serie de cuadros y áreas de texto. Si la idea de realizar este ciclo de pulsar y escribir no le convence, no se preocupe.

Safari le ofrece un método más sencillo:

1. Pulse dentro del primer cuadro o área de texto y aparecerá el teclado.

2. Escriba el texto. En el teclado aparecerán los botones **Anterior** y **Siguiente**, como puede ver en la figura 4.5.

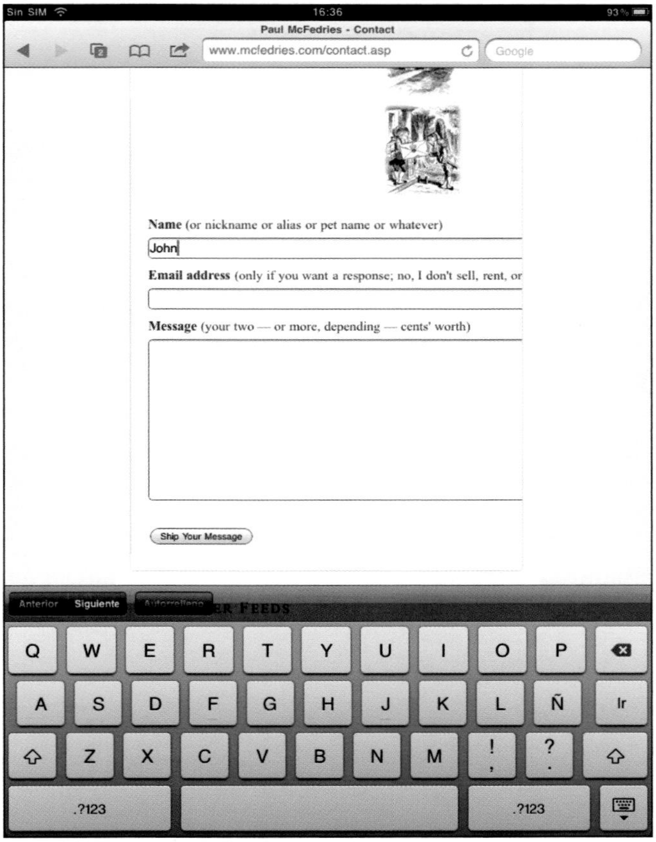

Figura 4.5. *Si el formulario está compuesto de varios cuadros y áreas de texto, puede utilizar los botones Anterior y Siguiente para navegar por ellos.*

3. Pulse **Siguiente** para pasar al siguiente cuadro o área de texto. Si tiene que volver a un cuadro de texto, pulse **Anterior**.

4. Repita los pasos 2 y 3 parar rellenar los cuadros de texto.

5. Pulse en cualquier lugar de la página para volver a ella.

No hemos hablado todavía de las listas de selección porque el navegador del iPad maneja estos elementos de una forma muy interesante. Al pulsar una lista, en Safari aparece una lista de elementos en un cuadro distinto, como puede ver en la figura 4.6. El elemento seleccionado aparece con una marca de verificación a la derecha. Pulse el elemento que quiera seleccionar.

Figura 4.6. *Pulse una lista y sus elementos aparecerán en un cuadro diferente, para que la selección sea más sencilla.*

Activar la característica Autorrelleno

Safari simplifica bastante el procedimiento de relleno de formularios en línea, pero puede seguir siendo un proceso lento, especialmente si es necesario escribir en multitud de cuadros o áreas de texto. Para facilitar esta tarea, el navegador incluye una función llamada Autorrelleno.

Tal y como ocurre con la versión de Safari para ordenadores de sobremesa, Autorrelleno recuerda los datos introducidos en los formularios y permite rellenar formularios similares con una simple pulsación. También es posible configurar Autorrelleno para que recuerde nombres de usuario y contraseñas.

Para aprovechar esta estupenda funcionalidad, primero hay que activarla siguiendo estos pasos:

1. En la pantalla de inicio, pulse **Ajustes**. Se abrirá la pantalla Ajustes.

2. Pulse **Safari**. Aparecerá la pantalla Safari.

3. Pulse **Autorrelleno** para abrir la pantalla Autorrelleno.

4. Pulse el regulador **Datos de contacto** para activarlo. Esto le indica a Safari que utilice los datos de la aplicación Contactos para incluirlos en un formulario. Por ejemplo, si un formulario le pide el nombre, Safari utiliza su nombre de contacto.

5. En el campo **Mis Datos** tiene que aparecer su nombre; si no es así, púlselo y seleccione sus datos en la lista de contactos.

6. Si quiere que Safari recuerde sus nombres de usuario y contraseñas, pulse el regulador **Nombres y contraseñas** para activarlo. En la figura 4.7 puede ver la pantalla completa **Autorrelleno**.

Figura 4.7. *Configurar la pantalla Autorrelleno simplifica el proceso para rellenar formularios.*

A partir de ahora, cuando visite un formulario en línea y acceda a cualquier campo de texto del formulario, el botón **Autorrelleno** estará activo. Púlselo para rellenar aquellos fragmentos del formulario que se correspondan con sus datos de contacto, como puede ver en la figura 4.8. Verá que los campos que Safari rellena automáticamente aparecen con un fondo de color.

Guardar contraseñas de acceso a sitios Web

Si activó la opción **Nombres y contraseñas** en la pantalla **Autorrelleno**, cada vez que introduzca su nombre de usuario y contraseña para iniciar sesión en un sitio Web, aparecerá el cuadro de diálogo que se puede ver en la figura 4.9. Este cuadro de diálogo le pregunta si quiere que recuerde los datos de acceso y le ofrecerá tres opciones:

- **Sí:** Pulse este botón para hacer que Safari recuerde su nombre de usuario y contraseña.

- **Nunca para este sitio:** Pulse este botón para indicarle a Safari que no recuerde su nombre de usuario ni su contraseña y que no le vuelva a preguntar lo mismo para este sitio Web.

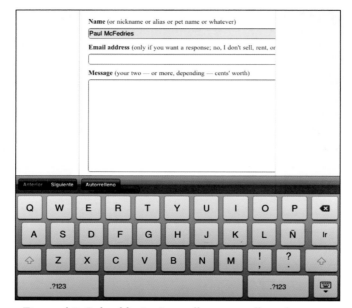

Figura 4.8. *Pulse el botón Autorrelleno para rellenar los campos de un formulario con sus datos de contacto.*

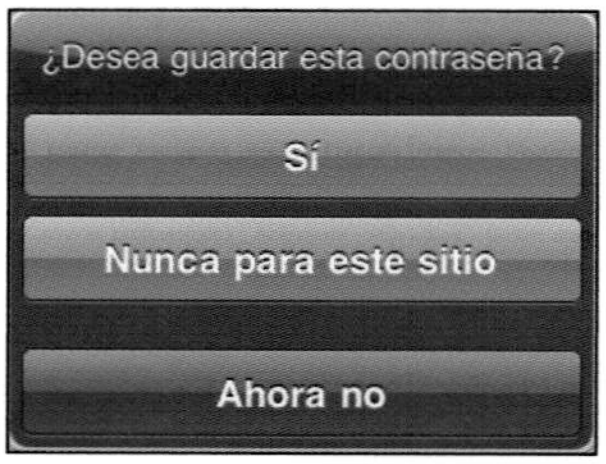

Figura 4.9. *Si configuró Safari para recordar nombres de usuario y contraseñas, aparecerá este cuadro de diálogo cuando quiera iniciar sesión en un sitio Web.*

• **Ahora no:** Pulse este botón para indicarle a Safari que no recuerde su nombre de usuario ni su contraseña pero que se lo vuelva a preguntar la próxima vez que inicie sesión en este sitio Web.

Nota

El iPad es muy prudente, no nos ofrece la posibilidad de guardar todas las contraseñas que escribimos. Concretamente, si el formulario de inicio de sesión es parte de un sitio Web seguro, el iPad no nos preguntará si queremos guardar la contraseña. Así, no tendrá la tentación de guardar la contraseña de la cuenta electrónica del banco, de un sitio Web corporativo o de cualquier otra Web en la que haya almacenado los datos de la tarjeta de crédito (como Amazon u otras tiendas en línea).

UTILIZAR FAVORITOS PARA NAVEGAR DE FORMA MÁS RÁPIDA

La era Web está ya en su tercera década, así que no hace falta que le diga que la Web es un recurso extraordinario que da un nuevo sentido a la idea de "tesoro encontrado". No, en este momento de su carrera Web, puede que le interese más encontrar nuevos tesoros Web y poder volver a los mejores o a los más útiles en futuras sesiones de navegación. **Historial de Safari** puede ayudarle en esta tarea (como veremos más adelante en este capítulo), pero la mejor forma de asegurarnos de que podremos volver fácilmente a un sitio Web en una semana, un mes o incluso un año es guardar el sitio Web como favorito.

Sincronizar los favoritos

La mejor forma para crear favoritos en el iPad es, obviamente, aprovechar el mejor recurso que existe para crear favoritos: el navegador Safari de un Mac (o de un PC con Windows) o el navegador Internet Explorer de un PC.

Es probable que haya utilizado alguno de estos navegadores durante un tiempo y ya tenga varios sitios Web almacenados como favoritos. Para transferirlos al iPad es necesario incluirlos como parte del proceso de sincronización entre el iPad e iTunes (véase el capítulo 2).

Advertencia

Haber utilizado Safari o Internet Explorer durante algún tiempo significa que tenemos muchos favoritos, pero también quiere decir que tendremos innumerables sitios Web antiguos o que ya no visitamos. Antes de sincronizar los favoritos con el iPad, tómese un momento para hacer limpieza de los sitios Web almacenados. Al final, agradecerá haberlo hecho.

Truco

¿Acaba de sincronizar los favoritos con el iPad y ahora tiene de decenas de sitios Web inútiles que colapsan el iPad? No hay problema. Vuelva a la versión del navegador en el ordenador, elimine los favoritos que no le sirvan y vuelva a sincronizar su iPad. Todos los favoritos que haya eliminado también se borrarán en el iPad.

La sincronización de favoritos está activa por defecto, pero siga estos pasos para asegurarse:

1. Conecte el iPad con el ordenador.
2. En la lista de fuentes de iTunes, haga clic en el iPad.

3. Haga clic en la ficha **Información**.

4. Vaya hasta la sección **Otros** y utilice una de estas técnicas:

    *   **Mac:** Seleccione la casilla de verificación **Sincronizar favoritos de Safari**.

    *   **Windows:** Seleccione la casilla de verificación **Sincronizar marcadores con** y seleccione su navegador Web en la lista desplegable (véase la figura 4.10).

5. Haga clic en **Aplicar**. iTunes empezará a sincronizar los favoritos desde el ordenador hasta el iPad.

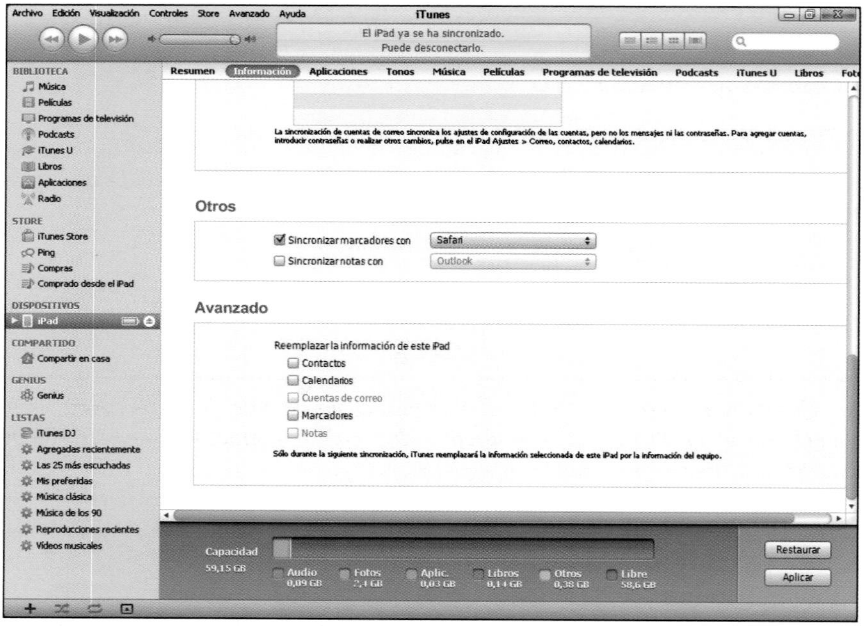

Figura 4.10. *Compruebe que la casilla de verificación Sincronizar marcadores con está seleccionada.*

Añadir favoritos de forma manual

Aunque tenga a su disposición una gran colección de favoritos que ha copiado desde un Mac o un PC con Windows, eso no significa que la colección esté completa. Es muy probable que siga encontrando sitios Web interesantes mientras navegue por la Web con el iPad. Si cree que puede merecer la pena volver a esos sitios Web, puede crear nuevos favoritos desde el propio iPad. Éstos son los pasos que tiene que seguir:

1. En el iPad, utilice Safari para navegar al sitio Web que quiera guardar.

2. Pulse el icono **Acciones** (véase la figura 4.11) que aparece en la barra de estado.

3. Pulse **Añadir favorito**. Se abrirá la pantalla **Añadir favorito** que puede observar en la figura 4.11.

Figura 4.11. *Utilice esta pantalla para especificar el nombre del favorito y su ubicación.*

4. Pulse el cuadro superior y escriba un nombre que le sirva para recordar el sitio Web. Este nombre será el que aparezca en la lista de favoritos.

5. Pulse **Favoritos**. Verá una lista con las carpetas de favoritos.

6. Pulse la carpeta que quiere utilizar para guardar el favorito. Volverá a la pantalla Añadir favorito.

7. Pulse **Guardar**. Se guardará el favorito.

Nota

Sincronizar favoritos es un proceso de dos direcciones: cualquier sitio Web que guarde como favorito en el iPad se añadirá a la lista de favoritos de Safari (o Internet Explorer) en el ordenador la próxima vez que sincronice.

Transferir los favoritos de Firefox al iPad

La sincronización de favoritos a través de iTunes funciona únicamente con Safari e Internet Explorer. Dicho esto, pensará que tiene mala suerte si toda su vida Web está almacenada en Firefox. Afortunadamente, Firefox tiene una función que permite exportar los favoritos a un archivo. Después, bastará con importar esos favoritos (que Firefox denomina "marcadores") a Safari o Internet Explorer y, a continuación, sincronizarlos con el iPad. Aunque parezca un tanto rebuscado, es mejor que nada. Éstos son los detalles:

1. Abra Firefox y comience el procedimiento para exportar de la siguiente forma:

   - **Firefox 4 (Mac):** Haga clic en Firefox>Marcadores (o pulse **Control-Mayús-B**) para abrir el Catálogo. En el cuadro de diálogo Marcadores seleccione Importar y respaldar>Exportar HTML.

   - **Firefox 4 (Windows):** Haga clic sobre Firefox>Marcadores (o bien pulse **Control-Mayús-B**) para abrir el Catálogo. En el cuadro de diálogo Marcadores seleccione Importar y respaldar>Exportar HTML.

2. En el cuadro de diálogo Exportar archivo de marcadores, seleccione una ubicación para el archivo y haga clic en **Guardar**. Firefox guarda sus marcadores en un archivo llamado `bookmarks.html`.

3. Importe el archivo de marcadores al navegador de su elección:

   - **Safari:** Seleccione Archivo>Importar marcadores, localice luego el archivo `bookmarks.html`, haga clic en él y haga clic en **Abrir**.

   - **Internet Explorer:** En las versiones 9, 8 y 7, pulse **Alt-Z** y haga clic en Importar y exportar; en la versión 6, seleccione Archivo>Importar y exportar. En el asistente para importar y exportar, haga clic en **Siguiente** y después haga clic en Importar (después de haber seleccionado la casilla de verificación **Safari**). Por último, haga clic en **Finalizar** para cerrar el cuadro de diálogo.

4. Conecte el iPad al ordenador. Al hacerlo, se abrirá iTunes, se conectará al iPad y sincronizará los favoritos, que ahora incluyen los marcadores de Firefox.

Gestionar los favoritos

Cuando tenga algunos favoritos en la lista de favoritos, puede que necesite llevar a cabo una serie de tareas rutinarias, como cambiar el nombre de un favorito, la dirección o la carpeta, reordenar los favoritos o las carpetas o eliminar favoritos que ya no le interesen. Antes de poder hacer alguna de estas tareas, es necesario poner la lista de favoritos en modo de edición. Para ello, siga estos pasos:

1. En Safari, pulse el icono **Favoritos** que aparece en la barra de estado (véase la figura 4.12). Se abrirá la lista de favoritos.

Icono Favoritos

Figura 4.12. *Pulse el icono Favoritos para ver la lista de favoritos.*

2. Si el favorito está en una carpeta concreta, selecciónela para abrirla. Por ejemplo, si ha sincronizado con Safari, tendrá una carpeta llamada `Barra de favoritos` que incluye todos los favoritos y carpetas que haya añadido a la barra de favoritos en la versión de Safari en el ordenador.

3. Pulse **Editar**. El iPad cambia la lista de favoritos al modo de edición, como puede ver en la figura 4.13. Con el modo de edición activo, ya puede modificar los favoritos como quiera. A continuación, le indicamos algunas técnicas para dominar este modo:

   - **Editar información de los favoritos:** Pulse el favorito para acceder a su pantalla de edición. Ahí podrá editar el nombre del favorito y cambiar su dirección y su carpeta. Cuando termine, pulse el nombre de la carpeta del favorito que aparece en la esquina superior izquierda de la pantalla.

- **Cambiar el orden de favoritos:** Utilice el icono que aparece a la derecha para arrastrar un favorito hasta una nueva posición en la lista. En teoría, debería mover los favoritos preferidos hacia la parte superior de la lista, para que sea más sencillo acceder a ellos.

- **Añadir una carpeta de favoritos:** Pulse **Carpeta nueva** para abrir la pantalla de edición de las carpetas y, a continuación, escriba el título y seleccione una ubicación. Cree todas las carpetas que quiera, ya que son una buena forma de mantener los favoritos organizados.

- **Borrar un favorito:** ¿Cree que un favorito ya no le sirve para nada? No hay problema. Pulse el icono **Eliminar**, situado a la izquierda del favorito, y después pulse el botón **Eliminar** que aparece a la derecha.

Figura 4.13. *Con la lista de favoritos en el modo de edición podemos editarlos, reorganizarlos y borrarlos.*

Cuando termine con los cambios en los favoritos, pulse **OK** para salir del modo de edición.

SACAR AÚN MÁS PROVECHO DEL NAVEGADOR SAFARI DEL IPAD

Hasta ahora, hemos visto muchos trucos y técnicas estupendos en este capítulo. Sin embargo, estoy seguro de que está dispuesto a conocer incluso más. En lo que queda del capítulo aprenderá a utilizar la lista del Historial, a cambiar el motor de búsqueda predeterminado, a visualizar fuentes RSS y a configurar las opciones de seguridad de Safari.

Volver sobre sus pasos con el Historial

Guardar un sitio Web como favorito, tal y como hemos visto anteriormente en este capítulo, es una buena idea si ese sitio Web contiene información interesante o entretenida que queramos visitar en el futuro. Sin embargo, a veces puede que no nos percatemos de que un sitio Web tiene contenido interesante hasta pasado un tiempo. O puede que nos guste el contenido de un sitio Web, pero decidimos no marcarlo como favorito y posteriormente nos arrepentimos de esta decisión. Podemos perder gran parte del día intentando encontrar ese sitio Web, pero puede que se cumpla la ley de Murphy de la navegación Web: no volverá a encontrar jamás un sitio Web que olvide guardar como favorito.

Afortunadamente, el iPad ofrece una solución. Mientras navegamos por la Web, el iPad realiza un seguimiento de dónde vamos y almacena el nombre y la dirección de cada página en la lista del Historial. La limitada memoria del iPad hace que no sea posible guardar miles de sitios Web, pero puede que sí almacene ese sitio que estamos buscando. A continuación, se explica cómo utilizar el Historial:

1. En el navegador Safari, pulse el icono **Favoritos** (véase la figura 4.12) que aparece en la barra de estado. Se abrirá la lista de favoritos.

2. Si aparece la ventana de favoritos (véase la figura 4.13), salte al paso 3. En el caso contrario, pulse los nombres de carpetas que aparecen en la esquina superior izquierda de la pantalla hasta que llegue a la pantalla de favoritos.

3. Pulse **Historial**. Se abrirá la pantalla del historial, como puede ver en la figura 4.14. Esta pantalla incluye los sitios Web visitados ese día en la parte superior y, a continuación, una lista con las fechas anteriores.

Figura 4.14. *Safari almacena los sitios que hemos visitado recientemente en el Historial.*

4. Si ha visitado con anterioridad el sitio Web que está buscando, seleccione el día en que lo visitó. Verá una lista con los sitios Web visitados ese día.

5. Pulse el sitio Web que quiera volver a visitar y Safari cargará la página.

Mantener la privacidad borrando el Historial

El Historial contiene los sitios Web recién visitados y es una funcionalidad estupenda cuando la necesitamos y una característica inofensiva cuando no nos hace falta. Sin embargo, a veces puede ser perjudicial. Por ejemplo, suponga que realiza una compra en línea para regalarle algo a su mujer/marido por su cumpleaños. Si él/ella también utiliza el iPad, la sorpresa puede estropearse si por casualidad encuentra la página de compra en el Historial. También sucede los mismo si visita el sitio Web de una empresa, de un banco o de cualquier otro sitio Web que no quiera que otros vean; el historial podría traicionarle.

Y, a veces, puede que se incluya en el Historial, de forma accidental, algún sitio Web desagradable. Por ejemplo, si hace clic en el enlace de una página completamente legítima y va a parar a un sitio Web con contenido no deseado. Seguramente cierre inmediatamente la página, pero el sitio Web quedará registrado en el Historial. Si tiene sitios Web en su Historial que no quiere que vean otras personas o si simplemente no le gusta la idea de que el iPad registre sus movimientos, siga estos pasos para borrar el Historial:

1. En Safari, pulse el icono **Favoritos** de la barra de estado. Se abrirá la lista de favoritos.

2. Pulse los nombres de carpetas que aparecen en la esquina superior izquierda de la pantalla hasta que llegue a la pantalla de favoritos.

3. Pulse **Historial**. Se abrirá la pantalla del historial.

4. Pulse **Borrar historial**. Safari le pedirá una confirmación.

5. Pulse **Borrar historial**. Se borrarán todos los sitios Web del Historial.

Truco

Otra forma más rápida de borrar el Historial *es pulsar* Ajustes>Safari>Borrar historial *en la pantalla de inicio. Cuando el iPad le pida una confirmación, bastará con pulsar* Borrar.

Cambiar el motor de búsqueda predeterminado

Al pulsar el cuadro Buscar que aparece en la parte superior de la pantalla de Safari, el iPad carga la pantalla de Google, coloca el cursor dentro del cuadro Buscar y muestra el teclado para poder escribir el texto de búsqueda y realizar la búsqueda. La pantalla se llama Google porque Google es el motor de búsqueda predeterminado en el iPad. A todos nos gusta Google pero si, por alguna razón, tiene algo en contra, puede utilizar Bing o Yahoo! como motor de búsqueda predeterminado. Así es cómo se hace:

1. En la pantalla de inicio, pulse **Ajustes**. Se abrirá la pantalla Ajustes.

2. Pulse **Safari**. Aparecerá la pantalla Safari.

3. Pulse **Buscador**. Se abrirá la pantalla Buscador.

4. Entonces pulse **Yahoo!** o **Bing**. Ahora el iPad lo utilizará como motor de búsqueda predeterminado.

Ver una fuente RSS

Algunos sitios Web son relativamente estáticos y sólo es necesario acceder a ellos de vez en cuando para ver si ofrecen alguna novedad. Otros, por el contrario, cambian su contenido de forma regular (una vez al día o a la semana), por lo que sabemos de antemano cuándo tendrán nueva información. Sin embargo, en los sitios Web más dinámicos, en particular los *blogs*, el contenido cambia con frecuencia, aunque no de forma regular. En estos sitios Web, estar atentos para ver cuándo hay contenido nuevo puede ser una pérdida de tiempo y resulta muy sencillo perderse algo (ley de Murphy con respecto a los *blogs*: siempre nos perdemos el mensaje del que habla todo el mundo).

Para solucionar este problema, muchos sitios Web tienen fuentes RSS; RSS son las siglas de *Real Simple Syndication* (Sindicación realmente simple). Una fuente es un archivo especial que contiene la información que se ha añadido recientemente a un sitio Web. El inconveniente es que el navegador del iPad no incluye ningún método para suscribirse a las fuentes RSS de un sitio Web, como ocurre con la versión de Safari para el ordenador o con Internet Explorer. Pero el iPad puede utilizar una aplicación para leer fuentes RSS (`http://reader.mac.com/`) que interpreta la fuente RSS de un sitio Web y muestra la información en Safari. Así es cómo funciona:

1. En Safari, vaya hasta una página Web que contenga una fuente RSS.

2. Aumente la página y desplácese por ella hasta encontrar el enlace con la fuente RSS. El enlace suele aparecer acompañado (o estar formado en su totalidad) por un icono que identifica la fuente como tal. Busque un icono XML, RSS o un icono de fuente naranja, como puede ver en la figura 4.15.

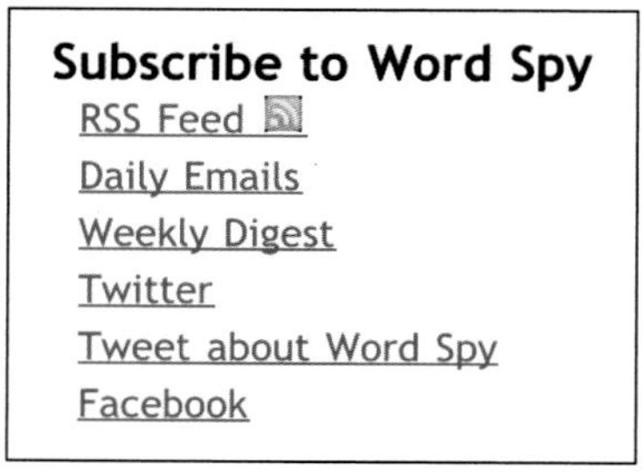

> **Subscribe to Word Spy**
> RSS Feed 🔊
> Daily Emails
> Weekly Digest
> Twitter
> Tweet about Word Spy
> Facebook

Figura 4.15. *La mayoría de enlaces con fuentes RSS se identifican con un icono estándar.*

3. Ahora pulse el enlace. Se cargará el archivo RSS en la aplicación lectora de fuentes `reader.mac.com`, como puede ver en la figura 4.16.

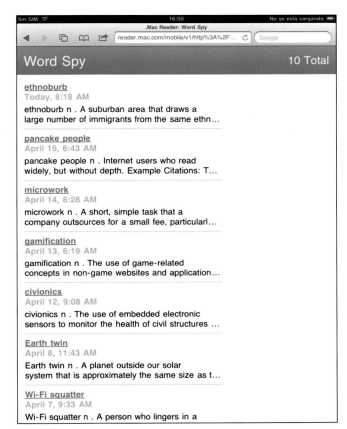

Figura 4.16. *Al hacer clic en el enlace de una fuente RSS, Safari carga el archivo RSS en la aplicación reader.mac.com.*

Nota

Como pasa con otros enlaces como los de las páginas Web, podemos añadir los enlaces de las fuentes RSS a nuestros favoritos y guardarlos en la pantalla de inicio.

Configurar las opciones de seguridad del navegador Web

El ciberespacio es una auténtica jungla llena de elementos maliciosos. Apple es consciente de estos peligros, por eso ha reforzado el iPad para evitar cualquier amenaza. En concreto, Safari incluye cinco niveles de seguridad:

• **Protección *antiphishing*:** Un sitio *phishing* es un sitio que a primera vista parece pertenecer a una empresa conocida, como un banco en línea o una compañía importante. En realidad, se trata de un sitio Web camuflado que incita al usuario a introducir sus datos de inicio de sesión, de la tarjeta de crédito o cualquier otra información privada. Muchos de estos sitios Web son bien conocidos o hacen saltar las alarmas de los sistemas de seguridad, avisándonos que son fraudulentos. El navegador del iPad incluye un ajuste de aviso de fraude y, cuando está activado, muestra un aviso sobre este tipo de sitios.

- **JavaScript:** Se trata de un lenguaje de programación que suelen usar los desarrolladores de los sitios Web para añadir nueva funcionalidad a sus páginas. Sin embargo, algunos programadores optan por pasarse al lado oscuro y utilizan JavaScript con fines maliciosos. El iPad admite JavaScript de forma predeterminada, pero puede desactivarse si accedemos a un sitio Web de dudosa reputación, aunque muchos sitios Web no funcionan sin JavaScript, por lo que no recomendamos mantenerlo siempre desactivado.

- **Bloquear ventanas emergentes:** Los anuncios emergentes (y sus primos furtivos, los anuncios emergentes que se camuflan detrás de las ventanas activas) suelen ser muy molestos, pero aún lo son más en el iPad, ya que cuando aparece una de estas ventanas se crea una nueva página en Safari y se cambia inmediatamente a esa página. Cuando esto sucede, hay que pulsar el icono **Páginas**, borrar la página emergente y, en caso de tener dos o más páginas abiertas, seleccionar la página que generó el elemento emergente. Afortunadamente, el iPad no sólo incluye un bloqueador de ventanas emergentes, sino que éste viene activado por defecto. Aunque algunos sitios Web utilizan los elementos emergentes con fines legítimos: reproductores multimedia, páginas de inicio de sesión, avisos importantes sobre el sitio Web, etc. Para que estos sitios Web funcionen correctamente, es necesario desactivar de forma temporal el bloqueador de elementos emergentes.

- **Cookies:** Son pequeños archivos de texto que guardan la mayoría de los sitios Web y que incluyen información sobre las sesiones de navegación. El ejemplo más típico es un carrito de la compra: los artículos seleccionados y las cantidades se almacenan en una *cookie*. Sin embargo, por cada *cookie* legítima, hay por lo menos otra que no lo es y que es utilizada por un anunciante para realizar el seguimiento de nuestros movimientos y mostrar anuncios que se supone están dirigidos de forma específica a nosotros. De forma predeterminada, el iPad no acepta *cookies* de terceros, pero es posible hacer que Safari acepte todos las *cookies* entrantes o ninguna (no recomendamos ninguna de estas configuraciones).

Siga estos pasos para personalizar las opciones de seguridad Web del iPad:

1. En la pantalla de inicio, pulse **Ajustes**. Aparecerá la pantalla Ajustes.

2. Pulse **Safari**. Aparecerá la pantalla Safari que puede ver en la figura 4.17.

3. Pulse el ajuste Aviso de fraude para activar o desactivar la protección *antiphishing*.

4. Pulse el ajuste JavaScript para activar o desactivar la protección JavaScript.

5. Pulse el ajuste Bloquear ventanas para activar o desactivar la aparición de ventanas emergentes.

Figura 4.17. *Utilice la pantalla Safari para configurar los ajustes de seguridad Web del iPad.*

6. Para definir las *cookies* que puede permitir Safari, pulse **Aceptar cookies**, después seleccione el ajuste (Nunca, De las visitadas o Siempre) y, finalmente, pulse el botón **Safari** para volver a la pantalla anterior. El ajuste predeterminado De las visitadas significa que Safari acepta directamente las *cookies* de los sitios Web por los que navegamos y rechaza las *cookies* de cualquier sitio Web de terceros.

7. Si quiere eliminar las *cookies* almacenadas en el iPad, pulse **Borrar cookies** y, cuando se le pida la confirmación, pulse **Borrar**. Es una buena idea borrar las *cookies* si tenemos problemas para acceder a un sitio Web o cuando sospechamos que hay alguna *cookie* no deseada almacenada en el iPad (por ejemplo, si hemos navegado con el ajuste Siempre de Borrar cookies).

Buscar texto en páginas Web

Al examinar una página Web es frecuente buscar información específica. En lugar de leer toda la página para buscar la información que necesitamos, sería mucho más fácil buscar datos específicos.

Puede hacerlo fácilmente en la versión de escritorio de Safari o en cualquier otro navegador, pero, a primera vista, la aplicación Safari no parece tener una función de búsqueda. La verdad es que está ahí, pero tenemos que saber dónde buscar.

1. Utilice la aplicación Safari para navegar hasta la página Web que contiene la información que está buscando.

2. Pulse dentro del cuadro **Buscar** que aparece en la parte superior de la ventana de Safari.

3. Escriba el texto que quiere buscar. Safari muestra la página de coincidencias habitual, pero también aparece la sección **En esta página (X resultados)**, donde X es el número de veces que aparece el término que estamos buscando en la página Web, como puede ver en la figura 4.18.

Figura 4.18. *El mensaje "En esta página" muestra el número de coincidencias en la página Web actual.*

4. Pulse **"Buscar X"**, donde X es el texto que hemos escrito. Safari resaltará en la página la primera coincidencia de búsqueda, como puede ver en la figura 4.19.

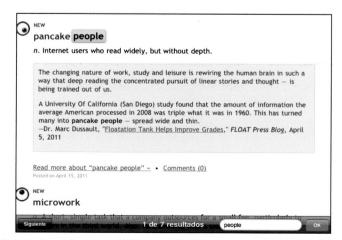

Figura 4.19. *Safari resalta en la página Web actual la primera coincidencia con el término de búsqueda.*

5. Pulse **Siguiente** para ir al resto de coincidencias de la página. Verá que sólo podemos recorrer los resultados de forma cíclica: cuando pulse **Siguiente** después del último resultado, Safari volverá al primero.

6. Cuando termine con la búsqueda pulse **OK**.

iOS 4.3

Imprimir una página Web con AirPrint

Si tiene una impresora compatible con el estándar de impresión inalámbrica AirPrint, puede enviar los documentos (por ejemplo, una página Web) directamente a la impresora.

Nota

Cuando escribo este libro sólo existe un número limitado de impresoras Hewlett-Packard compatible con el estándar AirPrint. Para saber más y ver una lista de las impresoras que incluyen esta tecnología, visite el sitio Web `www.hp.com/sbso/printing/mac/ hp-airprint.html` *(en inglés).*

Así es cómo funciona:

1. Utilice la aplicación Safari para ir a la página Web que quiere imprimir.

2. Pulse el icono **Acciones**. Aparecerá un menú con las opciones de la página Web.

3. Pulse **Imprimir**. Aparecerán en pantalla las opciones de la impresora.

4. Pulse **Impresora**. Si en el campo Impresora ya aparece la impresora que quiere utilizar, puede ir directamente al paso 6. El iPad busca las impresoras inalámbricas y muestra una lista de las que están disponibles.

5. Pulse la impresora que quiere utilizar. El iPad añade la impresora a la pantalla Opciones y después muestra otros controles en pantalla.

6. En el campo Copia pulse **+** para configurar el número de copias.

7. Configure otras opciones de impresión. Las opciones pueden variar dependiendo de la impresora.

8. Pulse **Imprimir**. El iPad envía la página Web a la impresora.

Capítulo 5

APROVECHAR AL MÁXIMO EL CORREO ELECTRÓNICO EN EL iPAD

Cuanto más tiempo dedicamos a actualizar nuestro estado en las redes sociales (comentarios, *tweet*, conversaciones por Skype, etc.) más anticuado parece el correo electrónico. Actualizar el estado en Facebook o publicar un *tweet* sobre un sitio Web nuevo y estupendo que hemos encontrado está de moda; leer los mensajes recibidos y contestarlos o escribir otros nuevos son tareas rutinarias.

En efecto, el correo electrónico se ha convertido en algo aburrido; pero todavía sigue siendo universal. Aquéllos que tienen una conexión a Internet disponen también de una cuenta de correo electrónico, que sigue siendo la mejor forma para estar en contacto con otras personas e intercambiar información, al menos digitalmente. El iPad incluye una aplicación de correo electrónico bastante aceptable y que es fácil de utilizar, aunque existen muchos trucos y técnicas que tiene que conocer para sacarle el máximo partido a la aplicación Mail del iPad.

GESTIONAR LAS CUENTAS DE CORREO ELECTRÓNICO EN EL IPAD

La aplicación Mail que incluye el iPad es un elegante programa de correo electrónico que aprovecha las dos posiciones del iPad: en posición vertical, tenemos una versión ampliada del mensaje que esté abierto y cualquier fotografía o archivo multimedia que se adjunte; en posición horizontal, tenemos a nuestra disposición una vista de dos paneles (en un panel, los mensajes de la bandeja de entrada en un panel y, en el otro, el mensaje que esté abierto). La posición horizontal es ideal para redactar mensajes, ya que tenemos acceso al teclado más grande.

La aplicación Mail también incluye algunas características y ajustes que la convierten en el programa ideal para trabajar con el correo electrónico. Sin embargo, primero hay que configurar en el iPad una o más cuentas de correo electrónico.

Sincronizar cuentas de correo electrónico

La aplicación **Mail** del iPad es más útil cuando se configura para utilizar la misma cuenta de correo electrónico que tenemos configurada en el ordenador. De esa forma, mientras estemos fuera de casa podemos revisar los mensajes y tener a nuestra disposición toda la información del correo.

La forma más sencilla de hacerlo es sincronizar una cuenta de correo electrónico que ya exista entre el ordenador y el iPad.

Es decir, si ya tenemos una cuenta de correo (una cuenta de Mail en un Mac o una cuenta de Outlook o Windows Mail en un PC con Windows), podemos hacer que iTunes incluya todos los detalles de esa cuenta y los transfiera al iPad.

Nota

En algunas cuentas, es necesario verificar que el iPad no elimina los mensajes entrantes del servidor antes de descargarlos al ordenador. En este capítulo explicamos cómo hacerlo.

Así es cómo funciona:

1. Conecte el iPad al ordenador.
2. En la lista de fuentes de iTunes, haga clic en **iPad**.
3. Haga clic en la ficha **Información**.
4. En la sección de las cuentas de correo electrónico utilice una de las siguientes técnicas:
    - **Mac:** Seleccione la casilla de verificación **Sincronizar cuentas de Mail** y después haga clic sobre la casilla situada junto a cada una de las cuentas que quiera añadir en el iPad.
    - **Windows:** Seleccione la casilla de verificación **Sincronizar cuentas de correo electrónico de** y seleccione un programa en la lista desplegable. Después, seleccione la casilla de verificación que aparece al lado de la cuenta que quiera sincronizar (véase la figura 5.1).
5. Haga clic en **Aplicar**. iTunes comenzará a sincronizar los ajustes de la cuenta de correo electrónico seleccionada, desde su ordenador hasta su iPad.

Nota

Recuerde que el iPad sincroniza únicamente los ajustes de correo electrónico (nombre de usuario, contraseña, servidores de correo, etc.), no los mensajes de la cuenta.

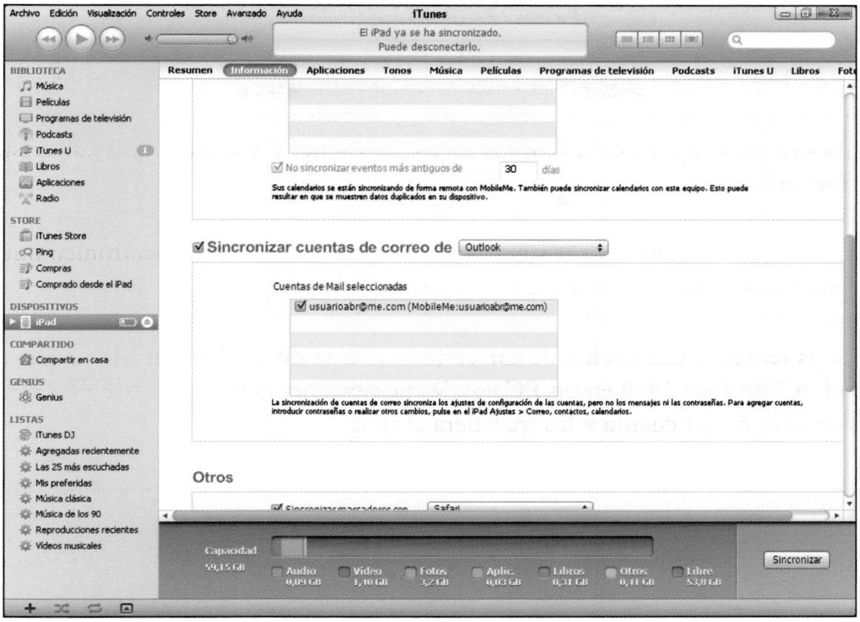

Figura 5.1. *Seleccione la cuenta que quiere sincronizar con el iPad.*

Añadir una cuenta a mano

Sincronizar cuentas de correo electrónico, como hemos descrito en la sección anterior, es útil cuando queremos que el correo electrónico funcione en varios dispositivos. Pero puede que nos interese tener una cuenta de correo electrónico exclusiva para el iPad. Por ejemplo, si nos unimos a una lista de correo sobre el iPad, quizás prefiramos que los mensajes de esa lista se envíen únicamente al iPad. Es una idea estupenda pero implica tener que configurar una cuenta en el propio iPad; algo que, como veremos, requiere numerosas pulsaciones.

La forma de crear una cuenta en el iPad depende del tipo de cuenta que tenga. Existen cinco servicios de correo electrónico compatibles con el iPad:

Advertencia

Puede evitar la configuración completa de una nueva cuenta en el iPad creando una cuenta en el programa de correo del ordenador y sincronizándola con el iPad. Ese método funciona, pero existe un inconveniente: hay que dejar la nueva cuenta en el programa de correo electrónico del ordenador, si la borra o la deshabilita iTunes también la eliminará en el iPad.

- **Microsoft Exchange:** El iPad es compatible con las cuentas de Exchange, que son muy comunes en organizaciones de gran tamaño o colegios. Exchange utiliza un servidor central para almacenar mensajes y lo habitual es trabajar con los mensajes en el propio servidor, no en el iPad. El iPad es compatible con Exchange ActiveSync, que sincroniza el iPad con su cuenta del servidor de forma automática. Veremos los ajustes de ActiveSync, más adelante, en este capítulo.

- **MobileMe:** Se trata del servicio de correo electrónico de Apple, que también incluye aplicaciones para calendarios, contactos, almacenamiento, etc.

- **Gmail de Google:** Es el servicio de correo electrónico de Google.

- **Yahoo! Mail:** Es el servicio de correo electrónico de Yahoo!.

- **AOL:** Es el servicio de correo electrónico de AOL.

El iPad sabe cómo conectarse a estos servicios, por lo que para configurar una cuenta de cualquiera de estos tipos, sólo tenemos que saber la dirección y la contraseña de la cuenta.

Además, la aplicación Mail del iPad es compatible con los siguientes tipos de cuentas:

- **POP:** Es la abreviatura de *Post Office Protocol* (Protocolo de oficina de correos) y es el tipo de cuenta más popular. Su característica principal es que los mensajes entrantes se almacenan de forma temporal en el servidor del proveedor. Cuando nos conectamos al servidor, los mensajes se descargan al iPad y se eliminan del servidor. En otras palabras, los mensajes (incluyendo copias de los mensajes enviados) se almacenan de forma local en el iPad. La ventaja de este protocolo es que no es necesario tener una conexión a Internet para leer el correo. Una vez que los mensajes se descargan en el iPad, podemos leerlos, borrarlos o modificarlos como queramos.

- **IMAP:** Es la abreviatura de *Message Access Protocol* (Protocolo de acceso a mensajes). Este tipo de cuenta se utiliza muy frecuentemente en los servicios Web del correo electrónico. Es lo opuesto al protocolo POP, puesto que los mensajes entrantes, así como las copias de los mensajes enviados, permanecen en el servidor. En este caso, cuando Mail funciona con una cuenta IMAP, se conecta al servidor y trabaja con los mensajes en el propio servidor, no en el iPad (aunque parezca que estemos trabajando con los mensajes localmente). La ventaja es que podemos acceder a los mensajes desde varios dispositivos y ubicaciones diferentes, pero tendremos que estar conectados Internet.

El administrador de red o el proveedor del servicio de correo electrónico pueden informarnos del tipo de cuenta poseemos.

También pueden facilitarnos la información necesaria para configurar la cuenta: la dirección de correo electrónico, el nombre de usuario y la contraseña que se utilizará para comprobar nuevos mensajes (y puede que también la información de seguridad que tenemos que especificar para enviar mensajes), el nombre de dominio del servidor de correo entrante (normalmente algo como `mail.proveedor.com`, donde "`proveedor.com`" es el nombre de dominio del proveedor) y el nombre de dominio del servidor de correo saliente (algo tipo `mail.proveedor.com` o `smtp.proveedor.com`).

Con toda esta información, siga estos pasos para crear una cuenta nueva en el iPad:

1. En la pantalla de inicio, pulse **Ajustes**. Se abrirá la pantalla Ajustes.

2. Pulse **Correo, contactos, calendarios**. Aparecerá la pantalla con este mismo nombre.

3. Pulse **Añadir cuenta**. Se abrirá la pantalla Añadir cuenta (véase la figura 5.2).

Figura 5.2. *Use la pantalla Añadir cuenta para seleccionar el tipo de cuenta que quiere añadir al iPad.*

4. Tiene dos opciones:

    • Si va a crear una cuenta de Microsoft Exchange, MobileMe, Gmail, Yahoo! Mail o AOL, pulse el logotipo correspondiente. En la pantalla de información de la cuenta escriba su nombre, dirección de correo, contraseña y una descripción. Pulse **Guardar** para terminar.

    • Si va a crear otro tipo de cuenta, pulse **Otras** y continúe con el paso 5.

5. Pulse **Añadir cuenta** para abrir la pantalla Nueva cuenta.

6. Utilice los cuadros de texto Nombre, Dirección, Contraseña y Descripción para escribir la información de la cuenta. Después, pulse **Siguiente**.

7. Seleccione el tipo de cuenta que va a añadir: IMAP o POP.

8. En la sección Servidor de correo entrante, utilice el cuadro de texto Nombre de host para escribir el nombre de dominio del servidor de correo entrante de su proveedor, así como el nombre de usuario y contraseña.

9. En la sección Servidor de correo saliente, utilice el cuadro de texto SMTP para introducir el nombre de dominio del servidor de correo saliente (SMTP) de su proveedor. Si su proveedor también le pide un nombre de usuario y una contraseña para enviar mensajes, escríbalos.

10. Pulse **Guardar**. El iPad verifica la información de la cuenta y vuelve a la pantalla de ajustes de Mail con la cuenta incluida en la lista de cuentas.

Especificar la cuenta predeterminada

Si ha añadido dos o más cuentas de correo electrónico a su iPad, Mail marca una de ellas como la cuenta predeterminada. Esto significa que Mail utilizará esa cuenta a la hora de enviar un mensaje nuevo, al responderlo o simplemente al reenviarlo.

La cuenta predeterminada suele ser la primera que se crea en el iPad, pero puede cambiarla siguiendo estos pasos:

1. En la pantalla de inicio, pulse **Ajustes**. Aparecerá la pantalla Ajustes.

2. Pulse **Correo, contactos, calendarios**. Aparecerá la pantalla Correo, contactos, calendarios.

3. En la sección Correo, pulse **Cuenta por omisión**. Se abrirá la pantalla Cuenta por omisión, donde aparece una lista de cuentas. La cuenta predeterminada tiene una marca de verificación junto a ella, como puede ver en la figura 5.3.

Figura 5.3. *Utilice la pantalla Cuenta por omisión para establecer la cuenta predeterminada que quiera utilizar con Mail a la hora de enviar mensajes.*

4. Seleccione la cuenta que quiere utilizar de forma predeterminada. El iPad coloca una marca de verificación junto a ella.

5. Pulse **Correo, contactos...** para volver a la pantalla de ajustes de Mail.

Cambiar a otra cuenta

Al acceder a Mail (pulsando **Mail** en la zona del Dock, en la pantalla de inicio del iPad), lo normal es ver la carpeta Recibidos de su cuenta predeterminada. Si tiene varias cuentas configuradas en el iPad y quiere revisar una cuenta diferente, siga estos pasos para realizar el cambio:

1. En la pantalla de inicio, pulse **Mail** para abrir la aplicación Mail.

2. Con el iPad en posición horizontal, pulse el botón del buzón de entrada, situado en la esquina superior izquierda de la pantalla (debajo de la barra de estado). Si el iPad está en posición vertical, pulse **Recibidos** y, después, pulse el buzón de entrada (véase la figura 5.4).

Figura 5.4. *Utilice la pantalla Buzones para seleccionar el buzón de entrada o la cuenta que quiere visitar.*

3. Pulse la cuenta con la que quiera trabajar:

    - Si sólo quiere ver la carpeta de entrada, pulse el nombre de la cuenta en la sección Buzones de entrada de la pantalla Buzones.

    - Si quiere ver todas las carpetas disponibles en la cuenta, pulse el nombre de la cuenta en la sección Cuentas de la pantalla Buzones. Verá una lista de las carpetas de esa cuenta; pulse la carpeta que quiera ver.

Deshabilitar temporalmente una cuenta

La aplicación Mail comprueba si existen mensajes nuevos cada cierto tiempo (más adelante, veremos cómo configurar este intervalo). Si tiene varias cuentas configuradas, esta comprobación incesante puede repercutir en la duración de la batería del iPad. Para minimizar este efecto, puede deshabilitar una cuenta de forma temporal para evitar que Mail compruebe si existen mensajes nuevos en ella. Así es cómo se hace:

1. En la pantalla de inicio, pulse **Ajustes**. Se abrirá la pantalla Ajustes.

2. Pulse **Correo, contactos, calendarios**. Aparecerá la pantalla Correo, contactos, calendarios.

3. Pulse la cuenta que quiere deshabilitar. El iPad mostrará los ajustes de esa cuenta.

4. Dependiendo del tipo de cuenta, utilice una de estas técnicas para deshabilitarla temporalmente:

- MobileMe, Exchange, Gmail, Yahoo! o AOL. Pulse el regulador **Correo** para desactivarlo. Si la cuenta sincroniza otro tipo de datos, como contactos y calendarios, también puede desactivarlos si quiere.

- POP o IMAP. Pulse el regulador **Cuenta** para desactivarlo, como puede ver en la figura 5.5.

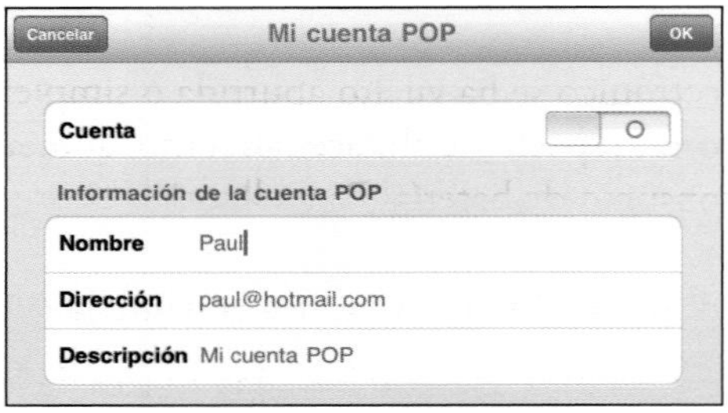

Figura 5.5. *En la pantalla de ajustes de la cuenta, pulse el interruptor Cuenta para desactivarlo.*

5. Pulse **OK** para volver a la pantalla de ajustes de Mail.

Cuando quiera volver a trabajar con la cuenta, repita estos pasos para activar el regulador **Correo** o **Cuenta**.

Sincronizar notas

Si utiliza la aplicación **Notas** en su iPad para anotar cosas rápidas y otras ideas que se le ocurren, tal vez le interese transferirlas a su ordenador para incluirlas en otro documento, añadirlas a una lista de tareas, etc.

Nota

Para sincronizar notas en un Mac es necesario tener el sistema operativo Mac OS X 10.5.7 o una versión posterior.

La sincronización de notas está desactivada de forma predeterminada, así que tiene que seguir estos pasos para activarla:

1. Conecte su iPad al ordenador.

2. En la lista de fuentes de iTunes, haga clic en **iPad**.

3. Haga clic en la ficha **Información**.

4. Desplácese hasta la sección Otros y utilice una de las técnicas siguientes:

   - **Mac:** Seleccione la casilla de verificación Sincronizar notas.

   - **Windows:** Seleccione la casilla de verificación Sincronizar notas con y seleccione una aplicación en la lista emergente (por ejemplo, Outlook).

5. Haga clic en **Aplicar**. iTunes comenzará a sincronizar las notas desde su ordenador hasta el iPad.

Eliminar una cuenta

Si una cuenta de correo electrónico se ha vuelto aburrida o simplemente ya no la utiliza, debería eliminarla para ahorrar espacio de almacenamiento, aumentar la velocidad de sincronización y ahorrar consumo de batería. Para ello, siga estos pasos:

1. En la pantalla de inicio, pulse **Ajustes**. Se abrirá la pantalla Ajustes.

2. Pulse **Correo, contactos, calendarios** para ir a los ajustes de Mail.

3. Seleccione la cuenta que quiere eliminar. Se abrirán los ajustes de esa cuenta.

4. Pulse **Eliminar cuenta**. El iPad le pedirá confirme esta acción.

5. Pulse **Eliminar**. Aparecerá la pantalla de ajustes de Mail y ya no verá la cuenta en la lista.

⬤ ⬤ ⬤ CONFIGURAR CUENTAS DE CORREO ELECTRÓNICO

Configurar una cuenta de correo electrónico en el iPad es una cosa, pero hacer que esa cuenta realice acciones útiles es otra muy distinta. En las siguientes secciones, encontrará algunos ajustes interesantes que le servirán para sacar el máximo provecho al correo electrónico y a solucionar problemas que puedan surgir.

Gestionar varios dispositivos y dejar los mensajes en el servidor

En la actualidad, hay cada vez más dispositivos móviles, por eso es frecuente tener que revisar una cuenta de correo en varios dispositivos. Por ejemplo, es habitual comprobar el correo desde la oficina, pero también desde el ordenador de casa o desde el iPad mientras estamos de viaje.

Si tiene que comprobar el correo en varios dispositivos diferentes puede aprovechar la transferencia de mensajes por Internet del protocolo POP. Cuando alguien envía un correo, no le llega directamente al ordenador. Primero, va al servidor que el ISP ha establecido para manejar los mensajes entrantes. Cuando comprobamos si existen mensajes nuevos, el servicio de correo electrónico se comunica con el servidor POP para ver si hay algún mensaje pendiente en nuestra cuenta. Si es así, descarga esos mensajes al ordenador y le dice al servidor que borre las copias que están almacenadas en él.

Lo importante es configurar el programa de correo electrónico para que deje copias de los mensajes en el servidor POP después de descargarlos. De esa forma, los mensajes estarán disponibles cuando revisemos el correo desde otro dispositivo. Por suerte, los ingeniosos desarrolladores de la versión de Mail para el iPad han tenido en cuenta este aspecto, ya que el programa configura automáticamente las cuentas POP para que funcionen de esta forma: después de descargar en el iPad cualquier mensaje del servidor POP la aplicación Mail deja los mensajes en el servidor.

A continuación, encontrará una buena estrategia que asegura la descarga de los mensajes en todos los dispositivos evitando, al mismo tiempo, que se borren del servidor:

- Dejar que sea el ordenador principal el que controle el borrado de mensajes del servidor. En Mac OS X, la configuración por defecto de Mail es borrar los mensajes del servidor una vez a la semana, lo cual es perfecto.

- Configurar el resto de dispositivos (especialmente el iPad) para que no eliminen los mensajes del servidor.

Truco

Outlook, Outlook Express y Windows Live Mail siempre configuran las cuentas POP para borrar los mensajes del servidor tan pronto como se recuperan, por lo que hay modificar este comportamiento. En Outlook, seleccione Herramientas>Configuración de la cuenta, *haga clic en la cuenta y haga clic en* Cambiar y, *después, haga clic en* Más configuraciones. *Haga clic en la ficha* Avanzadas *y seleccione la casilla de verificación* Dejar una copia de los mensajes en el servidor. *En Outlook Express o Windows Live Mail, seleccione* Herramientas>Cuentas, *haga clic en la cuenta y, después, haga clic en* Propiedades. *Haga clic en la ficha* Avanzadas *y seleccione la casilla de verificación* Dejar una copia de los mensajes en el servidor.

Siempre es buena idea comprobar las cuentas POP del iPad para asegurarnos de que no se borran los mensajes del servidor. Para ello o para utilizar una configuración diferente (como, por ejemplo, que se borren los mensajes después de una semana o cuando se eliminen en la propia bandeja de entrada), siga estos pasos:

1. En la pantalla de inicio, pulse **Ajustes**. Aparecerá la pantalla Ajustes.

2. Pulse **Correo, contactos, calendarios**. Aparecerá la pantalla Correo, contactos, calendarios.

3. Seleccione la cuenta POP con la que quiere trabajar. Aparecerá la pantalla de ajustes de la cuenta.

4. Pulse **Avanzado**. Aparecerá la pantalla Avanzado.

5. Pulse **Eliminar**. Aparecerá la pantalla Eliminar, tal y como puede ver en la figura 5.6.

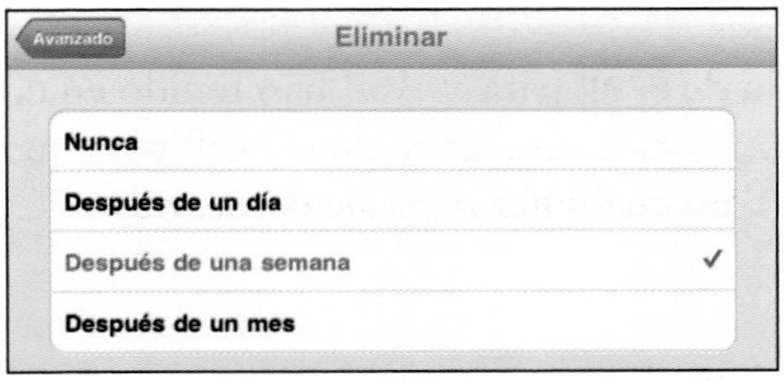

Figura 5.6. *Utilice la pantalla Eliminar para asegurarse de que el iPad conserva los mensajes en el servidor POP.*

6. Pulse **Nunca**. Si, por el contrario, prefiere que el iPad borre los mensajes del servidor una vez transcurrido un período de tiempo determinado, pulse **Después de un día**, **Después de una semana** o **Después de un mes**.

Solucionar problemas con el correo saliente utilizando un puerto distinto en el servidor

Por razones de seguridad, algunos proveedores de servicios de Internet (ISP) dirigen todos los mensajes salientes de sus cliente a través de su propio servidor SMTP (*Simple Mail Transfer Protocol*, Protocolo de transferencia simple de correo electrónico). Esto no supone ningún problema si utilizamos una cuenta de correo del ISP pero si tenemos una cuenta de terceros (como nuestro propio dominio Web), pueden surgir estos problemas:

• El ISP podría bloquear los mensajes que enviemos utilizando la cuenta de terceros al pensar que estamos tratando de transmitirlos a través de su servidor, una técnica muy utilizada por aquéllos que se dedican a enviar *spam*.

• Nuestra factura podría aumentar si el ISP sólo permite utilizar una cantidad determinada de ancho de banda SMTP al mes o un número concreto de mensajes; las cuentas de terceros ofrecen límites más amplios sin ningún tipo de restricción.

• Podríamos tener problemas de rendimiento con el servidor del ISP, que tardaría más tiempo en dirigir los mensajes que el dominio de terceros.

Una solución a este problema sería especificar el servidor SMTP del dominio externo en la configuración de la cuenta. Sin embargo, esto no suele funcionar, porque los correos salientes se envían de forma predeterminada a través del puerto 25: al utilizar este puerto, el mensaje saliente se transfiere a través del servidor SMTP del ISP.

Para evitar este problema, muchos dominios de terceros ofrecen acceso a su servidor SMTP a través de un puerto diferente del 25 estándar. Por ejemplo, el servidor SMTP de MobileMe (`smtp.me.com`) también acepta conexiones en los puertos 465 y 587.

Para hacer que una cuenta de correo use un puerto SMTP que no sea el estándar haga esto:

1. En la pantalla de inicio, pulse **Ajustes**. Se abrirá la pantalla Ajustes.

2. Pulse **Correo, contactos, calendarios**. Aparecerá la pantalla Correo, contactos, calendarios.

3. Seleccione la cuenta POP con la que quiere trabajar. Aparecerá la pantalla de ajustes de esa cuenta.

4. Pulse **SMTP**. Aparecerá la pantalla SMTP.

5. En la sección Servidor principal, pulse el nombre de su servidor. Aparecerán los ajustes del servidor.

6. Pulse **Puerto del servidor**. Aparecerá el teclado numérico para que pueda escribir el número de puerto, tal y como puede ver en la figura 5.7.

Figura 5.7. *Pulse Puerto del servidor para escribir el nuevo número de puerto que quiere utilizar.*

Configurar la autenticación para los correos salientes

El correo basura o *spam* es un problema importante, por eso muchos ISP requieren ahora autenticación SMTP para los mensajes salientes, lo que significa que es necesario iniciar sesión en el servidor SMTP para confirmar la identidad de la persona que envía el correo (a diferencia de los que se dedican a enviar *spam* y falsifican nuestra dirección). Para ello, es necesario configurar la cuenta de correo para incluir las credenciales apropiadas. Si no está completamente seguro de este aspecto, confírmelo con su ISP. El tipo de autenticación más habitual consiste en especificar un nombre de usuario y una contraseña durante el envío del mensaje (esto se lleva a cabo internamente). Siga estos pasos para configurar una cuenta de correo del iPad con este tipo de autenticación:

1. En la pantalla de inicio, pulse **Ajustes**. Aparecerá la pantalla Ajustes en el iPad.

2. Pulse **Correo, contactos, calendarios**. Aparecerá una pantalla con este mismo nombre.

3. Seleccione la cuenta POP con la que quiera trabajar. Aparecerá la pantalla de ajustes de esa cuenta.

4. Pulse **SMTP**. Aparecerá la pantalla SMTP.

5. En la sección Servidor principal, seleccione el nombre de su servidor. Aparecerá la pantalla de configuración del servidor.

6. En la sección Servidor correo saliente, pulse **Autenticación**. Aparecerá la pantalla Autenticación.

7. Pulse **Contraseña**.

8. Seleccione la dirección del servidor para volver a la pantalla de ajustes del servidor.

9. En la sección Servidor de correo saliente, escriba su nombre de cuenta en el cuadro de texto Nombre de usuario y la contraseña en Contraseña.

⬤ ⬤ ⬤ CONFIGURAR LOS MENSAJES DE CORREO ELECTRÓNICO

En el resto del capítulo, encontrará unas cuantas técnicas útiles y que le ahorrarán mucho tiempo a la hora de gestionar los mensajes de correo electrónico en el iPad.

Configurar el iPad para que compruebe automáticamente si hay mensajes nuevos

El iPad sólo comprueba si hay mensajes nuevos cuando así se lo hacemos saber:

1. En la pantalla de inicio, pulse **Mail** para abrir la aplicación Mail.

2. Con el iPad en posición horizontal, pulse el buzón de entrada, que está situado en la esquina superior izquierda de la pantalla, debajo de la barra de estado. Si tiene el iPad en posición vertical, pulse **Entrada** y después seleccione el buzón de entrada. Aparecerán en pantalla todas las carpetas de su cuenta.

3. En la sección Buzones de entrada pulse la cuenta con la que quiere trabajar. Se abrirá la carpeta y se comprobarán los mensajes.

Truco

*Mientras tenga abierto del buzón de entrada puede comprobar si hay mensajes nuevos pulsando el icono **Actualizar**, que está situado en la esquina inferior izquierda de la pantalla.*

Éste es el comportamiento que nos interesa porque limita el ancho de banda si utilizamos una red móvil y ahorra batería. Sin embargo, si espera un mensaje importante, tal vez prefiera configurar el iPad para que compruebe los mensajes nuevos automáticamente. Es muy fácil. Siga estos pasos:

1. En la pantalla de inicio, pulse **Ajustes**. Aparecerá la pantalla Ajustes.

2. Pulse **Correo, contactos, calendarios**. Aparecerá la pantalla Correo, contactos, calendarios.

3. Pulse **Obtener datos**. Se abrirá la pantalla Obtener datos.

4. En la sección Obtener, seleccione el intervalo que quiere utilizar. Por ejemplo, si selecciona Cada 15 minutos (como puede ver en la figura 5.8), el iPad comprobará si existen mensajes nuevos en todas sus cuentas cada 15 minutos.

Figura 5.8. *Utilice Obtener datos para configurar la recepción automática de mensajes en el iPad.*

5. Pulse **Avanzado** para abrir la pantalla Avanzado.

6. Pulse **Obtener** para cada una de las cuentas que quiera que el iPad compruebe automáticamente. Si no quiere que el iPad haga la comprobación para una cuenta concreta, selecciónela y pulse **Manual**.

Cuando quiera anular esta comprobación automática, sólo tiene que repetir los pasos anterior y, en la pantalla Obtener datos, pulsar **Manual**.

Tener más espacio en la lista de mensajes del buzón de entrada

Al abrir el buzón de entrada de una cuenta, el número de mensajes que vemos depende de la orientación del iPad:

- En posición horizontal (que muestra el buzón de entrada automáticamente), aparecerán unos ocho mensajes, como puede ver en la figura 5.9.

- En posición vertical (tenemos que pulsar **Recibidos** para ver la lista de mensajes), aparecen hasta diez mensajes.

La razón por la que vemos tan pocos mensajes es que en cada uno aparece una línea para el remitente, una línea de asunto y dos líneas para la vista previa. Evidentemente, esto no supone ningún problema a la hora de movernos por el resto de mensajes pero, si tenemos que encontrar uno concreto, lo ideal sería poder ver más mensajes en pantalla.

Figura 5.9. *Con el iPad en posición horizontal, la lista de mensajes de la bandeja de entrada muestra ocho mensajes.*

¿Es posible? ¡Por supuesto que sí, estamos hablando del iPad! El secreto consiste en reducir el número de líneas que utiliza Mail en la vista previa de cada mensaje. Si reducimos la vista previa a una sola línea, veremos 10 mensajes en la posición horizontal y 13 mensajes en la posición vertical; si eliminamos por completo la vista previa, veremos 14 mensajes en la posición horizontal y un total de 18 con el iPad en modo vertical. Siga estos pasos para reducir el tamaño de la vista previa:

1. En la pantalla de inicio, pulse **Ajustes**. Aparecerá la pantalla Ajustes.

2. Pulse **Correo, contactos, calendarios**. Aparecerá la pantalla Correo, contactos, calendarios.

3.   En la sección **Correo**, pulse **Previsualización**. Aparecerá la pantalla **Previsualización**.

4.   Pulse el número de líneas que quiere utilizar. Para reducir la previsualización a una sola línea, pulse **1 línea**; para que no aparezca ninguna línea, pulse **Ninguna**.

Gestionar el correo más rápido identificando los mensajes que nos envían directamente a nosotros

La carpeta Recibidos de la aplicación **Mail** nos indica quién ha enviado cada mensaje, pero no nos dice a quién fue enviado un mensaje determinado; es decir, qué dirección se incluyó en la línea **Para** o **Cc**. Habrá observado que es habitual que los emisores de correos masivos (*newsletter*, listas de correo y, principalmente, aquéllos que envían *spam*) no envían los mensajes directamente a cada persona suscrita a sus listas. Lo que hacen es utilizar una dirección genérica, lo que evita que nuestra dirección de correo aparezca en las líneas **Para** o **Cc**. Esto llama la atención, ya que la mayoría de *newsletter* y listas de correo (y todo el *spam*) son mensajes de prioridad baja que podemos ignorar al gestionar un buzón de entrada lleno.

Todo esto está muy bien pero, ¿de qué nos sirve si **Mail** no muestra las líneas **Para** y **Cc**? Podemos configurarlo para que aparezca un pequeño icono en los mensajes que no nos han enviado directamente a nosotros:

*   Si el mensaje incluye nuestra dirección en el campo **Para**, veremos un icono **Para** junto al mensaje.

*   Si el mensaje incluye nuestra dirección en el campo **Cc**, veremos un icono **Cc** junto al mensaje.

Para ello siga estos pasos:

1.   En la pantalla de inicio, pulse **Ajustes**. Aparecerá la pantalla **Ajustes**.

2.   Pulse **Correo, contactos, calendarios**. Aparecerá una pantalla con este mismo nombre.

3.   En la sección **Correo**, pulse el regulador **Etiqueta Para/Cc** para activarlo.

Cuando revise el buzón de entrada, verá los iconos **Para** y **Cc** en los mensajes enviados directamente a usted y no los verá en los mensajes de envío masivo (véase la figura 5.10).

Enviar por correo electrónico el enlace con una página Web

La Web está llena de contenido interesante, educativo y, por supuesto, entretenido. Si encuentra un sitio Web que cumpla alguno de estos criterios, puede que le apetezca compartirlo con un amigo. Para ello, algunos sitios Web incluyen un enlace de tipo **Enviar a un amigo** (o algo parecido); sin embargo, no podemos suponer que va a haber siempre uno de estos enlaces.

Figura 5.10. *Al activar el regulador Etiqueta Para/Cc, Mail muestra qué mensajes fueron enviados directamente al usuario.*

El método más común para enviar un enlace es copiar la dirección de la página, abrir el programa de correo electrónico, pegar la dirección en el mensaje, seleccionar un destinatario y enviar el mensaje.

Y con la funcionalidad del iPad para copiar y pegar podemos hacer todo esto desde el propio dispositivo. De todas formas, puede parecer un trabajo excesivo para una operación tan simple; por eso, el iPad incluye una pequeña gran función que nos permite, con un par de pulsaciones, añadir la dirección de la página que está abierta en Safari a un mensaje de correo electrónico.

A continuación, se explica cómo conseguirlo:

1. Utilice Safari para ir al sitio Web que quiera compartir.

2. Pulse el icono en forma de flecha que aparece al lado de la barra de direcciones y aparecerá un cuadro de diálogo con varias opciones.

3. Pulse **Enviar enlace por correo**. Se abrirá un mensaje de correo electrónico. Como puede ver en la figura 5.11, el nuevo mensaje ya incluye el título, el asunto y la dirección de la página en el cuerpo del mensaje.

Figura 5.11. *Al seleccionar la opción Enviar enlace por correo, el iPad crea un nuevo mensaje de correo que incluye el título de la página y la dirección.*

4. Seleccione un destinatario para el mensaje.

5. Edite el texto del mensaje si es necesario.

6. Pulse **Enviar**. El iPad envía el mensaje y vuelve a Safari.

Configurar un tamaño mínimo de letra para los mensajes

Hay personas que deben de tener vista de lince, porque el tamaño del texto que utilizan en los mensajes de correo electrónico es microscópico. Textos tan pequeños son difíciles de leer incluso en pantallas grandes, así que en la pantalla táctil del iPad casi es necesario utilizar una lupa. Por supuesto, la propia pantalla táctil puede solucionarlo: una separación rápida de dos dedos aumenta el texto.

Este método es suficiente cuando recibimos mensajes de este tipo de forma esporádica. Sin embargo, si hay alguien que nos envía de forma habitual correos con un tamaño de texto muy pequeño o si nuestra vista no nos ayuda a ver los mensajes que recibimos, existe una solución permanente: configurar un tamaño de letra mínimo para los mensajes. Esto quiere decir que si el tamaño de letra de un mensaje es más grande que el que hemos especificado, el iPad mostrará el mensaje tal y como llega; pero, si el tamaño de letra es menor que el indicado, el iPad lo amplía adaptándose al tamaño mínimo de nuestras especificaciones. Nuestros cansados ojos lo agradecerán.

Siga estos pasos para definir un tamaño mínimo de letra:

1. En la pantalla de inicio, pulse **Ajustes**. Aparecerá la pantalla Ajustes.

2. Pulse **Correo, contactos, calendarios**. Aparecerá la pantalla Correo, contactos, calendarios.

3. En la sección Correo, pulse **Tamaño letra mínimo**. Aparecerá la pantalla Tamaño letra mínimo.

4. Seleccione el tamaño de letra mínimo que quiera utilizar: Pequeño, Mediano, Grande, Enorme, Gigante. Mail utiliza el tamaño de letra que elija (o más grande) para mostrar los mensajes.

Crear una firma personalizada en el iPad

Las firmas en los correos electrónicos van desde las más sencillas ("Saludos" o "Hasta pronto" seguido del nombre del remitente), hasta obras maestras que contienen información de contacto, frases célebres e incluso diseños personalizados.

En el iPad, la aplicación Mail opta, de forma predeterminada, por el método sencillo añadiendo la siguiente firma a todos los mensajes salientes (nuevos, respuestas y reenvíos):

```
Enviado desde mi iPad
```

Esta firma me gusta mucho por su brevedad, su sencillez y porque puede presumirse con ella (¡quiero que todo el mundo sepa que estoy utilizando un iPad!). Si esta firma predeterminada no le convence, puede crear una propia.

Siga estos pasos:

1. En la pantalla de inicio, pulse **Ajustes**. Se abrirá la pantalla Ajustes.

2. Pulse **Correo, contactos, calendarios**. Aparecerá la pantalla Correo, contactos, calendarios.

3. En la sección Correo, pulse **Firma**. Aparecerá la pantalla Firma, tal y como puede ver en la figura 5.12.

Figura 5.12. *Utilice la pantalla Firma para crear su propia firma personalizada.*

4. Escriba la firma que quiere utilizar.

5. Pulse **Correo, contactos, calendarios**. Mail guardará la nueva firma y la utilizará para todos los mensajes salientes.

Advertencia

Mail *no ofrece ningún modo para cancelar las ediciones y volver a la firma original, así que introduzca el texto cuidadosamente. Si se confundiese, pulse **Borrar** para empezar de nuevo.*

Deshabilitar las imágenes remotas en los mensajes

Hoy en día, son muchos los mensajes que no sólo están compuestos de texto plano, sino que también incluyen colores, imágenes y otro tipo de elementos decorativos. Este tipo de formato, que es conocido como texto enriquecido o bien HTML, hace que la experiencia del usuario sea más agradable, en especial al utilizar imágenes en los mensajes. Lamentablemente, recibir imágenes a través del correo electrónico algunas veces puede suponer un problema:

*   **Una conexión móvil puede generar problemas:** Por ejemplo, cargar las imágenes puede tardar mucho tiempo y, si nuestro plan de datos es limitado, puede que no queramos dedicar todo ese tiempo a las imágenes.

*   **No todas las imágenes de los correos electrónicos son inofensivas:** Una *Web bug* es una imagen que reside en un servidor remoto y que se incluye en un mensaje de correo electrónico con formato HTML para hacer referencia a una dirección del servidor remoto. Al abrir el mensaje, Mail utiliza la dirección para descargar la imagen y mostrarla junto con el mensaje. Puede parecer inofensivo, pero si el mensaje es *spam*, es muy probable que la dirección incluya también nuestra dirección de correo o algún código que apunte hacia ella. Entonces, cuando el servidor remoto reciba una petición para cargar la imagen, no sólo sabrá que hemos abierto el mensaje, sino que nuestra dirección de correo electrónico es legítima. Es lógico que aquéllos que se dedican a enviar *spam* utilicen las *Web bug* constantemente porque, para ellos, una dirección de correo verdadera es una auténtica mina de oro.

Nota

HTML son las siglas de Hypertext Markup Language (Lenguaje de marcado de hipertexto) y se trata de un conjunto de códigos utilizado por los desarrolladores para crear páginas Web.

La aplicación Mail del iPad muestra las imágenes remotas de forma predeterminada. Para desactivarlas, siga estos pasos:

1. En la pantalla de inicio, pulse **Ajustes**. Se abrirá la pantalla Ajustes.

2. Pulse **Correo, contactos, calendarios**. Aparecerá la pantalla Correo, contactos, calendarios.

3. En la sección Correo, pulse el regulador Cargar imágenes para activarlo. Mail guarda la configuración y no volverá a mostrar imágenes remotas en los mensajes de correo electrónico.

Evitar que Mail organice los mensaje en cadenas

En la aplicación Mail los mensajes se agrupan en cadenas, lo cual significa que el mensaje original y todas las contestaciones posteriores se agrupan juntos en el buzón de entrada de la cuenta. Esto es muy útil porque no tenemos que desplazarnos demasiado para localizar la respuesta que queremos leer.

Mail señala una cadena con un icono del número de mensajes de esa cadena, que aparece a la derecha del último mensaje. Pulse el mensaje para ver una lista de los mensajes de esa cadena y después pulse el mensaje que quiera leer.

Organizar mensajes en cadenas suele ser útil, pero no siempre es así. Un ejemplo es cuando revisamos los mensajes utilizando los botones de desplazamiento. Cuando llegamos a una cadena, nos desplazaremos por cada uno de los mensajes que la forman. Esto puede ser una verdadera molestia si la cadena contiene muchas respuestas.

Si cree que las cadenas son demasiado molestas, puede seguir estos pasos para hacer que Mail no organice los mensajes de esta forma:

1. En la pantalla de inicio, pulse **Ajustes**.

2. Pulse **Correo, contactos, calendarios**. Aparecerá la pantalla Correo, contactos, calendarios.

3. Pulse el regulador Organizar cadenas para desactivarlo. El iPad guardará los ajustes y no organizará los mensajes en cadenas.

Eliminar los mensajes de Gmail en vez de archivarlos

En general, podemos organizar el buzón de entrada de una cuenta pulsando **Editar**, seleccionando uno o más mensajes que ya no necesitamos y entonces pulsando **Eliminar**. Sin embargo, las cuentas de Gmail funcionan de forma distinta. Cuando abrimos el buzón de entrada de una cuenta de Gmail, pulsamos en **Editar** y luego seleccionamos uno o más mensajes, veremos un botón **Archivar** en vez de **Eliminar**, tal y como puede observar en la figura 5.13. Si pulsamos ese botón los mensajes seleccionados se archivarán en la carpeta Todos.

Si prefiere eliminar los mensajes de Gmail en vez de archivarlos, siga los pasos que se describen a continuación:

1. En la pantalla de inicio, pulse **Ajustes**. Se abrirá la pantalla Ajustes.

2. Pulse **Correo, contactos, calendarios**. Aparecerá la pantalla Correo, contactos, calendarios.

Figura 5.13. *Por defecto, Mail archiva los mensajes de Gmail en vez de eliminarlos.*

3. Pulse su cuenta de Gmail. Se abrirán los ajustes de la cuenta.

4. Pulse el regulador Archivar mensajes para desactivarlo. El iPad guarda los ajustes y ya no archivará los mensajes de Gmail.

Configurar los ajustes de Exchange ActiveSync

Si tiene una cuenta en una red Microsoft Exchange Server 2003 o 2007 y ese servidor utiliza Exchange ActiveSync, puede hacer que su iPad y la cuenta de Exchange se sincronicen automáticamente. ActiveSync es compatible con la tecnología *push* inalámbrica, lo que significa que, si algo cambia en la cuenta del servidor Exchange, ese cambio se sincroniza automáticamente con el iPad:

- **Correo electrónico:** Si recibimos un mensaje nuevo en la cuenta de Exchange, ActiveSync muestra inmediatamente ese mensaje en la aplicación **Mail** del iPad.

- **Contactos:** Si alguien añade o modifica los datos de una libreta de direcciones, esos cambios se sincronizan inmediatamente con la lista de contactos del iPad.

- **Calendario:** Si alguien añade o modifica una cita en el calendario o si alguien le solicita una, los datos se sincronizan inmediatamente con la aplicación Calendario del iPad.

ActiveSync funciona en ambas direcciones: si enviamos mensajes, añadimos contactos o reuniones, o aceptamos solicitudes para reuniones, la cuenta del servidor se actualiza inmediatamente con los cambios. Además, toda esta información está protegida, puesto que se envía bajo una conexión segura.

El iPad también incluye algunas opciones para controlar ActiveSync y los siguientes pasos muestran cómo hacerlo:

1. En la pantalla de inicio, pulse **Ajustes**. Se abrirá la pantalla Ajustes en el iPad.

2. Pulse **Correo, contactos, calendarios**. Aparecerá la pantalla Correo, contactos, calendarios.

3. Seleccione la cuenta de Exchange y aparecerá la pantalla con los datos de la cuenta.

4. Para sincronizar una cuenta de correo Exchange, pulse el interruptor Correo para activarlo.

5. Seleccione su agenda Exchange, pulse el interruptor Contactos para activarlo.

6. Para sincronizar un calendario de Exchange, pulse el interruptor Calendarios para activarlo.

7. Para controlar el tiempo que lleva sin sincronizar la cuenta de correo electrónico, pulse **Días de Mail** y, a continuación, seleccione el número de días, semanas o meses.

Capítulo 6

Divertirse con las fotografías del iPad

La enorme pantalla de alta resolución del iPad hace que sea el álbum fotográfico ideal. Se acabó tener que sacar la cartera para enseñar las fotografías de nuestros hijos: puede enseñar los álbumes de fotografías del iPad. Este dispositivo también incluye algunas características que facilitan la búsqueda de fotografías y permiten mostrarlas en forma de presentaciones. Sin embargo, en el iPad se pueden hacer muchas más cosas que ver las fotografías: podemos manipularlas, hacer fotografías y utilizarlas para mejorar otras partes de nuestra vida digital. Este capítulo es una guía sobre estas características.

⬤ ⬤ ⬤ PREPARAR LAS FOTOGRAFÍAS PARA EL IPAD

He mencionado en la introducción de este capítulo que el iPad incluye características que simplifican el proceso de búsqueda de fotografías sin importar la extensión de la colección. En cierto modo, esta afirmación es verdadera pero habría que añadirle un inconveniente importante: el iPad hace que examinar las fotografías sea una tarea sencilla si tienen cierta organización.

Para entender lo que quiero decir y para que se haga una idea del trabajo previo que hay que realizar, a continuación explico brevemente los cinco modos de visualización que ofrece la aplicación Fotos del iPad:

- **Fotos:** Pulse este botón, situado en la parte superior de la pantalla de la aplicación Fotos, para ver una lista de todas las fotografías almacenadas en el iPad. La ventaja es que la aplicación Fotos no muestra el nombre de cada fotografía, así que no tendrá que perder el tiempo modificando los extraños nombres que añade la cámara digital a las fotografías.

- **Álbumes:** Pulse este botón para ver las organizadas por álbumes, donde un "álbum" es una colección de fotografías que tienen alguna relación entre sí. En un PC con Windows, la aplicación Fotos utiliza las carpetas de fotografías como álbumes, así que organice las fotografías en carpetas y asígneles nombres descriptivos. En un Mac, también puede utilizar carpetas para organizar las fotografías, pero si tiene iPhoto puede crear sus propios álbumes desde el programa, como se describe en la siguiente sección.

- **Eventos:** Pulse este botón para ver las fotografías organizadas por eventos. En la aplicación iPhoto de un Mac, un evento es una colección de fotografías tomadas durante un período de tiempo determinado, como una tarde o un día de viaje. Para aprovechar este modo de visualización, asigne a los eventos nombres descriptivos en iPhoto (haciendo clic en el nombre actual, escribiendo el nombre nuevo y pulsando la tecla **Intro**). Si creó varios eventos para un mismo período de tiempo, mantenga pulsada la tecla **Comando**, haga clic en cada evento y seleccione Eventos>Fusionar eventos.

- **Caras:** Pulse este botón para ver las fotografías organizadas según las personas que aparezcan en ellas. Para aprovechar esta característica es necesario tener iPhoto '09 o una versión posterior en un Mac y utilizar el programa para añadir nombres a las caras que aparezcan en las fotografías, tal y como se describe posteriormente en este capítulo.

- **Lugares:** Pulse este botón para ver un mapa en el que aparecen chinchetas que representan las ubicaciones en las que se hizo al menos una fotografía. Para señalar las fotografías en el mapa es necesario tener iPhoto '09 o una versión posterior en un Mac y utilizar el programa para añadir las ubicaciones de las fotos, tal y como se describe posteriormente en este capítulo.

Utilizar iPhoto para organizar las fotografías en álbumes

Tal y como he mencionado anteriormente, un álbum es una colección de fotografías relacionadas entre sí de alguna manera. Si tiene iPhoto en su Mac, puede crear álbumes personalizados sólo con las fotografías que quiera incluir. Siga estos pasos:

1. Seleccione Archivo>Nuevo álbum (o pulse **Comando-N**). iPhoto le pide que escriba un nombre para el álbum.

2. Escriba un nombre para el nuevo álbum.

3. Haga clic en **Crear**. iPhoto añade un nuevo álbum a la sección ÁLBUMES.

4. Haga clic en Fotos.

5. Haga clic y arrastre cada fotografía que quiera añadir y suéltela en el álbum.

Truco

*Para crear y llenar un álbum de forma más rápida, abra primero la sección Fotos de la fototeca de iPhoto o bien abra un evento con el cual quiera trabajar. Mantenga pulsada la tecla **Comando** y después haga clic sobre cada fotografía que quiera incluir en el álbum. Cuando termine, seleccione Archivo>Nuevo álbum a partir de la selección (también puede pulsar **Mayús-Comando-N**). Escriba el nombre del nuevo álbum y haga clic en **Crear**.*

Utilizar iPhoto para añadir nombres a las caras que aparecen en las fotografías

Una de las características más impresionantes de iPhoto '09 es que nos permite comentar las fotografías añadiendo nombres a las caras que aparecen en ellas. Así, podemos organizar las fotografías en iPhoto por nombre.

Y, mejor aún, la aplicación Fotos del iPad también incluye estos nombres y nos permite visualizar todas las fotografías en las que aparece una persona determinada.

Siga estos pasos para añadir nombres a las caras de una fotografía en iPhoto:

1. Haga clic sobre la fotografía que quiera comentar.

2. Haga clic en Nombre. Aparecerán las herramientas necesarias para asignar un nombre a la fotografía: se añaden cuadros alrededor de cada cara que aparezca en la fotografía y verá sin nombre en cada cara no reconocida.

3. Haga clic en sin nombre en cada una de las caras a las que quiera añadir un nombre. iPhoto abre un cuadro de texto justo debajo de la cara.

4. Escriba el nombre de la persona o selecciónelo en la lista de contactos que aparece mientras escribe (véase la figura 6.1) y pulse **Intro**.

Figura 6.1. *Escriba el nombre de la persona o selecciónelo en los contactos de su Agenda.*

5. Repita los pasos 3 y 4 para añadirle un nombre a cada persona de la fotografía. Si iPhoto no reconoce una cara, haga clic en **Añadir cara no encontrada**, coloque y cambie el tamaño del cuadro en torno a la cara y siga los pasos 3 y 4.

6. Haga clic en **Salir** para cerrar el modo de edición de nombre.

> ### Nota
>
> *Para añadir nombres a las caras de las fotografías es necesario tener iPhoto '09 o una versión posterior. Para comprobarlo, haga clic en el menú* iPhoto *y seleccione* Acerca de iPhoto*.*

Utilizar iPhoto para situar las fotografías en el mapa

Podemos decirle a iPhoto los lugares en los que se hicieron las fotografías. Cuando sincronicemos las fotografías con el iPad, estos datos de ubicación también se transfieren y podemos utilizar la aplicación Fotos para ver un mapa que indique esos lugares. Esto nos permite ver todas las fotografías que se hicieron en un lugar determinado.

> ### Nota
>
> *Para situar las fotografías en un mapa es necesario tener iPhoto '09 o una versión posterior. Para comprobarlo, haga clic en el menú* iPhoto *y seleccione* Acerca de iPhoto*.*

Siga estos pasos para añadir un lugar a una fotografía:

1. Coloque el cursor del ratón sobre el evento que quiera situar en el mapa. Si, por el contrario, sólo quiere situar en el mapa una fotografía, abra el evento y coloque el cursor sobre esa fotografía.

2. Haga clic en el icono de información (la *i* situada en la esquina inferior derecha de la fotografía). iPhoto mostrará la ventana de información.

3. Haga clic en lugar del evento. Si sólo está manejando una fotografía, haga clic en lugar de la foto. iPhoto mostrará una lista de los lugares que ya haya definido, si hay alguno.

4. Haga clic en Buscar en el mapa. Aparecerá la ventana Añadir nuevo lugar.

5. Utilice el cuadro Buscar para escribir el lugar y pulse **Intro**. iPhoto abre un mapa de Google y añade una chincheta para marcar el lugar, como puede ver en la figura 6.2.

6. Haga clic y arrastre la chincheta para corregir su ubicación si es necesario.

7. Haga clic en **Asignar a un evento**. Si está trabajando con una única fotografía, haga clic en **Asignar a una foto**.

8. Haga clic en **Salir**. iPhoto cierra la ventana de información.

> ### Nota
>
> *Si tiene otra aplicación de edición fotográfica instalada en su ordenador, es muy probable que también aparezca en la lista* Sincronizar fotos de *en iTunes.*

Figura 6.2. *Utilice la ventana Añadir nuevo lugar para colocar la chincheta
y asignar el lugar a un evento o a una fotografía.*

Truco

Si tiene un teléfono con cámara y GPS (como el iPhone) iPhoto recoge automáticamente los datos de ubicación de las fotografías. Sin embargo, para que esto funcione hay que activar esta característica. Seleccione iPhoto>Preferencias *y haga clic en la ficha* Avanzado*. En la lista* Buscar lugares, *seleccione* Automáticamente*. Tenga en cuenta que tal vez tenga que añadir o editar nombres de lugares en las fotografías.*

⬤ ⬤ ⬤ SINCRONIZAR FOTOGRAFÍAS

Ninguna colección multimedia está completa sin unas cuantas fotografías para presumir antes los compañeros de trabajo. Si tiene fotografías almacenadas en el ordenador, puede utilizar iTunes para enviarlas al iPad.

Apple es compatible con varios tipos de archivos de imágenes: los formatos más frecuentes que se utilizan en las fotografías, TIFF y JPEG, y otros como BMP, GIF; JPG2000 o JP2, PICT, PNG, PSD y SGI.

Sincronizar las fotografías del ordenador con el iPad

Si utiliza el ordenador para procesar muchas fotografías y quiere enviar copias de algunas o de todas ellas al iPad, siga estos pasos para sincronizar ambos dispositivos:

1. Conecte el iPad al ordenador.

2. En iTunes, haga clic en **iPad** en la lista **DISPOSITIVOS**.

3. Haga clic en la ficha **Fotos**.

4. Seleccione la casilla de verificación **Sincronizar fotos de**.

5. Elija una de las siguientes opciones en el menú desplegable:

   * **iPhoto** (sólo Mac): Seleccione esta opción para sincronizar las fotografías, los álbumes y los eventos que haya configurado en iPhoto.

   * **Seleccionar carpeta**: Seleccione esta opción para sincronizar las imágenes incluidas en una carpeta determinada.

   * **Mis Imágenes** (o **Imágenes** en Windows Vista): Seleccione esta opción para sincronizar las imágenes de la carpeta Mis Imágenes (o Imágenes).

6. Seleccione las fotografías que quiere sincronizar. Los controles que aparezcan dependerán de la opción que haya seleccionado en el paso 5:

   * Si selecciona **Imágenes** o **Seleccionar carpeta**: En este caso, seleccione la opción **Todas las carpetas** o bien **Las carpetas seleccionadas**. Si elige la última opción, seleccione la casilla de verificación situada junto a la subcarpeta que quiera sincronizar.

   * Si selecciona **iPhoto**: En este caso, aparecerán dos opciones adicionales: seleccione la opción **Todas las fotos, álbumes, eventos y caras** para sincronizar toda la fototeca de iPhoto; seleccione la opción **Los álbumes, eventos y caras seleccionados e incluir automáticamente** y, a continuación, marque la casilla de verificación situada junto a cada álbum y evento que quiera sincronizar, tal y como puede ver en la figura 6.3.

7. Haga clic en **Aplicar**. iTunes sincroniza el iPad utilizando los nuevos ajustes.

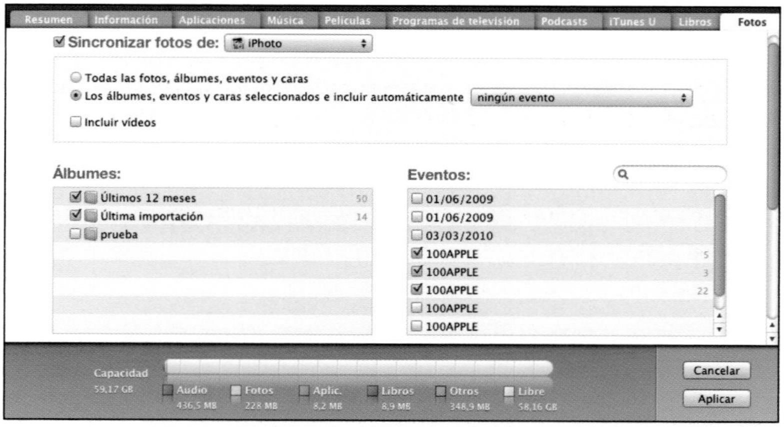

Figura 6.3. *Si tiene iPhoto '09 (o una versión posterior), puede sincronizar álbumes y eventos específicos.*

Nota

iTunes no sincroniza copias exactas de las fotografías. Lo que hace es crear lo que Apple denomina versiones de cada imagen con calidad televisiva. Estas versiones son copias de las imágenes que se reducen para ajustarse al tamaño de la pantalla del iPad. Gracias a esto, la sincronización se desarrolla de forma más rápida y las fotografías ocupan mucho menos espacio en el iPad.

Sincronizar fotografías del iPad con el ordenador

Si crea un favorito de Safari en el iPad y luego lo sincroniza con el ordenador, el favorito se transfiere desde el iPad hasta el navegador Web predeterminado del ordenador. Esto sucede también con los contactos y citas pero, lamentablemente, no se aplica a los archivos multimedia. Este tipo de archivos, con dos excepciones, viajan por una calle de un solo sentido desde el ordenador hasta el iPad. Estas dos excepciones son las siguientes. Si hacemos fotografías usando las cámaras incorporadas en el iPad 2 o si recibimos fotografías en el iPad a través de, por ejemplo, un correo electrónico o un mensaje de texto, el proceso de sincronización se invierte y nos permite enviar al ordenador alguna o todas las imágenes.

El proceso de sincronización iPad-ordenador omite completamente a iTunes. En vez de utilizarlo, el ordenador trata directamente con el iPad y lo trata como cualquier dispositivo de almacenamiento. El funcionamiento del proceso depende de si se lleva a cabo con un Mac o en un PC Windows, así que lo detallamos a continuación de forma separada.

Para sincronizar las fotografías del iPad con el Mac, siga estos pasos:

1. Conecte el iPad con el Mac. Se abre iPhoto, añade el iPad a la lista DISPOSITIVOS y muestra las fotografías que contiene (véase la figura 6.4).

Nota

Si ya ha importado anteriormente alguna fotografía del iPad, puede que no quiera repetir el proceso. Si es así, puede evitarlo haciendo ocultando esas fotografías. Para ello, marque la casilla de verificación Ocultar fotos ya importadas.

---

2. Utilice el cuadro de texto **Nombre del evento** para asignarle un nombre al evento que representa a esas fotografías.

3. Seleccione cómo quiere importar las fotografías:

   • Si quiere importar todas las fotografías, haga clic en **Importar todas**.

   • Si sólo quiere importar algunas de las fotografías, selecciónelas y haga clic en **Importar la selección**.

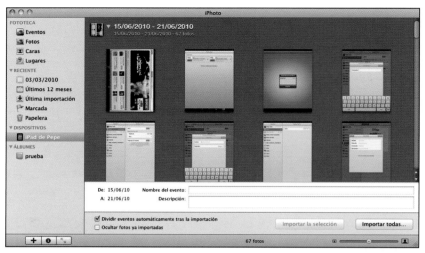

Figura 6.4. *Al conectar el iPad con el Mac, iPhoto entra en acción para gestionar la importación de las fotografías.*

4. Si quiere dejar las fotografías en el iPad, haga clic en **Conservar originales**. De lo contrario, haga clic en **Eliminar originales** para borrar las fotografías del iPad.

A continuación, puede ver cuál es el procedimiento si va a sincronizar el iPad con un PC con Windows 7 (si ha instalado la Galería fotográfica de Windows Live desde el sitio Web Windows Live Essentials):

Truco

Aunque no haya instalado la Galería fotográfica de Windows Live, puede acceder a las fotografías del iPad con Windows 7. Seleccione Iniciar>Equipo *y haga doble clic en el iPad (en el grupo de dispositivos portátiles). Abra la carpeta* Internal Storage, *después* DCIM *y después la carpeta que aparezca a continuación (que tendrá un nombre parecido a* 800AAAAA). *Aparecerán las fotografías del iPad y podrá copiarlas al ordenador.*

---

1. Conecte el iPad al ordenador con Windows 7.

2. Abra la Galería fotográfica de Windows Live.

3. Seleccione Archivo>Importar desde una cámara o escáner. Aparecerá el cuadro de diálogo Importar fotos y vídeos.

4. Haga clic en el icono del iPad y después en el botón **Importar**. La Galería fotográfica de Windows Live se conecta al iPad para recopilar la información fotográfica.

5. Seleccione la opción Importar todos los elementos nuevos ahora. Si prefiere seleccionar las fotografías que quiere importar, seleccione la opción Importar todos los elementos nuevos ahora.

Después, haga clic en **Siguiente**, utilice el cuadro de diálogo para seleccionar las fotografías y vaya al paso 7.

6. Escriba una etiqueta para las fotografías. Una etiqueta es una palabra o frase corta que las identifica.

7. Haga clic sobre **Importar**. La Galería fotográfica de Windows Live importará las fotografías.

Éste es el proceso si va a sincronizar el iPad con un PC con Windows Vista:

1. Conecte el iPad al PC con Windows Vista. Aparecerá el cuadro de diálogo de Reproducción automática.

2. Haga clic en Importar imágenes utilizando Windows. El resto de los pasos dan por hecho que ha seleccionado esta opción. De todas formas, si tiene instalada otra aplicación de gestión fotográfica aparecerá en la lista de reproducción automática y puede hacer clic en ella para importar las fotografías utilizando ese programa.

3. Escriba una etiqueta para las fotografías. Una etiqueta es una palabra o frase corta que las identifica.

4. Haga clic en **Importar**. Windows importa las fotografías y las abre en la Galería fotográfica de Windows Live.

Evitar que el iPad envíe fotografías al ordenador

Cada vez que conectamos el iPad al ordenador se abre iPhoto (en Mac) o el cuadro de diálogo Reproducción automática (en Windows 7 y Windows Vista si no hemos instalado iTunes). Lo cierto es que este funcionamiento es el ideal si queremos transferir todas las fotografías al ordenador. Sin embargo, puede que realicemos este proceso de forma muy esporádica. Si es así, tener que pasar por iPhoto o un cuadro de diálogo cada vez que conectamos el iPad al ordenador puede resultar un tanto desesperante. Podemos configurar el ordenador para que no nos moleste con la transferencia de las fotografías que haya en el iPad.

Para configurar este comportamiento en Mac, haga lo siguiente:

1. Conecte el iPad al Mac.

2. Seleccione Finder>Ir>Aplicaciones para abrir la carpeta Aplicaciones.

3. Haga doble clic en Captura de Imagen para abrir esta aplicación.

4. Haga clic en el iPad en la lista DISPOSITIVOS.

5. Haga clic en el menú Al conectar este iPad se abre y, después, seleccione Ninguna aplicación, tal y como puede ver en la figura 6.5.

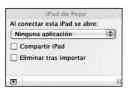

Figura 6.5. *En la ventana Captura de Imagen seleccione Ninguna aplicación para evitar que iPhoto se abra al conectar el iPad.*

6. Seleccione **Captura de Imagen>Salir de Captura de Imagen**. Así, guarda la nueva configuración y se cierra. La próxima vez que conecte el iPad, iPhoto lo ignorará.

Nota

Configurar el ordenador para que no descargue las fotografías del iPad significa que, en el futuro, tendremos que invertir la configuración o importar manualmente las fotografías.

Siga estos pasos para que Windows 7 y Windows Vista no abran el cuadro de diálogo **Reproducción automática** cada vez que conecte el iPad.

1. Seleccione **Iniciar>Programas predeterminados**.

2. Haga clic en **Cambiar configuración de Reproducción automática**.

3. En la sección **Dispositivos**, despliegue la lista del iPad y seleccione **No realizar ninguna acción**.

4. Haga clic en **Guardar** para que Windows guarde la nueva configuración.

Importar fotografías directamente desde una cámara

Si tiene fotografías en una cámara digital o en un iPhone, pensará que la única forma de transferirlas al iPad es sincronizar primero las fotografías de la cámara con un Mac o un PC y después realizar la sincronización desde el ordenador al iPad. Lo cierto es que esto es así en la mayoría de los casos, pero Apple nos ofrece un método para evitarlo: el Kit iPad Camera Connection. Se trata de un accesorio para el iPad diseñado para poder transferir fotografías directamente desde la cámara a un iPad. Este complemento trae consigo dos adaptadores:

*   **Conector de cámara:** Conecte un extremo de este adaptador al conector Dock y, a continuación, conecte el otro extremo al puerto USB de la cámara digital.

*   **Lector de tarjetas SD:** Conecte un extremo de este adaptador al conector Dock y, a continuación, inserte la tarjeta SD (Secure Digital) de la cámara digital.

La aplicación **Fotos** reconoce la conexión y le permite importar al iPad tantas fotografías como quiera.

⬤ ⬤ ⬤ APROVECHAR AL MÁXIMO LAS FOTOGRAFÍAS DEL IPAD

Después de transferir unas cuantas fotografías al iPad, ya puede comenzar a navegar por ellas pulsando el icono **Fotos** que aparece en la pantalla de inicio. En la aplicación Fotos puede utilizar las cinco fichas que aparecen en la parte superior de la pantalla (Fotos, Álbumes, Eventos, Caras y Lugares, tal y como hemos visto anteriormente) para visualizar las fotografías desde distintos ángulos. En las secciones siguientes analizamos algunas de las características más interesantes de la aplicación Fotos.

Echar un vistazo rápido a unas cuantas fotografías

El método más sencillo para examinar las fotografías consiste en pulsar la ficha Fotos para ver una lista completa de todas las fotografías que hay en el iPad, deslizar el dedo hacia arriba y hacia abajo para desplazarse por las imágenes y seleccionar la fotografía que quiera abrir. Cuando termine con el examen de las fotografías, bastaría con pulsar **Todas las fotos** para volver a la lista.

Tres de las fichas que aparecen en la pantalla de la aplicación Fotos (Álbumes, Eventos y Caras) muestran las fotografías agrupadas en categorías relacionadas llamadas "pilas".

Por ejemplo, en la ficha Álbumes cada pila está basada en un nombre de álbum (cada álbum es una carpeta de su PC o Mac, o una fotografía que haya definido en iPhoto) y las pilas de las fichas Caras y Eventos se basan en el evento y en los metadatos de las caras que hayamos definido en iPhoto.

Cada pila muestra una fotografía representativa en la parte superior y, además, se puede ver el borde de una o dos fotografías por debajo de la primera, lo que nos presenta un problema: a menos que sepamos con seguridad qué fotografías hay en la pila (por el nombre de la pila o la fotografía que aparece en la parte superior) tendremos que examinar todas las fotografías que la forman. Pero la aplicación Fotos nos ofrece una solución mucho más elegante: coloque dos dedos sobre una pila y sepárelos. A medida que separa los dedos, la aplicación Fotos separa las fotografías de la pila, como puede ver en la figura 6.6. Si la pila que tiene abierta no es la que le interesa, retire sus dedos de la pantalla para volver a apilar las fotografías; en caso de ser la pila deseada, continúe separando los dedos hasta que las fotografías ocupen toda la pantalla.

Desplazarse, girar, aplicar zoom y realizar barridos

Una vez que tenemos las fotografías en el iPad podemos hacer muchas cosas con ellas. No somos espectadores pasivos porque podemos controlar lo que vemos y cómo aparecen las imágenes.

Figura 6.6. *Separe los dedos sobre una pila para echar un vistazo a las fotografías que contiene.*

Utilice estas técnicas para navegar por las fotografías y manipularlas:

- **Desplazarse:** Para ver las fotografías sólo tiene que deslizar el dedo. Si tiene el iPad en posición horizontal, deslice el dedo hacia la izquierda para ver la siguiente fotografía y hacia la derecha para ver la imagen anterior; si está en posición vertical, deslice el dedo hacia arriba para ver la siguiente fotografía y hacia abajo para ver la anterior. También puede pulsar la pantalla para ver una secuencia de miniaturas en la parte inferior de la ventana de la aplicación Fotos y deslizar el dedo para examinarlas rápidamente.

- **Girar:** Cuando se abre en el iPad una fotografía tomada en posición horizontal, la pantalla aparece en formato *letterbox* (es decir, aparece un espacio negro encima y debajo de la imagen). Para visualizar la imagen de forma correcta, gire el dispositivo colocándolo en posición horizontal y la fotografía también girará y ocupará toda la pantalla. Al abrir una fotografía tomada en posición vertical, gire el iPad de nuevo para verla mejor.

- **Voltear:** Para enseñar una fotografía a otra persona, voltee el iPad de forma que la parte posterior esté hacia usted y la parte inferior del dispositivo se convierta en la superior. El iPad se volteará automáticamente.

- **Zoom:** El zoom amplía la toma que está en pantalla. Utilice uno de estos dos métodos:

    - **Pulse dos veces sobre la zona de la fotografía que quiera ampliar:** El iPad duplicará el tamaño de la zona que haya pulsado. Vuelva a pulsar dos veces para que la fotografía recupere su tamaño original.

- **Separar y juntar dos dedos:** Para ampliar el zoom, separe dos dedos sobre la zona que quiera aumentar. Para reducir la visualización, junte los dedos sobre la pantalla.

- **Barridos:** Después de ampliar una fotografía, deslice el dedo por la pantalla para desplazarse por la fotografía. Esta acción se conoce como "barrido".

Nota

Podemos desplazarnos a otra fotografía que esté ampliada, pero es necesario más trabajo porque el iPad piensa que lo que estamos intentando hacer es un barrido. Para desplazarse más rápidamente, reduzca la fotografía a su tamaño original y realice entonces el desplazamiento.

Añadir una fotografía existente a un contacto

Podemos asignar una fotografía a un contacto de dos formas: utilizando la fotografía de un álbum de fotografías o a través de la aplicación Contactos.

En primer lugar, veremos cómo asignar una fotografía a partir de un álbum de fotografías:

1. Pulse **Fotos** en la pantalla de inicio y se abrirá la aplicación Fotos.

2. Localice la imagen que quiere utilizar.

3. Pulse la fotografía. La aplicación Fotos la abrirá.

4. Pulse la pantalla para que aparezcan los controles.

5. Pulse el botón **Acción**. El botón **Acción** es la flecha que aparece a la derecha de la barra de menús. Aparecerá una lista de las acciones que podemos realizar.

6. Pulse **Asignar a un contacto**. Aparecerá en pantalla una lista con todos los contactos.

7. Pulse el contacto que quiera asociar a la fotografía. Aparece la pantalla Mover y escalar.

8. Arrastre la imagen para colocarla en pantalla como quiera.

9. Separe o junte los dedos sobre la imagen para establecer el nivel de zoom.

10. Pulse **Usar**. El iPad asigna la fotografía al contacto y vuelve al álbum de fotografías.

Para asignar una fotografía utilizando la aplicación Contactos, siga estos pasos:

1. En la pantalla de inicio pulse el icono **Contactos** para abrir la aplicación.

2. Pulse el contacto al que quiera añadir una fotografía. El iPad muestra la pantalla Información del contacto.

3. Pulse **Editar** para poner el contacto en modo de edición.

4. Pulse **Seleccionar foto**. El iPad mostrará la pantalla Álbumes.

5. Pulse el álbum que contenga la fotografía que quiere utilizar.

6. Pulse la fotografía deseada. Aparece la pantalla Mover y escalar.

7. Arrastre la imagen para colocarla en pantalla como quiera.

8. Separe o junte los dedos sobre la imagen para establecer el nivel de zoom.

9. Pulse **Usar**. El iPad asigna la fotografía al contacto y vuelve a la pantalla Información.

10. Pulse **OK**. El iPad cierra el modo de edición.

Guardar una fotografía recibida en un correo electrónico

Si alguien le envía una fotografía en un correo electrónico puede que quiera guardarla en el iPad para verla siempre que quiera, asignarla a un contacto, sincronizarla con el ordenador, etc. Siga estos pasos para guardar una fotografía recibida en un correo electrónico:

1. En la pantalla de inicio pulse **Mail**. Aparecerá la aplicación Mail.

2. Pulse el buzón de entrada que contiene el mensaje con la fotografía. Mail abrirá ese buzón de entrada.

3. Pulse el mensaje que contiene la fotografía. El iPad abre el mensaje para verlo.

4. Pulse y mantenga pulsada la imagen. Mail muestra una lista de acciones que puede realizar con esa imagen.

5. Pulse **Guardar imagen**. Si el mensaje contiene varias imágenes y quiere guardarlas todas, pulse **Guardar X imágenes**, donde X es el número de imágenes que contiene el mensaje. El iPad guarda la imagen o imágenes en el álbum Carrete de la aplicación Fotos.

Iniciar un pase de diapositivas

Si ver las fotografías deslizando el dedo le parece demasiado trabajo o bien simplemente está ocupado con otra tarea, puede hacer que el iPad realice el proceso de forma automática. Mientras esté viendo la lista de fotografías o las fotografías de un álbum, evento o pila, puede ejecutar un pase de diapositivas que muestre cada fotografía durante unos segundos y que después pase a la siguiente automáticamente. Para activar el modo de pase de diapositivas, siga estos pasos:

1. En la pantalla de inicio, pulse el icono **Fotos** para abrir la aplicación Fotos.

2. Abra la lista de fotografías que quiere utilizar. Por ejemplo, si quiere ver las fotografías de un evento determinado, abra ese evento.

3. Pulse la pantalla para que aparezcan los controles.

4. Pulse **Pase de diapositivas** en la barra de menús. Aparecerá el cuadro de diálogo Opciones del pase, como puede ver en la figura 6.7.

Figura 6.7. *Utilice Opciones del pase para configurar un pase de diapositivas básico.*

5. Pulse **Transiciones** y, después, elija una opción en el cuadro de diálogo Transiciones para definir la transición entre una fotografía y la siguiente. Puede seleccionar uno de los siguientes ajustes: Disolución, Cubo, Onda, Barrido, Origami.

6. Si quiere escuchar música mientras se ejecuta el pase de diapositivas, pulse el regulador Reproducir música para activarlo y seleccione Música para elegir el tipo de música. Si, por el contrario, prefiere ejecutar la presentación en silencio, pulse el regulador Reproducir música para desactivarlo.

7. Pulse **Iniciar pase** para que la aplicación Fotos inicie la presentación.

Para detener la presentación, pulse la pantalla; para reanudarla, púlsela nuevamente.

Crear un pase de diapositivas personalizado

Además del pase básico de diapositivas, el iPad también incluye algunos ajustes para crear presentaciones personalizadas. Por ejemplo, podemos configurar el tiempo que permanecen en pantalla las fotografías o que aparezcan de forma aleatoria. Así es cómo se personaliza un pase de diapositivas:

1. En la pantalla de inicio, pulse el icono **Ajustes** Aparecerá la pantalla Ajustes.

2. Pulse el icono **Fotos**. Aparecerá la pantalla Fotos.

Aparecerán tres ajustes para configurar la presentación personalizada:

- Visualizar durante: Utilice este ajuste para definir el tiempo que aparece cada fotografía en pantalla. Pulse **Visualizar durante** y, a continuación, seleccione el tiempo: 2 Segundos, 3 Segundos (ésta es la opción predeterminada), 5 Segundos, 10 Segundos o 20 Segundos.

- **Repetición:** Este ajuste determina si la presentación debe repetirse desde el comienzo una vez que aparezca la última fotografía. Para activar este ajuste, pulse el regulador **Repetición** para activarlo.

- **Aleatorio:** Utilice este ajuste para ver las fotografías del álbum de forma aleatoria. Para activar este ajuste, pulse el regulador **Aleatorio**.

Configurar el iPad como un marco digital

Los marcos digitales son dispositivos que tienen la apariencia de un marco de fotografías normal pero con la salvedad de que muestran series de fotografías digitales en lugar de una sola. Un marco digital es, en teoría, una idea estupenda. Sin embargo, en la práctica, es un concepto poco manejable, básicamente porque es necesario transferir las fotografías digitales al dispositivo (a través de una tarjeta de memoria, mediante una conexión inalámbrica, con un cable USB, etc.).

¿Por qué molestarse cuando el iPad ya tiene todas las fotografías y podemos exponerlas colocándolo en la base Dock o apoyándolo en la funda Smart Cover? Basta con colocar el iPad en la base Dock o apoyarlo sobre su funda e iniciar la presentación siguiendo los pasos que acabamos de explicar. Antes de empezar, tal vez le interese tomarse unos segundos para configurar algunos ajustes del iPad relacionados con el uso del dispositivo como marco de fotografías:

1. En la pantalla de inicio, pulse el icono **Ajustes**. Aparecerá la pantalla **Ajustes**.

2. Pulse **Marco de fotos** y aparecerá la pantalla **Marco de fotos**.

En esta pantalla, puede configurar varios ajustes para el marco de fotografías:

- **Transición:** Utilice este ajuste para especificar el tipo de transición que utiliza el iPad para pasar de una fotografía a la siguiente. Elija **Disolución** (opción predeterminada) u **Origami**.

- **Zoom en las caras:** Active este ajuste para que el iPad amplíe una cara reconocible que aparezca en una fotografía.

- **Aleatorio:** Utilice este ajuste para mostrar la fotografías de un álbum de forma aleatoria. Para activarlo, pulse el regulador **Aleatorio**.

- **Todas las fotos:** Seleccione esta opción para hacer que el iPad incluya todas sus fotografías en el marco.

- **Álbumes:** Pulse ésta para incluir sólo las fotografías de un álbum en la presentación.

- **Caras:** Pulse esta opción para incluir sólo las fotografías con caras en la presentación.

- **Eventos:** Pulse esta opción para incluir sólo las fotografías de un evento en la presentación.

Hacer capturas de pantallas en el iPad

Puede encontrarse en la situación de tener que hacer una fotografía de la pantalla del iPad. Por ejemplo, podría aparecer un mensaje de error mientras utiliza una aplicación. En lugar de escribir el mensaje de error, sería más fácil realizar una captura de la pantalla que incluya el mensaje y enviarlo al servicio técnico de la aplicación. O podría estar jugando a un juego y conseguir una puntuación récord o bien alguna hazaña espectacular: haga una captura de pantalla para presumir ante los amigos y compañeros de juego.

Para realizar una captura de pantalla, pulse y mantenga pulsado el botón **Reposo/Activación**, pulse el botón **Inicio** y, después, suelte **Reposo/Activación**. El iPad captura la pantalla y la guarda como un archivo PNG en la carpeta `Carrete` de la aplicación Fotos.

Borrar una fotografía

Si el iPad contiene una fotografía sincronizada que ya no necesita, puede borrarla de la pila en la que está incluida. No tiene que preocuparse, esta eliminación no es permanente: el proceso de sincronización se realiza sólo desde el ordenador hacia el iPad cuando se trata de fotografías que provienen del ordenador. Así que, si elimina una fotografía en el iPad, permanece segura en el ordenador.

Para borrar una fotografía, siga estos pasos:

1. Pulse el icono **Fotos** en la pantalla de inicio. Aparecerá la aplicación Fotos.

2. Localice la imagen que quiere eliminar. Por ejemplo, si sabe que la fotografía es parte de un evento determinado, abra la pila de ese evento.

3. Pulse la fotografía para que la aplicación Fotos la abra.

4. Pulse la pantalla para que aparezcan los controles.

5. Pulse el botón **Eliminar**. La aplicación Fotos le pedirá confirmación para borrar.

6. Pulse **Eliminar foto**: La aplicación Fotos envía la fotografía seleccionada a la papelera y vuelve a la lista de fotografías.

Transmitir fotografías a Apple TV

Si tiene un dispositivo Apple TV compatible con AirPlay, puede utilizar AirPlay para transmitir las fotografías o una presentación desde el iPad a un televisor. Así es cómo se transmiten las fotografías a Apple TV:

1. Encienda Apple TV.

2. En la aplicación Fotos del iPad, busque el álbum, el evento, la cara o el lugar que quiera transmitir.

3. Abra la primera fotografía que quiera transmitir.

4. Pulse la pantalla para ver los controles.

5. Pulse el icono **AirPlay**, que aparece a la izquierda del botón **Papelera**. Aparecerá un menú de opciones.

6. Pulse el nombre del dispositivo Apple TV. El iPad transmite el vídeo a ese dispositivo y, por tanto, al televisor.

Para transmitir una presentación, compruebe que el Apple TV está encendido y pulse el botón **Pase de diapositivas**. En el cuadro de diálogo Opciones del pase que aparece, pulse **Apple TV** en la lista de dispositivos de salida y después configure la presentación e iníciela.

Imprimir una fotografía con AirPrint

¿Cómo imprimimos una fotografía desde un iPad? La respuesta obvia sería sincronizando la fotografía con un Mac o un PC con Windows y después imprimiendo desde el ordenador.

Eso funciona, por supuesto, pero supone demasiado trabajo y, ¿qué pasa si no tenemos un Mac o bien un PC a mano? La mejor opción si tenemos una impresora compatible con el estándar de impresión inalámbrica AirPrint es enviar la fotografía directamente a la impresora.

Siga estos pasos:

1. Utilice la aplicación Fotos para ver la fotografía que quiere imprimir.

2. Pulse la pantalla para ver los controles.

3. Pulse **Acciones**. Aparecerá un menú de acciones para una página Web.

4. Pulse **Imprimir**. Aparecerá el cuadro de diálogo Opciones. Si en el campo Impresora ya aparece la impresora que quiere utilizar, puede ir directamente al paso 7.

5. Pulse **Impresora**. El iPad buscará las impresoras inalámbricas en su red y mostrará una lista de las que están disponibles.

6. Pulse la impresora que quiere utilizar. El iPad añade la impresora al cuadro de diálogo Opciones y después habilita otros controles.

7. En el campo Copia, pulse + para configurar el número de copias.

8. Configure otras opciones de impresión si es necesario. Las opciones que aparecen dependerán de la impresora.

9. Pulse **Imprimir**. El iPad envía la fotografía a la impresora.

COMPARTIR FOTOGRAFÍAS

Es habitual utilizar la aplicación Fotos para buscar en el baúl de los recuerdos. Pero las fotografías son para compartirlas, ¿no? Y gracias a la pantalla grande y brillante del iPad podemos mostrar todas las obras maestras digitales a nuestros conocidos moviendo el dedo hacia la derecha y hacia la izquierda o hacia arriba y hacia abajo, aunque esto es útil únicamente con aquellos conocidos que viven cerca de nosotros. ¿Existe alguna forma para compartir las fotografías del iPad con personas que estén en otro lugar de la ciudad o en otra parte del país? En realidad, existen varias: enviar una fotografía a través del correo electrónico o de un mensaje de texto, subir una fotografía a Flickr y utilizar una cuenta de MobileMe. Dedicaremos las últimas secciones del capítulo a explicar todas estas técnicas para compartir fotografías.

Enviar una fotografía por correo electrónico

Poder enviar fotografías desde el iPad al correo electrónico de una persona es algo muy útil. Y más aún cuando se trata de una fotografía que acabamos de recibir en el iPad (a través de correo electrónico, por ejemplo), porque podemos compartirla al momento, sin tener que utilizar el ordenador. Podemos enviar por correo electrónico cualquier fotografía que tengamos en los álbumes de fotografías.

Siga estos pasos para enviar una fotografía desde el iPad por correo electrónico:

1. Pulse el icono **Fotos** en la pantalla de inicio. Aparecerá la aplicación Fotos.

2. Localice la imagen que quiere utilizar. Por ejemplo, si sabe que la fotografía es parte de un álbum determinado, abra la pila de ese álbum.

3. Pulse la pantalla para que aparezcan los controles.

4. Pulse el botón **Acción**. El botón **Acción** es la flecha que aparece a la derecha de la barra de menús. Aparecerá la pantalla Seleccionar fotos.

5. Pulse la fotografía que quiera utilizar y la aplicación Fotos la seleccionará.

6. Pulse **Enviar**. En la pantalla Nuevo mensaje la fotografía aparecerá en el cuerpo del mensaje.

7. Seleccione el destinatario del mensaje y escriba en la línea de asunto.

8. Pulse **Enviar**. El iPad envía el mensaje y vuelve a la fotografía.

Nota

*Otra forma de adjuntar una fotografía a un correo electrónico es abrir la fotografía utilizando la aplicación Fotos, pulsar el botón **Acción** y, después, pulsar **Correo electrónico**.*

Enviar una fotografía a una cuenta de Flickr

Puede enviar fotografías a una cuenta de Flickr a través del correo electrónico. Flickr le proporcionará una cuenta de correo electrónico para ello.

Para subir una fotografía a Flickr sólo tiene que adjuntarla a un mensaje de correo electrónico, tal y como hemos descrito anteriormente en el capítulo, y escribir la dirección de Flickr en el campo de la dirección. Puede encontrar la dirección que tiene que utilizar en la página: `www.flickr.com/account/uploadbyemail`.

Nota

Para poder enviar una fotografía por correo electrónico tienen que tener una cuenta configurada en el iPad. Consulte el capítulo 5 para obtener más información sobre la configuración de una cuenta de correo electrónico.

UTILIZAR EL IPAD CON FOTOGRAFÍAS DE MOBILEME

El correo electrónico, los contactos y los calendarios son las estrellas del paquete MobileMe. Sin embargo, la interfaz de MobileMe en `http://me.com` también incluye otra aplicación Web que no debe pasarse por alto: la galería.

Podemos utilizar esta aplicación para crear álbumes de fotografías en línea y compartirlos con otras personas. Además, podemos permitir a nuestros amigos que descarguen nuestras fotografías y suban las suyas propias.

Podemos trabajar con la galería desde la interfaz de MobileMe en `http://me.com` o utilizando aplicaciones compatibles desde el ordenador (como iPhoto en un Mac). Sin embargo, el iPad también puede trabajar con la galería, como veremos en las próximas secciones.

Utilizar el iPad para enviar fotografías a la galería de MobileMe

La cuenta de MobileMe incluye la aplicación **Gallery** (Galería), que podemos utilizar para crear y compartir álbumes de fotografías. Podemos subir fotografías en un álbum directamente desde el sitio Web `http://me.com` o podemos utilizar iPhoto en un Mac.

Pero, si no puede esperar a volver al ordenador para subir las fotografías, puede enviarlas directamente a la galería de MobileMe desde el propio iPad (siempre y cuando tenga un modelo 3G o un punto de acceso inalámbrico cerca).

Configurar un álbum para permitir subidas desde el correo electrónico

Antes de poder enviar fotografías a la galería de MobileMe tenemos que configurar el álbum de MobileMe para que permita la subida de fotografías a través del correo electrónico. Siga estos pasos:

1. Utilice un navegador Web para ir a `http://me.com` e inicie sesión en su cuenta de MobileMe.

2. Haga clic en el icono en forma de nube y seleccione el icono **Gallery** para acceder a la galería.

3. Si quiere utilizar un álbum que ya existe, haga clic en él y después en Album Settings (Configuración de álbum). Si va a crear un nuevo álbum, vaya al siguiente paso.

4. Pulse **Click + to create a new album** (Haga clic en + para crear un nuevo álbum). Seleccione la casilla de verificación Adding of photos via email or iPhone (Añadir fotos por correo electrónico o iPhone) en la sección Allow (Permitir).

5. Si quiere que los visitantes de la galería vean la dirección de correo electrónico utilizada para enviar fotografías a este álbum, seleccione la casilla de verificación Email address for uploading photos (Dirección de correo electrónico para subir fotos) en la sección Show (Mostrar).

6. Si está creando un álbum nuevo, escriba un nombre y configure el resto de ajustes si es necesario.

7. Haga clic sobre **Publish** (Publicar). Si está creando un álbum nuevo haga clic sobre **Create** (Crear).

Advertencia

Si configura un álbum para que pueda verlo cualquiera, tenga cuidado a la hora de mostrar el correo electrónico; su galería puede llenarse de fotografías no deseadas o poco apropiadas.

Nota

Si seleccionó la casilla Email address for uploading photos *(Dirección de correo electrónico para subir fotos) en la sección* Show *(Mostrar), los visitantes del álbum pueden ver la dirección para subir fotografías si hacen clic en el icono* **Send to Album** *(Enviar a álbum).*

Enviar una fotografía a nuestra propia galería de MobileMe

Ahora ya estamos listos para enviar fotografías desde el iPad a nuestra galería de MobileMe. Siempre y cuando tenga una conexión a Internet (véase el capítulo 1), el proceso es el siguiente:

1. Pulse el icono **Fotos** en la pantalla de inicio y aparecerá la aplicación Fotos.

2. Localice la imagen que quiere utilizar.

   Por ejemplo, si sabe que la fotografía es parte de un evento determinado, abra la pila de ese evento.

3. Pulse la fotografía para que la aplicación Fotos la abra.

4. Pulse la pantalla para que aparezcan los controles.

5. Pulse el botón **Acción** (es la flecha que aparece a la derecha de la barra de menús).

   Aparecerá una lista de acciones que podemos realizar.

6. Pulse **Enviar a MobileMe**. Aparecerá la pantalla Publicar foto, tal y como puede ver en la figura 6.8.

7. Escriba un título para la fotografía y una descripción (opcional).

8. Pulse el álbum en el que quiere incluir la fotografía.

9. Pulse **Publicar**. El iPad transfiere la fotografía a la galería de MobileMe y aparecerá una lista de opciones.

10. Seleccione una de ellas:

    - Ver en MobileMe: Pulse esta opción para abrir la galería de MobileMe y ver la fotografía en el iPad.

    - Pasa la voz: Pulse esta opción para crear un nuevo mensaje de correo electrónico que incluya un enlace con la fotografía que acaba de publicar.

    - Cerrar: Pulse esta opción para volver al álbum de fotografías.

Figura 6.8. *Utilice la pantalla Publicar foto para enviar una fotografía a la galería de MobileMe.*

Enviar una fotografía a la galería MobileMe de otra persona

Si quiere enviar una fotografía a la galería MobileMe de otro usuario, compruebe primero que están permitidas las subidas a través de correo electrónico. Abra la galería Web de esa persona desde el navegador de cualquier ordenador (esto no funciona en el navegador Safari del iPad) y haga clic en Send to Album (Enviar al álbum).

Si aparece el cuadro de diálogo Send to Album anote la dirección de correo electrónico que aparezca en pantalla y haga clic en **OK**. Si no ocurre nada al hacer clic en Send to Album, significa que el propietario de esa galería no quiere compartir la dirección.

Si tiene la dirección, puede enviar una fotografía desde el iPad a la galería MobileMe de otra persona siguiendo estos pasos:

1. Pulse el icono **Fotos** en la pantalla de inicio. Aparecerá la aplicación Fotos.

2. Localice la imagen que quiera utilizar. Por ejemplo, si sabe que la fotografía es parte de un álbum determinado, abra la pila de ese álbum.

3. Pulse la pantalla para que aparezcan los controles.

4. Pulse el botón **Acción**. El botón **Acción** es la flecha que aparece a la derecha de la barra de menús. Aparecerá la pantalla Seleccionar fotos.

5. Pulse la fotografía que quiere utilizar para que la aplicación Fotos la seleccione.

6. Pulse **Enviar**. Aparecerá la pantalla Nuevo mensaje.

7. Pulse el campo Para y escriba la dirección de correo electrónico de la galería MobileMe de la otra persona.

8. Pulse el campo Asunto y escriba el asunto. Éste será el título que aparecerá debajo de la fotografía en la galería MobileMe.

9. Pulse **Enviar**. El iPad envía la fotografía a la galería de la otra persona.

Ver nuestra galería MobileMe en el iPad

Una vez que tengamos uno o dos álbumes en nuestra galería MobileMe, otras personas pueden verlos utilizando la dirección especial de la galería Web, que tendrá la siguiente forma: `http://gallery.me.com/nombre_de_usuario`. Aquí `nombre_de_usuario` es nuestro nombre de usuario en MobileMe. Para un álbum determinado, la dirección tendría la siguiente forma: `http://gallery.me.com/nombre_de_usuario/#nnnnnn`. Aquí `#nnnnnn` es un número que nos asigna MobileMe.

Nuestra galería no es más que un sitio Web con un diseño peculiar, así que podemos acceder a ella a través del navegador Safari del iPad, que nos ofrece además varias herramientas para navegar por el álbum.

Siga estos pasos para acceder con el iPad a nuestra galería MobileMe y navegar por un álbum de fotografías:

1. En la pantalla de inicio, pulse **Safari**. Se abrirá la pantalla **Safari**.

2. Pulse la barra de direcciones para poder editarla.

3. Escriba la dirección de su galería MobileMe y entonces pulse **Ir**. Aparecerá la página **My Gallery**.

4. Pulse el álbum que quiera ver. Aparecerán imágenes en miniatura de cada fotografía.

5. Pulse la primera fotografía que quiera ver. Aparecerá la fotografía y los controles para navegar por el álbum, tal y como puede ver en la figura 6.9. Si no ve esos controles, pulse la fotografía.

6. Pulse los botones **Anterior** y **Siguiente** para navegar por las fotografías.

Figura 6.9. *Safari con la fotografía de un álbum de una galería de MobileMe.*

Truco

Si accede con frecuencia a su galería MobileMe, guárdela como favorito para acceder más rápidamente. Cuando la página My Gallery *esté en pantalla, pulse el icono de la flecha que aparece a la izquierda de la barra de direcciones, después* Añadir favorito *y, por último, pulse* **Guardar**.

APROVECHAR AL MÁXIMO LAS CÁMARAS DEL IPAD 2

El iPad 2 tiene un par de cámaras incorporadas que podemos utilizar para hacer fotografías. Hacer una fotografía es muy sencillo. Primero, pulse el icono **Cámara** en la pantalla de inicio. Si es la primera vez que abre la aplicación, ésta le preguntará si puede utilizar su ubicación actual. Es una idea muy buena, porque si acepta la aplicación etiquetará las fotografías con el lugar en el que fueron hechas. Cuando se abra la aplicación Cámara, asegúrese de que el interruptor Cámara/Vídeo (véase la figura 6.10) está en el modo Cámara (hacia la izquierda) y no en el de Vídeo (hacia la derecha).

Ahora ya puede hacer la fotografía pulsando el botón **Cámara** (véase la figura 6.10). Para ver la fotografía que acaba de hacer, pulse el botón **Carrete** que aparece en la esquina inferior izquierda de la pantalla de la aplicación Cámara.

Icono
Cambiar
cámara

Regulador
del zoom

Carrete   Botón Cámara   Interruptor Cámara/Vídeo

Figura 6.10. *Pulse la pantalla y después arrastre el regulador de zoom para aumentarlo o reducirlo.*

Comprender las características de la cámara del iPad 2

Aunque utilizar la cámara es muy sencillo, lo que podemos hacer con las fotografías en el iPad 2 es bastante interesante. Por ejemplo, podemos hacer una fotografía para utilizarla como fondo de pantalla en el iPad o podemos hacer una fotografía a un amigo o familiar y utilizarla como la fotografía para ese contacto. Antes de realizar estas tareas explicaremos brevemente las características de la cámara del iPad 2:

- **Cámaras frontal y trasera:** El iPad 2 incluye dos cámaras: una cámara de 1 megapíxel en la parte trasera para las tomas normales y una cámara de 0,3 megapíxeles en la parte delantera para hacer autorretratos. En la aplicación Cámara, pulse el icono **Cambiar cámara** (véase la figura 6.10) para cambiar entre las cámaras frontal y trasera.

- **Enfoque automático:** Las cámaras del iPad 2 enfocan automáticamente el objeto que esté en el medio de la pantalla.

- **Pulsar para enfocar:** Si el objeto que queremos enfocar no está en el medio de la pantalla, puede pulsarlo y el iPad lo enfocará de forma automática. También ajusta de forma automática el equilibrio de blancos y la exposición.

- **Zoom digital 5x:** Puede aumentar el zoom utilizando la cámara trasera del iPad 2. Pulse la pantalla para que aparezca el regulador del zoom, como puede ver en la figura 6.10. Después pulse y arrastre el regulador hacia la derecha para aumentar el zoom o hacia la izquierda para reducirlo.

- **Geoetiquetado:** El iPad utiliza su sensor GPS incorporado para añadir datos de localización a cada fotografía, un proceso que se denomina "geoetiquetado". Esto significa que podemos organizar las fotografías por ubicación, lo que está bien para las fotografías de las vacaciones o de los viajes.

Truco

La primera vez que abra la aplicación Cámara le preguntará si puede utilizar su ubicación actual. Puede modificar esta característica, es decir, puede activar o desactivar el geoetiquetado en los ajustes de la aplicación: pulse Ajustes>Localización y pulse el regulador Cámara para activarlo o desactivarlo.

Hacer una fotografía con la cámara del iPad y utilizarla como fondo de pantalla

Podemos crear una imagen y utilizarla como fondo de pantalla sobre la marcha utilizando la cámara del iPad 2. Siga estos pasos:

1. En la pantalla de inicio pulse **Cámara**. Aparecerá la pantalla Cámara.

2. Pulse el botón **Cámara** para hacer la fotografía.

3. Pulse el botón **Carrete** que aparece en la esquina inferior izquierda. Se abrirá el álbum de fotografías Carrete y aparecerá una vista previa de la fotografía.

4. Pulse el botón **Acción**. El botón **Acción** es el que aparece a la derecha del botón **Pase de diapositivas** en la barra de menús (si no ve la barra de menús pulse la pantalla). Aparecerá una lista con las acciones que podemos realizar.

5. Pulse **Fondo de pantalla**. Tendrá que elegir en qué pantalla quiere que aparezca el fondo de pantalla.

6. Pulse **Pantalla bloqueada** o **Pantalla de inicio**. Si prefiere que aparezca en ambas pantallas, pulse **Ambas**.

7. El iPad volverá a la aplicación Cámara.

Hacer la fotografía de un contacto con la cámara del iPad

Si no tiene la imagen de uno de sus contactos a mano no se preocupe, porque puede aprovechar la cámara del iPad 2 para hacerle una fotografía la próxima vez que lo vea.

Para asignar una fotografía de la aplicación Cámara a un contacto siga los pasos que se describen a continuación:

1. En la pantalla de inicio pulse el icono **Cámara** para entrar en la aplicación Cámara. Aparecerá un obturador en pantalla.

2. Enfoque la persona en pantalla.

3. Pulse el botón **Cámara** que aparece en la parte inferior de la pantalla para hacer la fotografía.

4. Pulse el icono **Carrete** que aparece en la esquina inferior izquierda. Se abrirá la pantalla Carrete.

5. Pulse la fotografía que acaba de hacer. Se abrirá y aparecerán los controles.

6. Pulse el botón **Acción**. Aparecerá entonces una lista con las acciones que podemos realizar.

7. Pulse **Asignar a un contacto**. Aparecerá una lista de los contactos.

8. Pulse el contacto que quiera asociar con la fotografía. Aparecerá la pantalla Mover y escalar.

9. Arrastre la imagen para colocarla en pantalla como quiera.

10. Junte o separe los dedos sobre la imagen para configurar el nivel de zoom.

11. Pulse **Usar**. El iPad asigna la fotografía al contacto y vuelve a la fotografía.

12. El iPad volverá a la aplicación Cámara.

Capítulo 7

Gestionar la biblioteca de libros electrónicos del iPad

Es más que probable que ahora mismo esté leyendo este libro en papel. Los libros son un invento magnífico: son portátiles, fáciles de manejar y se puede presumir de ellos, tanto si los leemos en el metro como si descansan en una estantería en nuestra casa. Los libros en papel no van a desaparecer, pero ha llegado la era de los libros electrónicos (*ebooks*). El Kindle de Amazon supuso una revolución para los libros electrónicos, pero no deja de ser un dispositivo poco práctico y vinculado a Amazon; el iPhone y el iPod Touch son, a día de hoy, los lectores de libros electrónicos más populares, pero tienen un inconveniente: son demasiado pequeños. Como verá en este capítulo, el iPad soluciona todos estos problemas: es fácil de utilizar, compatible con un formato abierto de libros electrónicos y tiene una pantalla que parece hecha a medida para leer libros.

● ● ● INSTALAR LA APLICACIÓN IBOOKS

En este capítulo, nos vamos a centrar en iBooks, la nueva aplicación de Apple para leer libros electrónicos. Sin embargo, es importante dejar claro que puede utilizar otras aplicaciones para leer libros electrónicos en el iPad, no está limitado a utilizar iBooks. Existen muchas aplicaciones de este tipo (véase la parte final de este capítulo, donde encontrará algunos ejemplos), así que no dude en utilizar cualquiera de ellas además de (o en vez de) iBooks. A diferencia de otras aplicaciones sobre las que hemos hablado en este libro, iBooks no forma parte de la colección de aplicaciones que incluye el iPad por defecto. Es necesario descargarla de la tienda App Store (es gratuita). La primera vez que abra la tienda App Store, aparecerá un cuadro de diálogo que le preguntará si quiere descargar la aplicación iBooks de forma automática. Si está de acuerdo, siga adelante y descárguela; puede saltarse los pasos que vienen a continuación. Si no es así o ha preferido no descargar iBooks, siga estos pasos para descargar la aplicación en su iPad:

1. En la pantalla de inicio, seleccione **App Store**. Se abrirá la tienda App Store.

2. Pulse **Buscar** para acceder a la página **Buscar**.

3. Pulse dentro del cuadro Buscar para que aparezca el teclado, escriba **iBooks** y pulse **Buscar**. Aparecerán los resultados de la búsqueda.

4. Pulse la aplicación iBooks. Aparecerá la pantalla de información de la aplicación.

5. Pulse el icono **GRATIS**. Este icono se convertirá en el icono **INSTALAR APP**.

6. Pulse **INSTALAR APP**. La App Store le pedirá la contraseña de la cuenta de Apple.

7. Escriba su contraseña y pulse **OK**. La App Store descarga e instala la aplicación y el icono de iBooks aparecerá en la pantalla de inicio.

8. Cuando termine la instalación, pulse el icono **iBooks** para ejecutar la aplicación. iBooks le preguntará si quiere sincronizar los marcadores, las notas y las colecciones de libros electrónicos con la cuenta de iTunes. Puede hacerlo si tiene pensado utilizar iBooks en otros dispositivos: otro iPad, un iPhone o un iPod Touch.

9. Pulse **Sí**. Si no necesita esta funcionalidad, pulse **No**. En la figura 7.1 puede ver la biblioteca de iBooks, que se parece a una estantería.

Figura 7.1. *La biblioteca de iBooks está diseñada para imitar una estantería real.*

COMPRENDER LOS FORMATOS DE LIBROS ELECTRÓNICOS

Si hay alguna razón por la que los libros electrónicos no terminan de despegar (como sí ha hecho, por ejemplo, la música digital) es que el mundo de los libros electrónicos es sumamente confuso. Cuando escribo este libro, existen más de veinte formatos distintos para los libros electrónicos y siguen surgiendo nuevos formatos con una frecuencia angustiante. Una situación que se vuelve especialmente problemática si tenemos en cuenta que algunos de estos formatos requieren dispositivos o programas de lectura específicos. Por ejemplo, para leer el formato Kindle es necesario el lector Kindle o la aplicación Kindle; para leer el formato LIT de Microsoft es necesario el programa Microsoft Reader. Por último, la situación es especialmente caótica si tenemos en cuenta que algunos formatos incorporan sus propias limitaciones, que nos impiden leer los libros electrónicos en otros dispositivos o programas o compartirlos con otras personas.

Todavía estamos muy lejos de la simplicidad y la claridad que supondría tener un formato de libro electrónico casi universal (como el formato MP3 en la música). Pero hay signos de esperanza, porque parece que hay un formato que está expandiéndose lentamente: EPUB. Se trata de un estándar gratuito y abierto creado por el International Digital Publishing Forum (IDPF; véase `www.idpf.org/`). Los archivos EPUB, que utilizan la extensión `.epub`, son compatibles con la mayoría de programas y dispositivos lectores de libros electrónicos (siendo el Kindle de Amazon la excepción más llamativa). EPUB se está convirtiendo en el líder no sólo porque es gratuito y de código abierto, sino también porque ofrece algunas características interesantes:

* Se le puede cambiar el tamaño al texto, de forma que podemos elegir el que nos resulte más cómodo.

* El diseño y el formato del texto se manejan en hojas de estilo en cascada (CSS), un estándar abierto y muy conocido que nos permite modificar fácilmente la apariencia del texto, incluyendo la posibilidad de cambiar el tipo de letra.

* El texto es "ajustable", lo que significa que si cambiamos el tamaño o el tipo de letra, el texto se adapta automáticamente en pantalla. Esto supone una gran diferencia con respecto a otros formatos de libros electrónicos, que simplemente amplían o reducen el texto.

* Un solo libro electrónico puede tener distintas versiones en el mismo archivo.

* Los libros electrónicos pueden incluir imágenes de alta resolución en sus páginas.

* Los editores pueden proteger el contenido del libro mediante el sistema DRM (*Digital Rights Management*, Gestión de derechos digitales). DRM hace referencia a cualquier tecnología que limite el uso de contenido para evitar la piratería. Tenga en cuenta que, dependiendo del nivel de restricción que aplique DRM, puede no resultar tan interesante y dejar de ser considerada una "funcionalidad".

Así que lo primero que tiene que saber es que la aplicación iBooks es compatible con el formato EPUB y, por tanto, todas las características que acabamos de explicar están disponibles en la aplicación iBooks.

Y esta compatibilidad de iBooks con el formato EPUB significa que tiene a su disposición un vasto universo de libros de dominio público. Google Libros ofrece más de un millón de libros electrónicos de dominio público (`http://books.google.com/`). Además, existen otros muchos sitios Web donde puede encontrar libros en formato EPUB. De ellos y de cómo acceder desde el iPad, hablaremos más adelante en este capítulo.

Nota

A título informativo, cabe mencionar que también puede utilizar la aplicación iBooks para leer libros en otros tres formatos: texto sin formato, HTML y PDF.

Por definición, los libros electrónicos de dominio público están libres del sistema DRM y puede utilizarlos como quiera. Sin embargo, encontrará muchos libros EPUB que sí incluyen restricciones DRM. En el caso de iBooks, el sistema DRM se conoce como FairPlay. Se trata de la tecnología DRM que Apple utiliza en iTunes desde hace años.

Apple retiró el DRM de la música hace tiempo, pero todavía lo utiliza en otro tipo de contenido, como películas, programas de televisión y audiolibros.

FairPlay hace que muchos de los libros electrónicos que se descargan a través de la interfaz de iBooks tengan las siguientes restricciones:

- Es posible acceder a los libros desde un máximo de cinco ordenadores, cada uno de los cuales debe estar autorizado por una cuenta de iTunes Store.

- Sólo puede leer los libros electrónicos desde un iPhone, un iPad, un iPod Touch o un ordenador que tengan iTunes instalado.

Es fundamental tener en cuenta dos restricciones que aparecerán en los libros con DRM:

- Los libros electrónicos FairPlay no funcionarán en otros dispositivos lectores que sean compatibles con el formato EPUB, como Sony Reader y Nook de Barnes & Noble.

- Los libros en formato EPUB que utilicen otro sistema DRM no funcionarán en el iPad.

Sin embargo, recuerde que DRM es un complemento opcional del formato EPUB. Aunque se espera que la mayoría de las editoriales incluyan, en un futuro, el sistema DRM FairPlay en todos sus libros, no es un requisito, así que encontrará libros electrónicos sin DRM en la iBookstore (y en otros sitios).

Nota

El dispositivo Kindle de Amazon utiliza un formato de marca registrada, por lo que no podrá transferir ningún libro electrónico Kindle a la aplicación iBooks (ni a ningún otro lector). Sin embargo, Amazon ofrece la aplicación Kindle para el iPad, que puede utilizar para descargar y leer libros Kindle e incluso libros que haya adquirido con anterioridad.

GESTIONAR LA BIBLIOTECA DE IBOOKS

La aplicación iBooks viene con una estantería de madera virtual bastante llamativa cuya finalidad es colocar en sus estantes todo el material de lectura digital que nos guste.

Lo primero que tenemos que hacer es añadir algunos títulos a esa estantería y en las próximas secciones explicamos cómo hacerlo.

Buscar libros en iBookstore

¿Qué pasa si está fuera de casa con el iPad, tiene tiempo libre y decide empezar a leer un libro? No hay problema, porque iBooks tiene un enlace directo con la nueva tienda de libros de Apple, la tienda iBookstore. El iPad puede establecer una conexión inalámbrica con iBookstore desde cualquier lugar, siempre y cuando tenga acceso Wi-Fi o a una red móvil (con 3G las descargas serán más rápidas, siempre y cuando tenga la versión 3G del iPad). Puede buscar libros, leer resúmenes y comprarlos. El libro electrónico se descarga en el iPad y se añade automáticamente a la estantería de iBooks.

¿Qué pasa con la selección de libros? Cuando Apple lanzó al mercado el iPad y la aplicación iBooks, también anunció la incorporación al proyecto de cinco editoriales importantes: Hachette, HarperCollins, Macmillan, Penguin y Simon & Schuster. Desde entonces, se han unido varias editoriales más, por lo que junto con los libros electrónicos gratuitos, podemos asegurar que iBookstore tendrá una selección impresionante, al menos en EE. UU.

Para acceder a la iBookstore, siga estos pasos:

1. Acceda a la estantería de la biblioteca de iBooks.

    - Si todavía no ha cargado la aplicación, pulse el icono **iBooks** para abrir la aplicación.

    - Si ya está en la aplicación iBooks y está leyendo un libro, pulse la pantalla para que aparezcan los controles y, a continuación, pulse **Biblioteca**.

2. Pulse el icono **Tienda**.

Como puede ver en la figura 7.2, el iPad organiza la tienda iBookstore de forma parecida a la tienda App Store, es decir, tenemos cuatro botones en la barra de menús: **Destacado**, **Top Charts**, **Navegar** y **Compras**. Utilizamos estos botones para navegar por iBookstore.

Figura 7.2. *Utilice los botones de la barra de menús de iBookstore para localizar y gestionar libros para su iPad.*

A continuación, aparece un resumen con la función que realiza cada uno de estos botones:

- **Destacado:** Pulse este botón para ver una lista de los libros seleccionados por los editores de iBookstore. La lista muestra la portada, el título, el autor, la categoría, la valoración y el número de reseñas. Pulse **Fecha de salida** para ver los últimos libros y pulse **Destacados** para ver los más populares.

- **Top Charts:** Pulse este botón para ver una colección de los libros más populares.

- **Navegar:** Pulse este botón para buscar un libro utilizando una lista alfabética de los nombres de los autores. También puede pulsar **Categorías** para buscar por temas.

- **Compras:** Pulse este botón para ver una lista de los libros que ya ha descargado.

iBookstore también incluye un cuadro Buscar en la esquina superior derecha para que pueda buscar el libro que quiera, así como un botón **Categorías** en la parte superior izquierda para examinar los libros por categoría.

Nota

Pulse sobre un libro para obtener más información sobre él. Aparecerá una pantalla de información dividida en dos secciones: en la parte superior aparecen los datos estándar del libro, como el título, el autor, la portada, la editorial y el número de páginas; la parte inferior es una ventana por la que nos podemos desplazar y en la que aparece una descripción del libro, listas de libros relacionados y reseñas de otros usuarios sobre el libro.

Descargar un libro electrónico

Existen miles de libros de dominio público, es decir, los derechos de esos libros ya no pertenecen a ningún autor ni editorial. Esto significa que cualquiera puede publicar esos libros y las versiones digitales suelen ser gratuitas.

Tal vez piense que estos libros son tomos antiguos y de poco interés pero le sorprenderá saber que no es así. iBookstore dispone de una categoría de clásicos que ofrece algunos de los mejores libros de la historia, desde *Drácula* de Bram Stoker hasta *Alicia en el País de las Maravillas* de Lewis Carroll.

Nota

*En iBookstore los libros gratuitos incluyen el icono **GRATIS** a la derecha del enlace con el libro. Si está buscando un buen lugar para llenar rápidamente la biblioteca de iBooks, pulse **Top Charts**.*

Siga estos pasos para descargar e instalar un libro electrónico:

1. Localice el libro que quiere leer y luego púlselo. Aparecerá la pantalla de información del libro.

2. Pulse el icono **GRATIS**. Este icono se convertirá en el icono **CONSEGUIR LIBRO**.

3. Pulse **CONSEGUIR LIBRO**. iBookstore podría solicitarle la contraseña de su cuenta de iTunes Store.

4. Pulse la casilla Contraseña, escriba la contraseña y pulse **OK**. La aplicación iBooks vuelve a la estantería de la biblioteca, coloca el libro en el estante superior y muestra una barra de progreso de la descarga (la mayoría de libros se descargan en unos segundos).

5. Cuando termine la descarga, pulse la portada del libro para comenzar a leerlo.

Nota

Si el libro es bastante grande y está navegando por Internet a través de una conexión móvil, especialmente a través de una conexión EDGE, el iPad podría cancelar la instalación e indicarle que necesita conectarse a una red Wi-Fi para descargar el libro electrónico.

Conseguir una muestra

Puede que no esté muy seguro a la hora de descargar un libro determinado. Examinar las valoraciones y los comentarios de otros lectores puede ayudarle a tomar la decisión, pero no hay nada mejor que ver el libro directamente. En una librería normal, puede pasar las páginas del libro y ver su contenido; en iBookstore lo que puede hacer es leer una muestra del libro. Así es cómo se hace:

1. En la aplicación iBooks, localice el libro electrónico que le interesa. Examine las categorías o utilice el cuadro Buscar para encontrarlo.

2. Seleccione el libro. Aparecerá la pantalla de información del libro.

3. Pulse el icono **CONSEGUIR MUESTRA**. iBookstore podría pedirle la contraseña de su cuenta de iTunes Store.

4. Pulse el cuadro Contraseña, escriba su contraseña y pulse **OK**. La aplicación iBooks vuelve a la estantería y añade la muestra.

5. Cuando termine la descarga, pulse la muestra para empezar a leer.

Añadir a la biblioteca un adjunto en formato PDF

Si recibe un correo electrónico con un archivo PDF adjunto, puede abrirlo desde la aplicación Mail. La aplicación iBooks también es compatible con el formato PDF, así que si prefiere leer el PDF en iBooks (donde puede realizar una búsqueda y señalar su posición actual) tiene que transferir el libro a su biblioteca de iBooks. Así es cómo se hace:

1. En la aplicación Mail, abra el mensaje que contiene el adjunto PDF.

2. Pulse y mantenga pulsado el adjunto PDF. Aparecerá una lista de acciones.

3. Pulse **Abrir en "iBooks"**. Se abrirá la aplicación iBooks y verá el PDF.

Trabajar con colecciones

La última versión de la aplicación iBooks es compatible tanto con libros electrónicos como con documentos PDF. Aplicando cierto sentido común, los programadores de iBooks decidieron no mezclar los libros electrónicos y los documentos en formato PDF en la misma zona de la estantería.

iBooks incluye dos secciones distintas en su biblioteca, que denomina "colecciones":
una para los libros electrónicos, llamada Libros, y otra para los documentos PDF, que se
llama PDF.

Puede utilizar una de las técnicas que aparecen a continuación para trabajar con sus
colecciones:

- **Cambiar a otra colección:** Pulse el botón **Colecciones** y después pulse el nombre de
  la colección que quiere utilizar.

- **Crear una nueva colección:** Pulse el botón **Colecciones**, pulse **Nuevo**, escriba el
  nombre de la colección y pulse **OK**.

- **Mover un artículo a una colección distinta:** Pulse el botón **Editar**, pulse el elemento
  que quiera mover y pulse el botón **Trasladar**. En la lista de colecciones, pulse la
  colección en la que quiera incluir ese elemento.

- **Eliminar una colección:** Pulse el botón **Colecciones**, pulse **Editar**, pulse el botón
  rojo de eliminar que aparece a la derecha de la colección que quiere eliminar y pulse
  Eliminar. Si la colección no está vacía, pulse **Eliminar** cuando iBooks le pida
  confirmación. Cuando borre una colección que no esté vacía, iBooks devuelve los
  elementos a su lugar de origen (por ejemplo, la colección Libros).

Añadir otros libros EPUB a la biblioteca

Con el aparente crecimiento del formato EPUB, las editoriales se esfuerzan cada vez más
en compatibilizar sus libros con este formato. Como resultado, la Web está repleta de libros
EPUB, así que no es necesario utilizar iBookstore como medio exclusivo para obtener
libros electrónicos para el iPad. A continuación, encontrará una lista de sitios Web desde
los cuales puede descargar archivos .epub en su ordenador:

- **BooksOnBoard** (www.booksonboard.com): Este sitio Web ofrece una gran
  variedad de libros electrónicos, aunque la mayoría no son compatibles con iBooks
  debido al sistema DRM que incluyen. Para encontrar títulos que no tengan DRM,
  vaya a la página Advanced Search (Búsqueda avanzada) y luego seleccione la casilla
  de verificación Adobe ePub.

- **epubBooks** (www.epubbooks.com): Se trata de un impresionante sitio Web que
  incluye todo lo relacionado con el formato EPUB y ofrece una amplia selección de
  libros EPUB de dominio público.

- **eBooks.com** (www.ebooks.com): Este sitio Web ofrece muchos libros en distintos
  formatos, aunque la mayoría no son compatibles con la aplicación iBooks, porque casi
  todos utilizan el sistema DRM de Adobe. Sin embargo, puede ir a la página Search
  options (Opciones de búsqueda) y seleccionar el formato de archivo Unencrypted
  ePub (EPUB no encriptado) para ver una lista de títulos compatibles con iBooks.

- **Feedbooks** (`www.feedbooks.com`): Este sitio Web ofrece títulos de dominio público en diferentes formatos, EPUB incluido.

- **Google eBookstore** (`http://books.google.com/ebooks`): Este sitio ofrece más de un millón de títulos de dominio público, muchos de ellos gratuitos, y muchas versiones recientes que podemos comprar. Aunque por ahora, Google eBookstore sólo está disponible en EE. UU.

- **ManyBooks** (`www.manybooks.net`): Este sitio Web ofrece una interesante colección de libros electrónicos gratuitos en distintos formatos. Cuando descargue un libro, seleccione la opción ePub (.epub) en la lista desplegable Select Format (Seleccionar formato).

- **Smashwords** (`www.smashwords.com`): Este fascinante sitio Web ofrece títulos de autores independientes y que se publican a sí mismos. Todos los libros están libres de las restricciones DRM y están disponibles en formato EPUB.

- **Snee** (`www.snee.com/epubkidsbooks`): Este sitio Web ofrece montones de libros ilustrados para niños en formato EPUB.

Una vez que descargue un título EPUB en su ordenador, siga estos pasos para importarlo a iTunes:

1. En iTunes para Mac, seleccione Archivo>Añadir archivo a la biblioteca o pulse **Comando-O**. En iTunes para Windows, seleccione Archivo>Añadir archivo a la biblioteca o pulse **Control-O**. Aparecerá en pantalla el cuadro de diálogo Agregar a la biblioteca.

2. Localice el archivo EPUB que acaba de descargar y selecciónelo.

3. En iTunes para Mac, haga clic en **Seleccionar**. En iTunes para Windows, haga clic en **Abrir**. iTunes añade el libro electrónico a la sección Libros de la biblioteca.

Editar la biblioteca de iBooks

Al añadir libros a la biblioteca, iBooks libera espacio para el nuevo título en la zona superior izquierda de la estantería. El resto de libros se desplazan hacia la derecha y hacia abajo. Este comportamiento es lógico si leemos los libros a medida que los descargamos, porque significa que en la librería aparecerán los libros en el orden en el que los leemos. Evidentemente, la vida no es siempre tan organizada y es normal acabar leyendo los libros de forma más aleatoria, lo cual significa que el orden de los libros en la biblioteca no reflejará el orden de lectura.

Puede que tengamos uno o más libros en nuestra biblioteca que consultemos con frecuencia o que estemos leyéndolos de forma poco sistemática (como un libro de poesía, por ejemplo, o una colección de historias cortas). En esos casos, lo lógico sería colocar esos libros en la parte superior de la estantería para poder acceder a ellos más fácilmente.

Para éstas y otras situaciones parecidas, iBooks le permite cambiar el orden de los libros. Siga estos pasos:

1. Vaya a la biblioteca de iBooks.

   - Si todavía no ha cargado la aplicación, pulse el icono **iBooks** para abrirla.

   - Si ya está en la aplicación **iBooks** y está leyendo un libro, pulse la pantalla para que aparezcan los controles y, a continuación, pulse **Biblioteca**.

2. Pulse **Editar**. iBooks abre la biblioteca en modo de edición.

3. Pulse y arrastre las portadas de los libros hacia otros lugares de la estantería.

4. Si quiere eliminar un libro de la biblioteca, pulse el icono **X** situado en la esquina superior izquierda de la portada y luego haga clic en **Eliminar** cuando iBooks le pida confirmación.

5. Pulse **OK**. iBooks cierra el modo de edición de la biblioteca.

Nota

También podemos organizar los libros por listas. En la pantalla de la estantería, pulse el icono **Listas** *(el icono formado por tres líneas horizontales que aparece a la izquierda del botón* **Editar***). Entonces podrá pulsar los botones que aparecen en la parte inferior de la pantalla para organizar los libros por títulos, autores o categorías. Pulse* **Estante** *para ver los libros en el orden que aparecen en la estantería. Pulse el icono* **Estantería** *(los cuatros cuadrados que aparecen a la izquierda del botón* **Listas***) para volver a la vista de la estantería.*

Crear una portada personalizada para un libro electrónico

Si ya tiene libros gratuitos de iBookstore o ha descargado libros de dominio público en iTunes, se habrá dado cuenta de que muchos de estos libros (en realidad todos) utilizan portadas genéricas. Eso no supone un problema para un libro o dos, pero puede volverse un poco monótono si tenemos muchos libros en la biblioteca (además de ser difícil de localizar el libro que estamos buscando). Para solucionarlo, podemos crear portadas personalizadas a partir de una fotografía. Lo primero que tenemos que hacer es convertir una fotografía (o una imagen) en algo que podamos utilizar como carátula.

Para ello, hay que abrir la imagen en un programa de edición fotográfica y hacer tres cosas:

- Recortar la imagen para que tenga 420 píxeles de ancho y 600 de alto.

- Usar la herramienta de texto del programa de edición de imágenes para añadir el título.

- Guardar la imagen como un archivo JPEG. Si la imagen ya está en este formato, guárdela con un nombre distinto para no sobrescribir la original.

Ahora ya estamos listos para utilizar la nueva imagen como portada, algo que podemos hacer importando la imagen a iTunes:

1. En iTunes, haga clic sobre la categoría Libros. Aparecerán entonces sus libros electrónicos.

2. Haga clic con el botón derecho del ratón (pulsar la tecla **Control** y hacer clic en Mac) en el libro que quiera personalizar y después haga clic en Obtener información. Aparecerá el cuadro de diálogo de información de ese libro.

3. A continuación, haga clic en la ficha Ilustración. En esta ficha se incluye la imagen de la cubierta.

4. Utilice Finder (en un Mac) o el Explorador (en un PC con Windows) para localizar la imagen de la cubierta. En un Mac también puede buscar la imagen en iPhoto.

5. Haga clic en la nueva imagen para traerla a la pestaña Ilustración.

6. Haga clic en **OK**. iTunes añadirá la nueva imagen como portada del libro.

⬤ ⬤ ⬤ SINCRONIZAR LA BIBLIOTECA DE IBOOKS

Si ya ha utilizado el ordenador para adquirir un libro de iBookstore o para añadir un libro descargado a la biblioteca de iTunes, ahora tendrá que transferir ese libro al iPad.

Si ha descargado algunos libros electrónicos en el iPad, tampoco es mala idea copiarlos en el ordenador.

Puede realizar ambas tareas mediante la sincronización de los libros entre el ordenador y el iPad:

1. Conecte el iPad al ordenador. Si ha añadido libros electrónicos al iPad, espere hasta que iTunes los sincronice con el ordenador.

2. En iTunes, haga clic en iPad en la lista DISPOSITIVOS.

3. Haga clic en la ficha Libros, como puede ver en la figura 7.3.

4. Seleccione la casilla de verificación Sincronizar libros.

5. Para sincronizar únicamente algunos libros, debe seleccionar la opción Libros seleccionados.

6. En la lista de libros, seleccione la casilla de verificación situada junto a cada libro que quiera sincronizar.

7. Haga clic en **Aplicar**. iTunes sincroniza el iPad utilizando los nuevos ajustes.

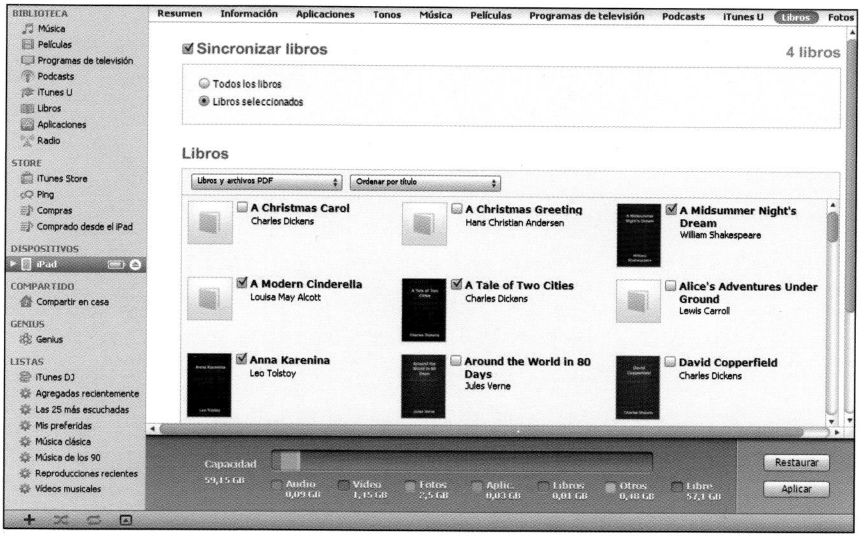

Figura 7.3. *Puede sincronizar con el iPad los libros que seleccione.*

LEER LIBROS ELECTRÓNICOS CON LA APLICACIÓN IBOOKS

Si es un apasionado de los libros como yo, llegará un momento en que la estantería de su biblioteca de iBooks esté repleta de libros y querrá dedicar algún tiempo a observar las portadas perfectamente colocadas en la estantería. O puede que no. Pero lo que seguramente sí quiera hacer es empezar a leer alguno. En las siguientes secciones vamos a explicar cómo controlar los libros electrónicos y configurar la pantalla para disfrutar al máximo su lectura.

Controlar los libros electrónicos en la pantalla de lectura

Cuando esté listo para empezar a leer un libro con iBooks, haga lo siguiente:

1. Vaya a la biblioteca de iBooks.

    *   Si todavía no ha cargado la aplicación, pulse el icono **iBooks** para abrirla.

    *   Si ya está en la aplicación iBooks y está leyendo un libro, pulse la pantalla para que aparezcan los controles y, a continuación, pulse **Biblioteca**.

2. Pulse el libro que quiera leer. iBooks lo abrirá.

A continuación, se van a detallar algunas técnicas a utilizar para controlar un libro durante su lectura:

- Para ver una sola página, coloque el iPad en posición vertical.

- Para ver dos páginas a la vez, coloque el iPad en posición horizontal.

- Para saltar a la página siguiente, pulse el lateral derecho de la pantalla.

- Para saltar a la página anterior, pulse el lateral izquierdo de la pantalla.

- Para pasar "manualmente" una página, mueva la página con el dedo. Deslice el dedo hacia la izquierda para avanzar hasta la página siguiente o deslícelo hacia la derecha para retroceder hasta la página anterior.

- Para acceder a los controles de **iBooks**, pulse el centro de la pantalla. Para ocultarlos, vuelva a pulsar la parte central de la pantalla.

- Para acceder a la tabla de contenidos de un libro, pulse para que aparezcan los controles y luego pulse el icono **Contenido** (véase la figura 7.4). Una vez que esté en la tabla de contenidos, puede pulsar un elemento para ir directamente a esa sección del libro.

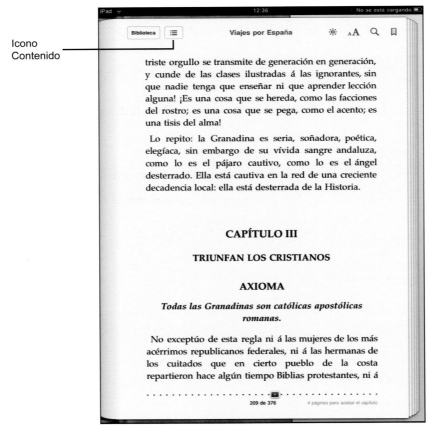

Figura 7.4. *Pulse la parte central de la pantalla para que aparezcan los controles y, después, pulse el icono Contenido para que aparezca la tabla de contenidos del libro.*

- Para ir a una página distinta, pulse para que aparezcan los controles y pulse un punto que aparece en la parte inferior de la pantalla.

- Para buscar en el libro, pulse para que aparezcan los controles, pulse el icono **Buscar** situado en la esquina superior derecha, escriba el texto de búsqueda y pulse **Buscar**. En los resultados de búsqueda que aparecen, seleccione un resultado para ver esa parte del libro.

- Para volver a la biblioteca de iBooks, pulse para ver los controles y pulse **Biblioteca** en la esquina superior izquierda.

Dar formato al texto de un libro electrónico

Como hemos mencionado anteriormente, el formato EPUB es compatible con varios tamaños de texto y tipos de letra y, además, el texto se adapta para ajustarse perfectamente al nuevo tamaño de texto. La aplicación iBooks utiliza estas características de EPUB, tal y como veremos a continuación:

1. Mientras esté leyendo un libro, pulse la parte central de la pantalla para abrir los controles.

2. Pulse el icono **Fuente** que aparece en la figura 7.5. iBooks muestra las opciones del tipo de letra.

3. Pulse la **A** más grande para aumentar el tamaño del texto. Pulse la **A** más pequeña para reducirlo.

4. Pulse **Tipo de letra**. Aparecerá una lista de tipos de letras.

5. Pulse el tipo de letra que quiera utilizar. iBooks cambiará el formato del texto.

6. Si quiere que las hojas del libro tengan un color sepia, pulse el regulador Sepia para activarlo.

7. Pulse la parte central de la pantalla para ocultar los controles.

Buscar una palabra en el diccionario

Mientras esté leyendo un libro, es posible que se encuentre con una palabra que no conozca. Puede buscar su significado en uno de los muchos diccionarios en línea, pero no es necesario con iBooks:

1. Pulse y mantenga pulsada la palabra cuyo significado no conoce. Aparecerán una serie de opciones.

2. Pulse **Diccionario**. iBooks busca la palabra y muestra su definición.

3. Pulse fuera de la definición para cerrarla.

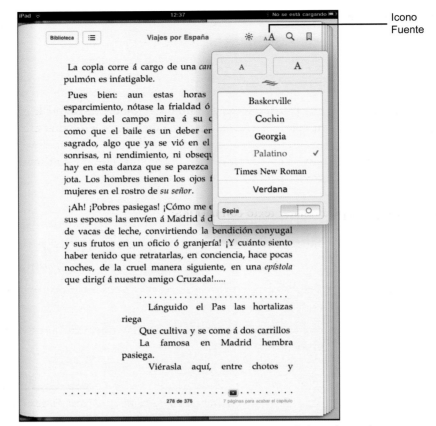

Figura 7.5. *Pulse el icono Fuente para ver las opciones del tipo de letra de iBooks.*

Poner un marcador en el libro

Leer un libro con la aplicación **iBooks** es tan placentero que no querrá parar. Sin embargo, tiene que comer y levantarse en algún momento, así que puede marcar el punto en el que ha dejado la lectura con un marcador:

1. Vaya al lugar en el que quiere poner el marcador.

2. Pulse la pantalla para que aparezcan los controles.

3. Pulse **Marcador** (el icono que aparece en la esquina superior derecha de la pantalla). **iBooks** guarda el punto creando un marcador en esa posición.

Para volver a esa posición, siga estos pasos:

1. Pulse la página. Aparecerán los controles de lectura.

2. Pulse el icono **Contenido**. Aparecerá la tabla de contenidos.

3. Pulse la ficha MARCADORES. Aparecerá una lista con los marcadores guardados.

4. Pulse el marcador deseado. iBooks le llevará a esa página.

Resaltar una página

Si se encuentra con una palabra, frase, párrafo o sección del texto que le gusta, puede que quiera volver a ella más tarde. La forma más fácil de hacerlo es resaltar ese texto, haciendo que destaque del resto con un fondo amarillo. Pero iBooks también crea un marcador para ese texto, por lo que podrá encontrarlo rápidamente utilizando los mismos pasos que hemos visto en la sección anterior para volver a un marcador normal.

Siga estos pasos para resaltar texto con iBooks:

1. Pulse y mantenga pulsada la palabra de texto que quiera resaltar. iBooks selecciona la palabra y aparecerán varias opciones. Si sólo quiere resaltar esa palabra, vaya al paso 3.

2. Utilice los controles de selección para aumentar la selección e incluir todo el texto que quiera resaltar.

3. Pulse **Resaltar**. iBooks añade un fondo amarillo al texto y crea un marcador.

Nota

*Si el resaltado en color amarillo no le convence, puede cambiar el color. Pulse el texto que está resaltado, pulse **Colores** y después pulse el color que quiera.*

Añadir una nota

Algunas veces, cuando estamos leyendo un libro sentimos una necesidad irresistible de escribir una nota. En un libro en papel, podemos buscar algo que escriba y escribir una nota al margen, pero eso no funciona bien en un libro electrónico. Por suerte, los programadores de iBooks se han apiadado de los escritores de notas al margen y han incluido la característica Notas, que nos permite añadir nuestros propios comentarios. Y lo que es aún mejor, iBooks también crea un marcador para cada nota, por lo que las encontrará rápidamente.

Siga estos pasos para crear una nota con iBooks:

1. Pulse y mantenga pulsada la palabra que quiera comentar. iBooks selecciona la palabra y aparecerán varias opciones. Si lo único que quiere comentar es esa palabra, vaya al paso 3.

2. Utilice los controles de selección para aumentar la selección e incluir más texto.

3. Pulse **Nota**. Aparecerá un cuadro de texto que se parece a un *post-it*.

4. Escriba la nota.

5. Pulse fuera de la nota. iBooks añade una nota de texto con fondo amarillo, aparecerá el icono de una nota en el margen (con la fecha de ese día) y creará un marcador para este texto.

⬤ ⬤ ⬤ LEER OTROS LIBROS ELECTRÓNICOS EN EL IPAD

En este capítulo, nos hemos centrado en la aplicación iBooks porque es una aplicación excelente, está optimizada para el iPad y se integra sin problemas con iTunes. Aunque podría decirse que el iPad es el mejor lector de libros electrónicos que existe, sería una pena ignorar el inmenso universo de libros electrónicos que no son compatibles con iBooks. Si quiere convertir el iPad en el lector definitivo, que pueda leer prácticamente cualquier libro en casi cualquier formato, visite la tienda App Store e instale las aplicaciones adecuadas para ello.

Una lista completa de todas estas aplicaciones llenaría muchas páginas, así que vamos a enumerar sólo unas cuantas:

• **NOOK de Barnes & Noble para iPad:** Aunque no tenga el dispositivo NOOK de Barnes & Noble, podrá leer sus libros si instala la aplicación NOOK para iPad, que es compatible con el formato EPUB protegido por el sistema DRM de Adobe.

• **eReader:** Esta aplicación es compatible con el formato eReader.

• **iSilo:** Esta aplicación es compatible con los formatos iSilo y Palm Doc, aunque no es gratuita.

• **Kindle:** La aplicación Kindle de Amazon es la solución para leer libros Kindle en el iPad.

• **Stanza:** Esta potente aplicación es compatible con una inmensa variedad de formatos, como EPUB (protegido por DRM de Adobe), eReader y Mobipocket.

Capítulo 8

Aprovechar al máximo la reproducción de audio en el iPad

La aplicación **iPod** que se incluye en el iPad fue desarrollada con el audio en mente y permite reproducir música, vídeos musicales, audiolibros y *podcast*. Si tiene una conexión Wi-Fi de alta velocidad (o una conexión 3G móvil), puede utilizar el iPad para comprar música directamente en la tienda iTunes Store (pulsando el icono **iTunes** en la pantalla de inicio). Reproducir una pista es muy fácil: basta con pulsar **iPod**, utilizar el botón de búsqueda, localizar la pista y pulsarla. Pero el iPad es mucho más que un simple dispositivo de "pulsar y reproducir" y en este capítulo veremos algunas de las características de audio más útiles del iPad.

 TRANSFERIR CANCIONES DE ITUNES AL IPAD

Aunque podemos comprar y descargar canciones directamente desde iTunes Store, vamos a asumir que la inmensa mayoría de nuestra biblioteca musical está almacenada en un Mac o en un PC y que queremos transferir esa música al iPad. O puede que sólo queramos enviar al iPad algunas canciones. Hoy en día, es habitual tener colecciones de música que ocupan varios gigabytes, por lo que, dependiendo de la capacidad de almacenamiento del iPad (y del espacio libre, claro), es probable que sólo quiera copiar una parte de su biblioteca musical.

En ese caso, iTunes le ofrece cuatro opciones para seleccionar las canciones que quiera transferir: artista, género, álbumes y listas de reproducción. El significado de las tres primeras es obvio (aunque, en cualquier caso, encontrará todos los detalles de la sincronización de audio un poco más adelante en este capítulo), pero la última de las cuatro es la que permite controlar la sincronización de música con el iPad.

Una "lista de reproducción" es una colección de canciones que tienen alguna relación entre sí y podemos utilizar la biblioteca de iTunes para crear listas de reproducción personalizadas que incluyan sólo las canciones que queremos escuchar. Por ejemplo, puede crear una lista de reproducción de canciones de discoteca para reproducirlas durante una fiesta o celebración. O puede crear una lista de reproducción que contenga sus canciones favoritas.

Las listas de reproducción son el método perfecto para controlar la sincronización de música con el iPad, así que, antes de empezar a transferir canciones, considere la opción de crear unas cuantas listas de reproducción en iTunes. Como verá en las tres secciones que aparecen a continuación, existen tres tipos diferentes de listas: estándar, inteligentes y Genius.

Crear una lista de reproducción estándar

Una lista de reproducción estándar es aquélla que permite controlar las canciones que se incluyen en ella (a diferencia de las listas de reproducción inteligentes y Genius, que son automáticas, y de las que hablaremos en las dos secciones que aparecen a continuación). El mantenimiento de una lista de reproducción estándar implica más trabajo, pero nos proporciona control absoluto sobre su contenido.

Siga estos pasos para crear una lista de reproducción estándar:

1. Seleccione Archivo>Nueva lista de reproducción en iTunes. También puede pulsar las teclas **Control-N** (**Comando-N** en Mac) o hacer clic en el botón **Crear lista de reproducción** (**+**). iTunes añade un elemento nuevo a la sección LISTAS, en cuyo cuadro de texto podemos editar el nombre.

2. Escriba el nombre que quiere asignar a la lista de reproducción y pulse **Intro** o **Retorno**.

3. En la biblioteca Música de iTunes, localice la canción, álbum, artista o género que quiere incluir en la lista de reproducción.

4. Arrastre la canción, el álbum, el artista o el género hasta la lista de reproducción.

5. Repita los pasos 3 y 4 para llenar la lista de reproducción.

Truco

*Si está buscando un método más rápido para crear y llenar una lista de reproducción estándar, iTunes nos ofrece otra técnica que permite seleccionar algunas o todas las canciones por adelantado. Mantenga pulsada la tecla **Control** (**Comando** en Mac) y haga clic en cada canción que quiera incluir en la lista de reproducción. Cuando termine, seleccione Archivo>Nueva lista a partir de la selección o pulse las teclas **Control-Mayús-N** (**Comando-Mayús-N** en Mac).*

Crear una lista de reproducción inteligente

Una lista de reproducción estándar nos permite controlar su contenido. Por ejemplo, si hemos creado una lista de reproducción de un género musical en particular, cada vez que añadamos canciones nuevas de ese género tendremos que arrastrarlas hasta la lista de reproducción. O si asignamos un álbum o artista concretos a un género que es diferente del que tenemos en la lista de reproducción, tendremos que eliminar a mano el álbum o artista de la lista de reproducción.

Para evitar este tipo de inconveniente, podemos crear una "lista de reproducción inteligente". Las canciones que se incluyen en este tipo de lista tienen una o más propiedades en común: género, valoración, artista o texto del título de la canción. iTunes llena y mantiene la lista inteligente de forma automática. Por ejemplo, si creamos una lista de reproducción inteligente para un género concreto, cada vez que añadamos nuevas canciones de ese género, iTunes las incluye automáticamente en la lista. O si cambiamos el género de alguna canción de la lista de reproducción, iTunes la borra automáticamente de esa lista.

A continuación, aparecen los pasos que tiene que seguir para crear una lista de reproducción inteligente:

1. Seleccione Archivo>Nueva lista de reproducción inteligente. También puede pulsar **Control-Alt-N** (**Comando-Opción-N** en Mac) o mantener pulsada la tecla **Mayús** (**Opción** en Mac) y hacer clic en el botón **Crear lista de reproducción** (+). Aparecerá el cuadro de diálogo Lista de reproducción inteligente.

2. Defina las condiciones de la lista.

   - Utilice el primer menú desplegable para seleccionar el campo que quiere utilizar como primera condición.

   - Utilice el segundo menú desplegable para elegir un operador para la condición. Las opciones que aparezcan aquí dependerán del campo que hayamos seleccionado en el primer menú desplegable. Por ejemplo, si hemos seleccionado un campo de texto, los operadores disponibles serán contiene, no contiene, es, no es, empieza por y termina por; para un campo numérico, los operadores son es, no es, es mayor que, es menor que y está entre.

   - Utilice el tercer control (o conjunto de controles) para escribir los detalles de la condición. Estos controles también dependerán del tipo de campo, aunque en la mayoría de los casos verá un único cuadro de texto. Si selecciona está entre como operador, aparecerán dos cuadros de texto para que pueda introducir los valores de inicio y fin para ese rango.

3. Si quiere añadir otra condición, haga clic en el botón **Añadir** (+), que está situado a la derecha de los controles. iTunes añade otro conjunto de controles de condición al cuadro de diálogo.

4. Repita el paso 2 para especificar las opciones de la nueva condición.

5. Repita ahora los pasos 3 y 4 para añadir tantas condiciones como sea necesario. En la figura 8.1 puede ver un ejemplo del cuadro de diálogo de una lista de reproducción inteligente con cuatro condiciones.

6. Si quiere limitar la lista de reproducción a una duración determinada o a un número de canciones, seleccione la casilla de verificación Limitar a y especifique el límite:

- Escriba el número en el primer cuadro y después seleccione **minutos, horas MB, GB** o **elementos** en el primer menú desplegable.

- En el segundo menú desplegable, elija cómo quiere que se seleccionen las canciones. Por ejemplo, las canciones reproducidas con menos frecuencia, las que tienen la puntuación más alta o aleatoriamente.

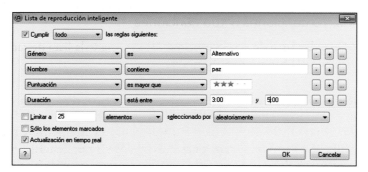

Figura 8.1. *Utilice el cuadro de diálogo Lista de reproducción inteligente para añadir las condiciones que definen la nueva lista de reproducción.*

7. Seleccione la casilla de verificación **Sólo los elementos marcados** si quiere incluir sólo las canciones cuyas casillas de verificación haya marcado. Este ajuste le permite desactivar la casilla de verificación de una canción para asegurarse de que no aparecerá en la lista inteligente.

8. Seleccione la casilla de verificación **Actualización en tiempo real** si quiere que iTunes actualice la lista de reproducción inteligente automáticamente.

9. Haga clic en **OK**. iTunes crea la lista de reproducción y aparece un cuadro de edición para escribir el nombre.

10. Escriba el nombre que quiera asignarle y pulse **Retorno** o **Intro**.

Crear una lista de reproducción Genius

Tal vez ya conozca la barra lateral Genius, que muestra canciones de la tienda iTunes Store similares a una canción concreta de su biblioteca. Una funcionalidad estrechamente relacionada es la lista de reproducción Genius: seleccionamos una canción de la biblioteca musical e iTunes crea una lista de reproducción con otras canciones de la biblioteca que son similares.

Siga estos pasos para configurar una lista de reproducción Genius:

1. En la biblioteca de música o en una lista de reproducción, seleccione la canción que quiere utilizar como punto de partida para la lista de reproducción Genius.

2. Haga clic en el botón **Iniciar Genius** situado en la esquina inferior derecha de la ventana de iTunes o en el icono **Genius** que aparece en el recuadro de reproducción en la parte superior central de la ventana.

3. iTunes crea la lista de reproducción Genius y empieza a reproducirla.

4. Para cambiar el número de canciones de la lista de reproducción, abra el menú desplegable Limitar a y después seleccione un número diferente: 25 canciones, 50 canciones, 75 canciones o 100 canciones.

5. Haga clic en **Guardar lista de reproducción**. iTunes añade la lista de reproducción a la sección GENIUS de la barra lateral izquierda.

Crear una lista de reproducción de canciones favoritas para el iPad

La biblioteca de su iTunes incluye un campo Puntuación que nos permite puntuar las canciones: desde una estrella para las canciones que no nos gustan demasiado, hasta cinco estrellas para nuestras melodías favoritas. Sólo tiene que hacer clic en la canción que quiere puntuar y después otro clic en un punto de la columna Puntuación (haga clic en el primer punto para añadir una estrella, en el segundo punto para dos estrellas y así sucesivamente).

Es útil puntuar canciones porque nos permite organizar nuestra música. Por ejemplo, la sección LISTAS incluye una lista de reproducción llamada Mis preferidas, que está formada por todas las canciones que haya puntuado con cuatro y cinco estrellas, ordenadas por mayor puntuación.

Puntuar canciones es especialmente práctico para cuando llega la hora de decidir qué música queremos seleccionar para llenar el iPad. Si tiene una colección de música decenas de gigas, sólo cabrán en el iPad algunas de las canciones que la integran. Más adelante, en este capítulo, explicamos cómo sincronizar las listas de reproducción que quiera escuchar en el iPad. Otra posibilidad es puntuar las canciones y sincronizar únicamente la lista de reproducción Mis preferidas.

El problema con la lista de reproducción Mis preferidas es que incluye sólo las canciones con cuatro y cinco estrellas. Puede transferir miles de canciones al iPad, pero es improbable que tenga miles de canciones puntuadas con cuatro estrellas o más. Para llenar su lista de reproducción tendrá que incluir también las canciones puntuadas con tres estrellas.

Tiene dos opciones:

• Modificar la lista de reproducción Mis preferidas: Haga clic con el botón derecho del ratón (o **Control-clic** en un Mac) en la lista Mis preferidas y, a continuación, haga clic en Editar lista de reproducción inteligente. En el cuadro de diálogo Mis preferidas, haga clic en la segunda estrella y haga clic en **OK**.

- Crear una nueva lista de reproducción: Ésta es la forma de proceder si quiere dejar la lista **Mis preferidas** tal y como está. Seleccione **Archivo>Nueva lista de reproducción inteligente** para abrir el cuadro de diálogo **Lista de reproducción inteligente**. Seleccione **Puntuación** en la lista de campos, seleccione **es mayor que** en la lista de operadores y haga clic en la segunda estrella. Haga clic en **OK**, escriba un título para la lista de reproducción (como, por ejemplo, **Canciones favoritas**) y pulse la tecla **Retorno** o **Intro**.

La próxima vez que sincronice el iPad, asegúrese de incluir la lista **Mis preferidas** o la lista de reproducción inteligente que acaba de crear.

⬤ ⬤ ⬤ SINCRONIZAR MÚSICA Y OTRO CONTENIDO DE AUDIO

La ingeniosa aplicación **iBooks** y el elegante navegador Safari acaparan la mayor parte de los elogios del iPad, pero muchos usuarios reservan sus críticas desfavorables para la aplicación **iPod**. Se trata de una aplicación muy versátil: reproduce música, por supuesto, pero también es compatible con audiolibros y *podcast* en cuanto al audio, y con vídeos, películas y programas de televisión, en lo que a vídeo se refiere.

El problema de toda esta excelencia digital es que el reproductor iPod puede llegar a ser demasiado versátil. Aun teniendo un iPad de 64 GB, tal vez encuentre ese espacio de almacenamiento un tanto limitado, especialmente si también utiliza el iPad para guardar fotos, contactos y calendarios y frecuenta las tiendas App Store e iBookstore.

Lo que quiere decir todo esto es que puede que tenga que prestar algo más de atención a la hora de sincronizar audio en el iPad y las secciones siguientes le enseñan a hacerlo.

Sincronizar música y videoclips

En el fondo, el iPad es un reproductor de música, así que seguramente haya transferido al iPad montones de canciones y videoclips. Para sacar el máximo partido a las capacidades de música y vídeo de la aplicación **iPod** tiene que conocer todos los métodos que existen para sincronizar estos elementos. Por ejemplo, si utiliza la aplicación **iPod** básicamente como reproductor de música y el iPad cuenta con más capacidad en el disco de la que necesita para toda su colección musical, no dude en transferir toda su música al reproductor.

También puede darse el caso de que su iPad no tenga mucho espacio libre o que simplemente quiera transferir ciertas canciones y vídeos, haciendo que la navegación sea más sencilla. Lo único que necesita es configurar iTunes para sincronizar únicamente aquellas canciones o listas de reproducción que seleccione.

Truco

Algo que me gusta mucho sobre la sincronización de las listas de reproducción es que es posible saber por adelantado cuánto espacio ocuparán en el iPad. En iTunes, haga clic sobre la lista de reproducción que quiera y observe la barra de estado. En ella verá el número de canciones que contiene, la duración total y, lo que más nos interesa en este momento, el tamaño total de la lista de reproducción.

Antes de seguir con la sincronización, tiene que conocer las tres formas de sincronizar música y videoclips manualmente:

- **Listas de reproducción:** Con este método especificamos las listas de reproducción que queremos sincronizar en iTunes. Esas listas aparecerán también en la aplicación iPod. Éste es, con mucho, el método más sencillo para sincronizar manualmente música y videoclips, porque lo normal es tener pocas listas de reproducción. Su inconveniente es que si tiene muchas listas y se queda sin espacio en el iPad, la única forma de solucionar el problema es eliminar una lista de reproducción completa. Otro inconveniente de este método es que sólo permite sincronizar todos los videoclips o ninguno.

- **Casillas de verificación:** Con este método especificamos qué canciones y videoclips se van a sincronizar seleccionando las pequeñas casillas de verificación que aparecen junto a cada canción o vídeo en iTunes. Aunque es un método que garantiza buenos resultados, requiere mucho trabajo si tenemos en cuenta que el iPad puede almacenar miles de canciones.

- **Arrastrar y soltar:** Este método consiste en arrastrar canciones o videoclips y soltarlos en el icono **iPad** de la lista DISPOSITIVOS de iTunes. Se trata de una forma fácil para copiar rápidamente unas cuantas canciones/vídeos, pero iTunes no puede controlar qué elementos hemos arrastrado y soltado.

Truco

¿Cómo se seleccionan sólo algunas pistas de una lista de reproducción muy extensa? ¿Hay que desactivar cientos de casillas de verificación? No, hay un método mejor: pulse **Control-A** *o* **Comando-A** *(Mac) para seleccionar todas las pistas, haga clic con el botón derecho del ratón (o* **Control-clic** *en un Mac) en una pista y seleccione* Eliminar marca de la selección. *iTunes desmarca esas canciones de la selección en un instante. Ahora puede seleccionar sólo las pistas que quiera.*

Siga estos pasos para sincronizar música y videoclips utilizando las listas de reproducción:

1. Conecte el iPad al ordenador.
2. En iTunes, haga clic en iPad en la lista DISPOSITIVOS.

3. Haga clic en la ficha Música.

4. Seleccione la casilla de verificación Sincronizar la música.

5. Si iTunes le pide confirmación para sincronizar la música, acepte.

6. Ahora seleccione la opción Listas de reproducción, artistas, álbumes y géneros seleccionados.

7. Seleccione la casilla de verificación que aparece al lado de cada lista de reproducción, artista, álbum y género que quiera sincronizar, como puede ver en la figura 8.2.

8. Seleccione la casilla de verificación Incluir vídeos musicales si también quiere añadir videoclips a la sincronización.

9. Seleccione la casilla Incluir notas de voz si también quiere incluir en la sincronización grabaciones de notas de voz que haya realizado en el iPad o en otro dispositivo.

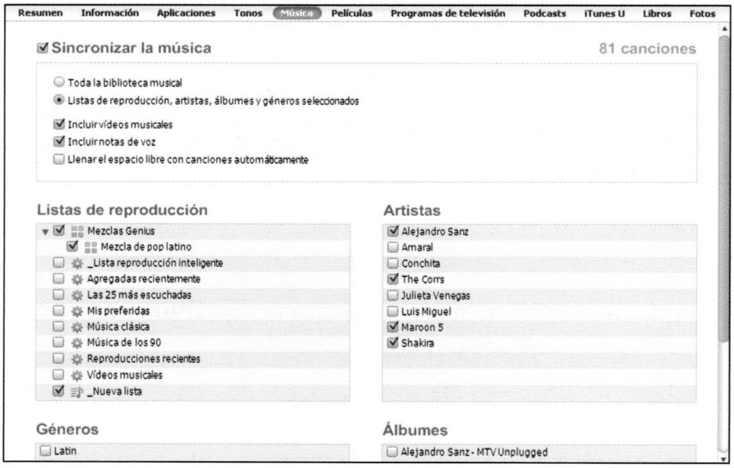

Figura 8.2. *Seleccione la opción Listas de reproducción, artistas, álbumes y géneros seleccionados y, a continuación, seleccione los elementos que quiere sincronizar.*

10. Si quiere que iTunes rellene el espacio libre del iPad con una selección de música de su biblioteca, seleccione la casilla de verificación Llenar el espacio libre con canciones automáticamente.

11. Haga clic sobre **Aplicar**. iTunes sincroniza el iPad teniendo en cuenta la nueva configuración.

Siga estos pasos para realizar la sincronización utilizando las casillas de verificación que aparecen junto a cada pista en la biblioteca Música de iTunes:

1. Haga clic en el iPad en la lista DISPOSITIVOS.

2. Haga clic en la ficha Resumen.

3. Seleccione la casilla de verificación Sincronizar sólo las canciones y vídeos seleccionados.

4. Haga clic en **Aplicar**. Si iTunes empieza a sincronizar el iPad, arrastre el regulador Cancelar en el iPad para detener la sincronización.

5. Haga clic en Música en la lista BIBLIOTECA o en una lista de reproducción que contenga las pistas que quiere sincronizar. Si la casilla de verificación de una pista está seleccionada, iTunes la sincroniza con el iPad. Si no está seleccionada, iTunes no sincroniza esa pista con el iPad; si la pista ya está en el iPad, iTunes la borra.

6. En la lista DISPOSITIVOS, haga clic en iPad.

7. Haga clic en la ficha Resumen.

8. Haga clic en **Sincronizar**. iTunes sincroniza únicamente las pistas seleccionadas.

También podemos configurar iTunes para que nos permita arrastrar pistas desde la biblioteca Música (o desde cualquier lista de reproducción) y soltarlas en el iPad. Para ello, haga lo siguiente:

1. En iTunes, haga clic en iPad en la lista DISPOSITIVOS.

2. Haga clic en la ficha Resumen.

3. Seleccione ahora la casilla de verificación Gestionar la música y los vídeos manualmente.

4. Haga clic en **Aplicar**. Si iTunes empieza a sincronizar el iPad, arrastre el regulador Cancelar en el iPad para detener la sincronización.

5. Haga clic en Música en la lista BIBLIOTECA o en una lista de reproducción que contenga las pistas que quiere sincronizar.

6. Seleccione las pistas que quiere sincronizar:

   • Si todas las pistas están juntas, pulse la tecla **Mayús** y haga clic en la primera pista, mantenga pulsado **Mayús** y haga clic en la última pista.

   • Si las pistas están separadas, mantenga pulsada la tecla **Control** (Windows) o **Comando** (Mac) y haga clic en cada pista.

7. Haga clic y arrastre las pistas seleccionadas hasta la lista DISPOSITIVOS y suéltelas en el icono **iPad**. iTunes sincroniza las pistas seleccionadas.

Advertencia

Si decide volver a sincronizar una lista de reproducción haciendo clic en la casilla de verificación Sincronizar la música *en la ficha* Música*, iTunes borrará todas las pistas que haya añadido al iPad con el método de arrastrar y soltar.*

Nota
Al seleccionar la casilla de verificación Gestionar la música y los vídeos manualmente, *iTunes desactiva automáticamente la casilla* Sincronizar la música *en la ficha* Música. *Pero iTunes no modifica la música del iPad: durante una sincronización después de arrastrar y soltar pistas, sólo se añaden las nuevas, no se borra ninguna que ya esté en el iPad.*

Sincronizar podcasts

En general, los *podcasts* son los elementos que presentan más problemas a la hora de sincronizar el iPad. No es que los *podcasts* en sí tengan ningún inconveniente; al contrario, son tan adictivos que no es extraño descargarlos por docenas. ¿Dónde está el problema entonces? En que la mayoría de *podcasts* profesionales ocupan, como mínimo, unos cuantos megabytes y, muchos de ellos, decenas de megas. Una colección extensa de *podcasts* puede ocupar rápidamente todo el espacio de almacenamiento disponible en el iPad. Una razón más para controlar los *podcasts* en el proceso de sincronización.

A continuación, explicamos cómo hacerlo:

1. Conecte el iPad al ordenador.

2. En iTunes, haga clic en iPad en la lista DISPOSITIVOS.

3. Haga clic en la ficha Podcasts.

4. Seleccione la casilla de verificación Sincronizar podcasts.

5. Si quiere que iTunes seleccione automáticamente algunos de los *podcasts*, seleccione la casilla Incluir automáticamente y continúe con los pasos 6 y 7. Si, por el contrario, prefiere seleccionar los *podcasts* manualmente, desactive la casilla y vaya al paso 8.

6. Elija una opción en el primer menú desplegable:

    *   **Todos los episodios:** Seleccione esta opción para sincronizar todos los *podcasts*.

    *   **Los X episodios más recientes:** Seleccione esta opción para sincronizar los X *podcasts* más recientes.

    *   **Todos los episodios no reproducidos:** Seleccione esta opción para sincronizar todos los *podcasts* que todavía no haya reproducido.

    *   **Los X episodios más recientes no reproducidos:** Seleccione esta opción para sincronizar los X *podcasts* más recientes que todavía no haya reproducido.

    *   **Los X episodios menos recientes no reproducidos:** Seleccione esta opción para sincronizar los X *podcasts* más antiguos que todavía no haya reproducido.

    *   **Todos los episodios nuevos:** Seleccione esta opción para sincronizar todos los *podcasts* publicados desde la última sincronización.

- **Los X episodios nuevos más recientes:** Seleccione esta opción para sincronizar los X *podcasts* más recientes publicados desde la última sincronización.

- **Los X episodios nuevos menos recientes:** Seleccione esta opción para sincronizar los X *podcasts* más antiguos publicados desde la última sincronización.

7. Seleccione una opción en el segundo menú desplegable:

- **Todos los podcasts:** Seleccione esta opción para aplicar la opción del paso 5 a todos los *podcasts*.

- **Los podcasts seleccionados:** Seleccione esta opción para aplicar la opción del paso 5 sólo a los *podcasts* seleccionados, como puede ver en la figura 8.3.

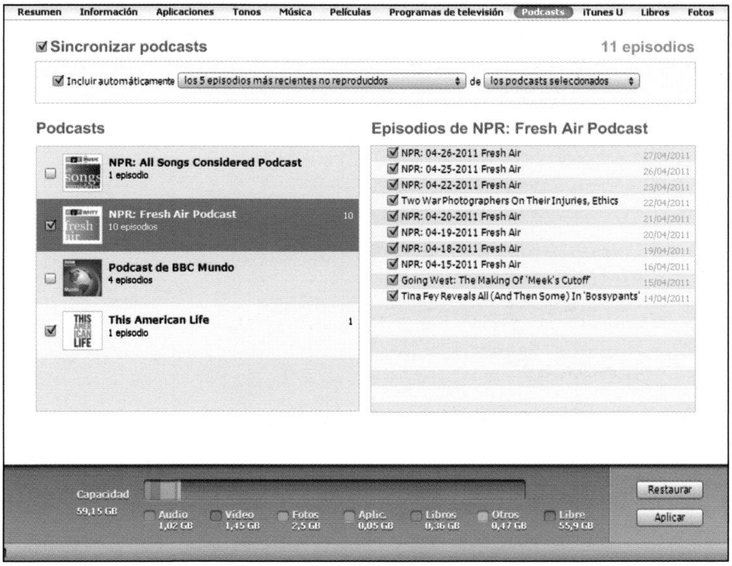

Figura 8.3. *Para sincronizar podcasts específicos, seleccione la opción "los podcasts seleccionados" y, a continuación, marque las casillas de verificación de los podcasts que quiera sincronizar.*

8. Seleccione la casilla de verificación situada junto a cada *podcast* o episodio de *podcast* que quiera sincronizar.

9. Haga clic en **Aplicar**. iTunes sincroniza el iPad utilizando la nueva configuración.

Nota

El episodio de un podcast *aparecerá como "no reproducido" si todavía no ha reproducido al menos una parte del mismo en iTunes o en el iPad. Si reproduce un episodio en el iPad, el reproductor envía esta información a iTunes en la siguiente sincronización. Y, lo que es mejor, el iPad también le hace saber a iTunes si detuvo el episodio en medio de la reproducción; cuando vuelva a reproducirlo en iTunes, éste comenzará en el punto en el cual lo haya dejado.*

Truco

Para marcar un episodio de un podcast *como no reproducido en iTunes, seleccione la biblioteca* Podcasts, *haga clic con el botón derecho (**Control-clic** en Mac) en el episodio y seleccione la opción* Marcar como no reproducido.

Sincronizar audiolibros

Los ajustes de sincronización del iPad en iTunes incluyen fichas para la música, las fotografías, los *podcasts* y los vídeos, pero no para los audiolibros. Esto se debe a que iTunes trata el contenido de los audiolibros como un tipo especial de lista de reproducción que, paradójicamente, no aparece en la sección LISTAS de iTunes. Para transferir audiolibros al iPad, siga estos pasos:

1. Conecte el iPad al ordenador.

2. En iTunes, haga clic en iPad en la lista DISPOSITIVOS.

3. Haga clic en la ficha Libros.

4. Seleccione la casilla de verificación Sincronizar audiolibros.

5. Seleccione la opción Audiolibros seleccionados.

6. Ahora seleccione la casilla de verificación situada junto a cada audiolibro que quiera sincronizar.

7. Haga clic en **Aplicar**. iTunes sincroniza los audiolibros con el iPad.

Si ha optado por gestionar manualmente la música y los vídeos, tiene que seleccionar la categoría Audiolibros de la biblioteca de iTunes y, a continuación, arrastrar y soltar en el iPad los audiolibros que quiera sincronizar.

⬤ ⬤ ⬤ APROVECHAR AL MÁXIMO LA APLICACIÓN IPOD

El iPad se convierte en un iPod gracias a la aplicación integrada iPod, que podemos utilizar en cualquier momento pulsando el icono **iPod** situado en la barra de menús de la pantalla de inicio.

Podemos navegar por la aplicación iPod utilizando la lista Biblioteca que aparece a la izquierda de la pantalla y que muestra varias opciones de contenido predeterminadas: Música, Podcasts, Audiolibros, iTunes U y Vídeos musicales. En cada tipo de contenido relacionado con la música aparecen también una serie de botones en la parte inferior de la pantalla: **Canciones**, **Artistas**, **Álbumes**, **Géneros** y **Autores**, y cada uno de ellos representa una colección de archivos multimedia organizados de alguna forma. Por ejemplo, si pulsa en el botón **Canciones** aparecerá una lista de las canciones del iPad o de la lista de reproducción seleccionada en ese momento.

Puntuar una canción en el iPad

Si usa las puntuaciones para ordenar sus canciones, tal vez se encuentre en alguna situación en la que quiera puntuar una canción mientras se está reproduciendo en el iPad:

- Si ha utilizado el iPad para descargar alguna canción desde la tienda iTunes Store y quiere puntuarla.

- Si está escuchando una canción en el iPad y decide que le ha asignado una puntuación demasiado alta o demasiado baja y quiere cambiarla.

En el primero de los casos, podría sincronizar la música con el ordenador y puntuarla en él; en el segundo, podría modificar la puntuación en el ordenador y, a continuación, sincronizarla con el iPad. Sin embargo, estas soluciones son poco prácticas puesto que tiene que esperar hasta que conecte el iPad con el ordenador. Si lo que quiere es puntuar la canción en el momento, puede hacerlo en el propio iPad:

1. Localice la canción que quiere puntuar y púlsela para reproducirla. Aparecerá la portada del álbum y el nombre del artista, de la canción y del álbum en la parte superior de la pantalla. Si no encuentra esta información, pulse la pantalla.

2. Pulse el icono **Detalles** que aparece en la esquina inferior derecha de la pantalla. El iPad voltea la portada del álbum y muestra una lista de las canciones que hay en él. Sobre esa lista aparecen los cinco puntos para puntuar la canción.

3. Pulse el punto que se corresponda con la puntuación que le quiera dar a la canción. Por ejemplo, para darle una puntuación de cuatro estrellas, pulse el cuarto punto empezando por la izquierda, como puede ver en la figura 8.4.

4. Pulse el icono de la portada del álbum que aparece en la esquina inferior derecha de la pantalla. El iPad guarda la puntuación y vuelve a la vista de la portada.

La próxima vez que sincronice el iPad con el ordenador, iTunes se percatará de las nuevas puntuaciones y las aplicará a las mismas canciones en la biblioteca de iTunes.

Crear una lista de reproducción en el iPad

Las listas de reproducción que tenemos en el iPad son las que hemos sincronizado a través de iTunes y, o bien se generan de forma automática en iTunes, o las hemos creado nosotros mismos. Sin embargo, cuando estamos fuera de casa escuchando música, puede que se nos ocurra una idea distinta para una colección de canciones.

Figura 8.4. *Pulse el punto que se corresponda con la puntuación que quiera asignarle a la canción.*

No importa cuál sea su fuente de inspiración, no se limite a seleccionar y escuchar todas las canciones de una en una. Puede utilizar el iPad para crear una lista de reproducción sobre la marcha. Para crear una lista de reproducción utilizando la aplicación iPod siga estos pasos:

1. Abra la aplicación iPod.

2. Pulse **Añadir lista de reproducción** (el icono **+** que aparece en la esquina inferior izquierda de la pantalla). Aparecerá el cuadro de diálogo Nueva lista.

3. Escriba el nombre de la lista de reproducción y haga clic en **Guardar**. Aparecerá la pantalla Añadir canciones a la lista..., que contiene una lista con todas nuestras canciones. También puede hacer clic en los botones de búsqueda para examinar su colección de música.

4. Desplácese por la lista y pulse el icono azul **+** que aparece al lado de cada canción que quiera añadir a la lista. El iPad sombrea la canción cuando la añadimos, como puede ver en la figura 8.5.

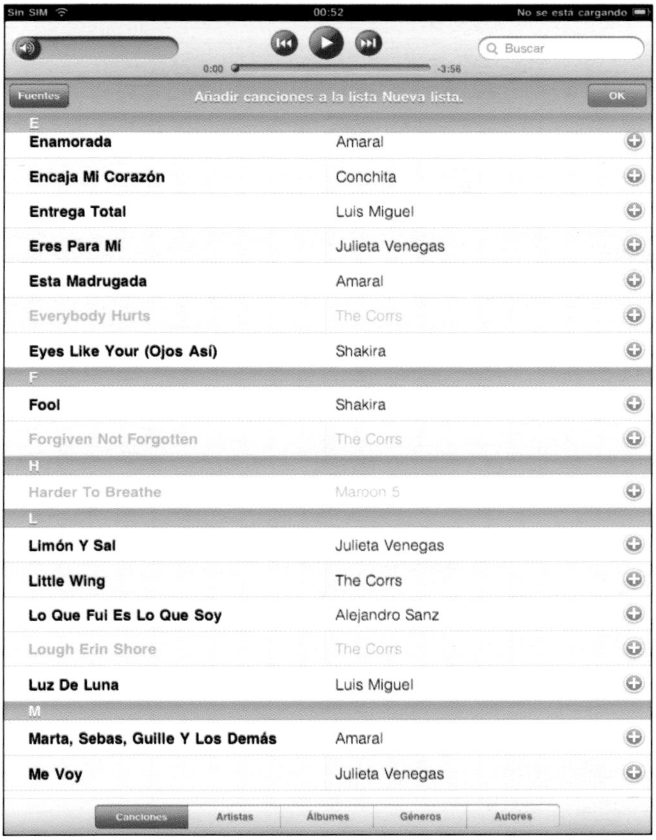

Figura 8.5. *Pulse los iconos azules + para añadir canciones a la lista de reproducción.*

5. Cuando haya añadido todas las canciones, pulse sobre **OK**. Aparecerá entonces la lista de reproducción.

Una lista de reproducción no es inalterable. Podemos añadir o eliminar canciones y cambiarles el orden. Siga estos pasos:

1. Abra la aplicación iPod.

2. Pulse la lista de reproducción.

3. Pulse **Canciones**. Aparecerán las canciones que forman la lista de reproducción.

4. Pulse **Editar**. Aparecerá la versión editable de la lista, tal y como puede observar en la figura 8.6.

5. Para eliminar una canción, pulse el icono rojo de eliminación que aparece a la izquierda de la canción y después pulse el botón **Eliminar**. Si cambia de opinión antes de eliminar la canción, pulse el icono de eliminación de nuevo para cancelar la eliminación.

6. Para mover una canción dentro de la lista de reproducción, deslice el icono formado por tres líneas horizontales que aparece a la derecha de cada canción hacia arriba o hacia abajo.

7. Para añadir más pistas, pulse el botón **Añadir canciones** y después pulse el icono azul **+** que aparece al lado de cada canción.

8. Cuando termine pulse **OK**. La lista de reproducción ya está configurada.

Nota

*Si la lista de reproducción es un lío o simplemente cambia de opinión, puede entonces eliminar la lista de reproducción y volver a empezar. Pulse la lista de reproducción, pulse **Editar** y, a continuación, pulse el icono rojo de eliminar que aparece a la izquierda del nombre de la lista de reproducción. Pulse el botón **Eliminar** y, después, cuando el iPad le pida confirmación, pulse **Eliminar**.*

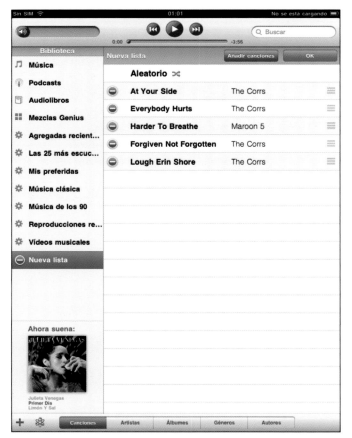

Figura 8.6. *Una lista de reproducción en el modo de edición.*

Crear una lista de reproducción Genius en el iPad

Hemos visto anteriormente cómo crear una lista de reproducción Genius en iTunes. También puede utilizar esta característica mágica en el iPad.

Así es cómo se crea una lista de reproducción Genius:

1. Haga clic en el botón **Iniciar Genius** que aparece en la esquina inferior izquierda de la ventana de la aplicación.
2. Pulse la canción que quiera utilizar como base para la lista de reproducción Genius.
3. iTunes crea la lista de reproducción Genius y empieza a reproducirla.
4. Haga clic en **Guardar**. iTunes añade la lista de reproducción a la barra lateral y puede pulsar la lista para ver las canciones que la forman. En la figura 8.7 puede observar un ejemplo.

Figura 8.7. *Ejemplo de lista de reproducción Genius.*

En la pantalla de Genius puede realizar las siguientes acciones con su recién creada lista de reproducción:

- Pulse **Actualizar** para crear de nuevo la lista de reproducción.

- Pulse una canción para reproducirla.

- Pulse **Guardar** para guardar la lista de reproducción.

- Pulse **Nueva** para crear una nueva lista de reproducción Genius.

Escuchar música de una biblioteca compartida en iTunes

iOS 4.3

Puede que ya conozca una característica de iTunes llamada Compartir en casa, que nos permite compartir la biblioteca de iTunes con otras personas de nuestra red, siempre y cuando estén registrados con la misma cuenta de Apple ID. Con iOS 4.3, Compartir en casa llega al iPad, lo cual significa que podemos utilizarlo para acceder de forma inalámbrica a la biblioteca de iTunes almacenada en un Mac o en un PC.

Para utilizar esta característica hay que activarla en primer lugar en iTunes. Para ello siga estos pasos:

1. En iTunes, seleccione Avanzado>Activar "Compartir en casa". iTunes le pedirá la contraseña de su cuenta de Apple.

2. Escriba su ID de Apple y su contraseña.

3. Haga clic sobre **Crear "Compartir en casa"**. iTunes configura la biblioteca para compartirla.

4. Haga clic en **Aceptar**.

Truco

Por defecto, iTunes comparte la biblioteca con el nombre "Biblioteca de usuario", donde usuario *es el primer nombre de la cuenta de usuario actual. Para cambiarlo, seleccione* Edición>Preferencias, *haga clic en la ficha* General *y después utilice el cuadro de texto* Nombre de la biblioteca *para escribir el nuevo nombre de la biblioteca.*

Una vez que la biblioteca de iTunes ya está configurada para compartir, la siguiente tarea es configurar esta característica en el iPad con la misma ID y contraseña de Apple. Siga estos pasos:

1. En la pantalla de inicio del iPad pulse **Ajustes** para abrir la aplicación Ajustes.

2. Pulse **iPod** para abrir la pantalla iPod.

3. En la sección **Compartir en casa** utilice las casillas **ID de Apple** y **Contraseña** para escribir la información de la misma cuenta que ha utilizado para configurar **Compartir en casa** en iTunes.

Ahora abra la aplicación **iPod** y pulse el icono de una casa que aparece a la izquierda de **Biblioteca**, en la esquina superior izquierda de la ventana de la aplicación. Como puede ver en la figura 8.8, en la aplicación aparece el cuadro de diálogo **Compartir en casa**, que enumera las bibliotecas compartidas que hay disponibles. Pulse la biblioteca a la que quiera acceder y el iPod mostrará los archivos multimedia de esa biblioteca en vez de los de su iPad.

Figura 8.8. *Con la característica Compartir en casa activada en iTunes y en el iPad, pulse Biblioteca para ver una lista de las bibliotecas compartidas que hay disponibles.*

Utilizar AirPlay para transferir audio al iPad

iOS 4.3 Si tiene un dispositivo Apple TV compatible con AirPlay, puede utilizar AirPlay para transmitir audio desde el iPad al televisor u otro dispositivo de audio. Siga estos pasos:

1. Asegúrese de que Apple TV está encendido.

2. En el iPad, empiece a reproducir el audio que quiera transferir.

3. Pulse la pantalla para que aparezcan los controles.

4. Pulse el icono **AirPlay**, que aparece a la izquierda de la información de la canción que se está reproduciendo. Aparecerán varias opciones de salida, como ve en la figura 8.9.

5. Pulse el nombre del dispositivo Apple TV. El iPad transfiere el vídeo a ese dispositivo y, por tanto, a su televisor o receptor.

Figura 8.9. *Mientras reproduce audio, pulse la pantalla y pulse el icono AirPlay para transferir el audio a su dispositivo Apple TV.*

⬤ ⬤ ⬤ APROVECHAR AL MÁXIMO LAS CARACTERÍSTICAS DE AUDIO DEL IPAD

Para terminar este viaje por las características de audio del iPad, en el resto del capítulo veremos unas cuantas técnicas útiles para exprimirlo un poco más: canjear tarjetas o vales de regalo de iTunes, utilizar accesorios de audio y personalizar los ajustes de audio del iPad.

Canjear una tarjeta de regalo de iTunes

Si ha tenido la suerte de recibir una tarjeta de regalo de iTunes puede canjearla en el ordenador. Pero si no está en su ordenador y quiere canjearla, no se preocupe: puede hacerlo en el iPad. Siga estos pasos:

1. En la pantalla de inicio pulse **iTunes** para abrir la aplicación iTunes.

2. Pulse **Música** en la barra de menús.

3. Desplácese hasta la parte inferior de la pantalla y pulse **Canjear**. Aparecerá el cuadro de diálogo Canjear, que puede ver en la figura 8.10.

Figura 8.10. Utilice la pantalla Canjear para canjear una tarjeta o vale de regalo.

4. Utilice el cuadro Código para escribir el código de la tarjeta o vale de regalo.

5. Pulse **Canjear**. iTunes le preguntará si quiere registrarse con su cuenta.

6. Regístrese. iTunes le pedirá la contraseña de la cuenta.

7. Escriba la contraseña de iTunes y pulse **OK**. iTunes canjea el código y aparecerá el balance actual de su cuenta.

Utilizar accesorios de audio con el iPad

Cuando Apple lanzó al mercado el iPad, también presentó algunos accesorios: una base Dock, un teclado y una funda. Como es normal, otros distribuidores también quieren entrar en este mercado, por eso existen gran cantidad de accesorios: auriculares (con cables o Bluetooth), altavoces externos, transmisores FM y todo tipo de fundas, *kits* de coche, cables, etc. Hay muchos sitios Web que venden accesorios para el iPad; los que aparecen a continuación son mis preferidos:

- **Apple:** www.apple.com/es/ipad/accessories/.
- **Belkin:** www.belkin.com/iPad/.
- **Griffin:** www.griffintechnology.com/devices/iPad/.
- **NewEgg:** www.newegg.com/.
- **EverythingiCafe:** http://store.everythingicafe.com/.

Tenga en cuenta los siguientes aspectos a la hora de comprar y utilizar accesorios de sonido para el iPad:

- **Busque el logotipo:** A pesar de que incluye la aplicación iPod, el iPad no es un iPod disfrazado de tableta táctil. Es un dispositivo completamente diferente y no es compatible con muchos accesorios para iPod. Para asegurarse de que lo que está comprando es compatible con el iPad, busque el logotipo "Works with iPad" (Compatible con iPad).

- **Auriculares y cascos:** El iPad tiene un puerto estándar para conectar los auriculares, así que prácticamente cualquier auricular que utilice un conector de este tipo será compatible con el iPad, sin que sea necesario un adaptador.

- **Altavoces externos:** También puede utilizar el puerto de los auriculares para conectar unos altavoces externos. Si tiene una base Dock o el teclado para iPad de Apple, ambos tienen un puerto de salida de audio que puede usar para conectar los altavoces. También existen altavoces externos inalámbricos que puede enlazar con el iPad.

- **Transmisores FM:** Este accesorio es imprescindible para los viajes en coche porque envía la salida del iPad a una estación FM, que se reproduce a través del equipo de sonido del coche. Los transmisores FM compatibles con el iPod no suelen funcionar con el iPad, así que tendrá que buscar uno diseñado específicamente para el iPad.

- **Interferencias electrónicas:** El iPad es un transmisor (de Wi-Fi, Bluetooth y, en algunos casos, de señales 3G), por lo que genera un pequeño campo de interferencias electrónicas y es necesario ponerlo en Modo Avión a la hora de viajar por aire (véase el capítulo 1). Esas interferencias pueden tener consecuencias en altavoces y transmisores FM cercanos. Por eso, si oye interferencias mientras reproduce audio, ponga el iPad en Modo Avión para solucionar el problema.

Personalizar los ajustes de audio del iPad

Aunque no son muchos los cambios que se pueden realizar en el iPad en lo referente al audio, podemos modificar algunos ajustes.

Siga estos pasos:

1. Pulse el botón **Inicio** para acceder a la pantalla de inicio.

2. Pulse el icono **Ajustes**. Aparecerá la pantalla Ajustes.

3. Pulse el icono **iPod**. Aparecerá la pantalla de ajustes para la aplicación iPod.

Hay cuatro ajustes disponibles:

*   **Ajuste de volumen:** Cada canción se graba con distintos niveles de sonido, por lo que es normal tener unas canciones con el volumen más alto que otras. Con este ajuste puede hacer que su iPad reproduzca todas las canciones con el mismo volumen. Esta funcionalidad afecta únicamente al nivel de base de la música, por lo que no afectará a los graves y los agudos. Si utiliza esta opción, no tendrá que volver a preocuparse por tener que bajar el volumen de una canción que está grabada con un volumen excesivo. Para activarlo pulse el regulador **Ajuste de volumen**.

*   **Ecualizador:** Este ajuste controla el ecualizador integrado del iPad, que en realidad es una lista de niveles de frecuencia predefinidos que afectan a la salida de audio. Cada ajuste predefinido está diseñado para un tipo de audio específico: voces, radio, música clásica, rock, hip-hop, etc. Para activar este ajustes, pulse **Ecualizador** y seleccione el ajuste predefinido que quiere utilizar; para desactivarlo, pulse **No**.

*   **Límite de volumen:** Utilice este ajuste para evitar que el volumen máximo del iPad sea demasiado alto y que sea perjudicial para sus oídos (o para los de otras personas). Seguro que sabe que no debe tener el volumen muy alto cuando escuche música a través de auriculares. Sin embargo, cuando escuchamos una canción que nos gusta es muy tentador subir el volumen al máximo. Si no puede resistir esta tentación, utilice este ajuste para reducir los posibles daños. Pulse **Límite de volumen** y arrastre el regulador **Volumen** hasta el nivel máximo permitido.

*   **Información y letra:** Deje este ajuste activado para ver información adicional sobre las canciones y los *podcasts* al hacer clic en el icono **Detalles** en la aplicación iPod. Por ejemplo, si añade letras a una canción en iTunes (haga clic con el botón derecho en la canción, después en **Obtener información** y, por último, en la ficha **Letras**), verá esas letras en la vista de detalles.

Truco

*Si está configurando un iPad para una persona joven, es recomendable establecer el límite de volumen. Y puede evitar que esa persona modifique el límite establecido desde la pantalla Límite de volumen. Para ello, pulse **Bloquear límite de volumen** y, en la pantalla Ajustar código, escriba la contraseña de cuatro dígitos; vuelva a escribirla de nuevo para confirmarla. De esta forma, deshabilitará el regulador Volumen en la pantalla Límite de volumen.*

Capítulo 9

APROVECHAR AL MÁXIMO LAS FUNCIONALIDADES DE REPRODUCCIÓN DE VÍDEO EN EL IPAD

La búsqueda del reproductor portátil multimedia perfecto ha durado mucho tiempo. Parece que hemos resuelto brillantemente la cuestión del audio con la aparición del iPod e incluso con el iPhone. Sin embargo, la cuestión del vídeo ha sido más problemática: los reproductores específicos de vídeo eran demasiado específicos y las herramientas más versátiles como el iPod Touch y el iPhone eran demasiado pequeños para ver bien los vídeos, especialmente si hay más de una persona implicada en la visualización. El iPad es una apuesta por la perfección portátil multimedia: es grande, tiene una pantalla de alta definición y una interfaz táctil, es compatible con YouTube y, ahora, el iPad 2 puede grabar vídeo. Este capítulo analiza las funcionalidades de vídeo que ofrece el iPad.

SINCRONIZAR VÍDEOS

Aunque podemos utilizar la aplicación **iTunes** en el iPad para alquilar películas o comprar películas, programas de televisión y videoclips, lo más probable es que la mayor parte de su colección de vídeo esté almacenada en el ordenador. Si le resulta poco atractivo ver cualquiera de esos vídeos sentado en la oficina frente al ordenador, puede transferirlos al iPad para verlos más cómodamente. En las siguientes secciones aparecen todos los detalles.

Convertir contenido de vídeo en un formato compatible con el iPad

El iPad es compatible con los vídeos, pero sólo con determinados formatos. Ésta es la lista:

- Vídeo H.264, hasta 720 píxeles, 30 fotogramas por segundo, H.264 Main Profile Level 3 con AAC-LC audio hasta 160 Kbps, 48 kHz, sonido estéreo en M4V, MP4, y formatos de archivo MOV.

- Vídeo MPEG-4, hasta 2,5 Mbps, 640×480 píxeles, 30 fotogramas por segundo, Simple Profile con AAC-LC audio hasta 160 Kbps, 48 kHz, sonido estéreo en M4V, MP4, y formatos de archivo MOV.

Si tiene un archivo de vídeo que no esté en ninguno de estos formatos, seguro que está pensando que tiene mala suerte. No se preocupe, puede utilizar iTunes para convertir ese vídeo al formato MPEG-4 que sí es compatible con el iPad. Siga estos pasos:

1. Si el archivo de vídeo todavía no está en iTunes, seleccione Archivo>Añadir archivo a la biblioteca o pulse **Control-O** (**Comando-O** en Mac). Aparecerá el cuadro de diálogo Agregar a la biblioteca. Si el archivo ya está en iTunes, vaya al paso 3.

2. Localice y seleccione el archivo de vídeo y haga clic en **Abrir**. iTunes copia el archivo en la biblioteca, proceso que puede llevar un tiempo dependiendo del tamaño del archivo de vídeo. En la mayoría de los casos, iTunes añade el vídeo a la sección Películas de la biblioteca.

3. En iTunes, haga clic en la película.

4. Seleccione Avanzado>Crear versión del iPad o el Apple TV. iTunes empieza a convertir el vídeo a formato MPEG-4. Este proceso puede tardar bastante aunque se trate de vídeos relativamente pequeños. Cuando termine la conversión, aparecerá una copia del vídeo original en la biblioteca del iTunes.

Truco

*El vídeo convertido tiene el mismo nombre que el original, así que es recomendable cambiarle el nombre a uno de ellos para diferenciarlos claramente a la hora de sincronizar el iPad. Para distinguir cada archivo, haga clic con el botón derecho del ratón o (**Control-clic** en Mac) en uno de los vídeos y haga clic en Obtener información. En la ficha Resumen, sólo tiene que fijarse en el valor Tipo. El archivo compatible con el iPad tendrá la información "archivo de vídeo MPEG-4".*

Sincronizar películas

La pantalla del iPad es grande (9,7 pulgadas en diagonal) y nítida (resolución de 1.034 × 768 a 132 píxeles por pulgada), lo que lo convierte en el dispositivo ideal para ver cualquier tipo de vídeos. El principal inconveniente de las películas es que su tamaño suele ser bastante grande, incluso las películas que duran unos minutos tienen varios megabytes y las películas normales tienen varios gigabytes. Es evidente que hay que gestionar correctamente las películas para evitar que el iPad se quede sin espacio para otro tipo de contenido.

Sincronizar películas alquiladas

Si ha alquilado una película en iTunes puede moverla al iPad y verla allí. Tenga en cuenta que estamos moviendo la película alquilada, no la copiamos. Podemos almacenar películas alquiladas en una sola ubicación, así que sincronizar la película con el iPad ya no estará disponible en el ordenador.

Siga estos pasos para sincronizar una película alquilada con el iPad:

1. Conecte el iPad al ordenador.

2. En iTunes, haga clic en iPad en la lista DISPOSITIVOS.

3. Haga clic en la ficha Películas.

4. En la sección Películas alquiladas que puede observar en la figura 9.1, haga clic sobre el botón **Trasladar** que aparece al lado de la película alquilada que quiera transferir al iPad. iTunes añade la película a la lista En "iPad" (donde iPad es el nombre de su iPad).

5. Haga clic en **Aplicar**. iTunes sincronizará el iPad utilizando los nuevos ajustes.

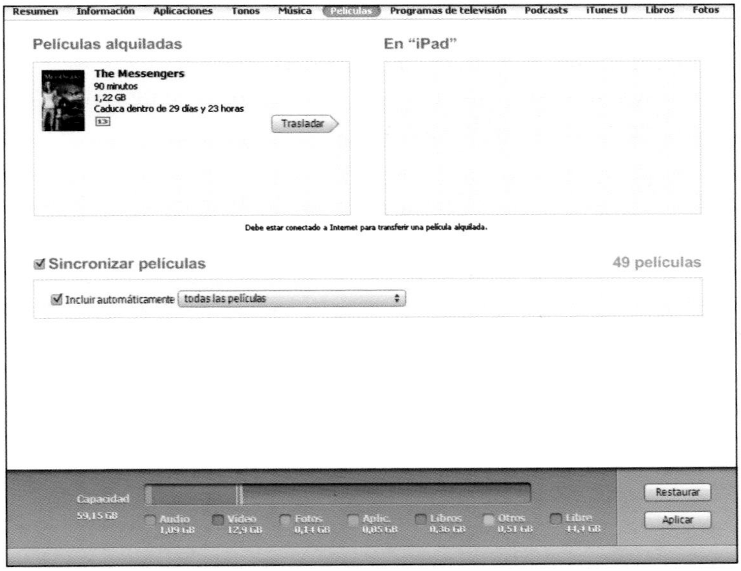

Figura 9.1. *En la sección Películas alquiladas de la ficha Películas, haga clic en Trasladar para transferir una película alquilada al iPad.*

Sincronizar películas compradas o descargadas

Si ha comprado una película en iTunes o ha añadido un vídeo a la biblioteca, siga estos pasos para sincronizar todos estos elementos, o algunos de ellos, con el iPad:

1. Conecte el iPad al ordenador.

2. En iTunes, haga clic en iPad en la lista DISPOSITIVOS.

3. Haga clic en la ficha Películas.

4. Seleccione la casilla de verificación Sincronizar películas.

5. Si quiere que iTunes seleccione algunas películas automáticamente, seleccione la casilla de verificación Incluir automáticamente y vaya al paso 6. Si prefiere seleccionar todas las películas de forma manual, desactive la casilla de verificación Incluir automáticamente y vaya al paso 7.

6. Seleccione una opción en el menú desplegable:

   - **Todas las películas**: Seleccione esta opción si quiere sincronizar todas las películas.

   - **Las X películas más recientes**: Seleccione esta opción si quiere sincronizar las X películas más recientes que haya añadido a iTunes.

   - **Todas las películas no vistas**: Seleccione esta opción para sincronizar todas las películas que no haya visto todavía.

   - **Las X películas más recientes no vistas**: Seleccione esta opción para sincronizar las X películas más recientes que no haya visto todavía.

   - **Las X películas menos recientes no vistas**: Seleccione esta opción para sincronizar las X películas más antiguas que no haya visto todavía.

7. Seleccione la casilla de verificación que aparece al lado de la película que quiera sincronizar, tal y como puede ver en la figura 9.2.

8. Haga clic ahora sobre **Aplicar**. iTunes sincroniza entonces el iPad utilizando los nuevos ajustes.

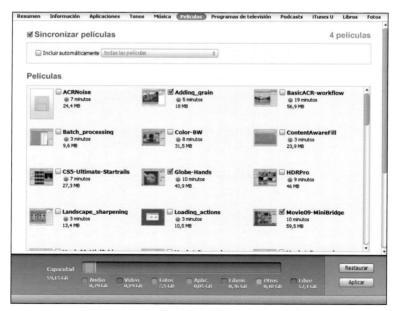

Figura 9.2. *En la ficha Películas, seleccione Sincronizar películas y marque las películas que quiere sincronizar.*

Nota

Una película es "no vista" si no la ha visto todavía en iTunes ni en el iPad. Si ha visto una película en el iPad, el reproductor envía esta información a iTunes la próxima vez que los sincronice.

Truco

Para marcar una película como no vista, seleccione la biblioteca Películas *en iTunes, haga clic con el botón derecho del ratón (**Control-clic** en Mac) en la película y seleccione* Marcar como no visto.

Sincronizar programas de televisión

Si el iPad está a punto de llenarse con unas cuantas películas largas, seguramente el riesgo sea mayor si se trata de varios programas de televisión. Un programa de televisión de media hora ocupa aproximadamente 250 MB, por lo que una colección modesta de programas ocupa muchos gigabytes del precioso espacio libre del iPad.

Esto significa que es crucial supervisar la colección de programas de televisión y sincronizar sólo los programas que necesitemos.

Por suerte, iTunes tiene un conjunto de herramientas decente para solucionar esta cuestión:

1. Conecte el iPad al ordenador.

2. En iTunes, haga clic en iPad en la lista DISPOSITIVOS.

3. Haga clic en la ficha Programas de televisión.

4. Seleccione la casilla de verificación Sincronizar programas de televisión.

5. Si desea que iTunes seleccione algunos de los programas de forma automática, seleccione la casilla de verificación Incluir automáticamente y siga con los pasos 6 y 7. Si prefiere seleccionar todos los episodios manualmente, desactive la casilla de verificación Incluir automáticamente y vaya al paso 8.

6. Seleccione una opción en el menú desplegable:

   - Todos los episodios: Seleccione esta opción para sincronizar todos los programas de televisión.

   - Los X más recientes: Seleccione esta opción para sincronizar los X episodios más recientes.

   - Todos los episodios no vistos: Seleccione esta opción para sincronizar todos los episodios que no ha visto todavía.

- **Los X programas no vistos más recientes:** Seleccione esta opción para sincronizar los X programas más recientes que no haya visto todavía.

- **Los X programas no vistos más antiguos:** Seleccione esta opción para sincronizar los X programas más antiguos que no haya visto todavía.

7. Seleccione una opción en el segundo menú desplegable:

- **Todos los programas:** Seleccione esta opción para aplicar la opción del paso 5 a todos los programas de televisión.

- **Los programas seleccionados:** Seleccione esta opción para aplicar la opción del paso 5 sólo a los programas de televisión que seleccione, como puede ver en la figura 9.3.

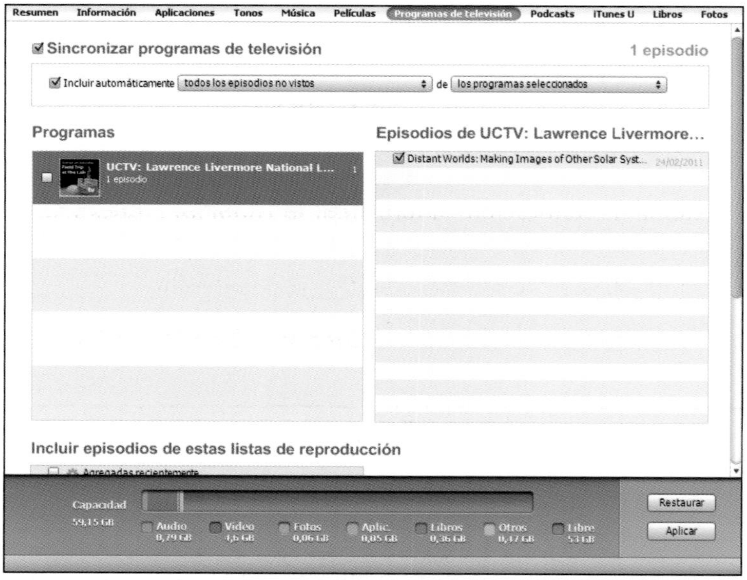

Figura 9.3. *Para sincronizar programas de televisión específicos, seleccione la opción Los programas seleccionados y después seleccione las casillas de verificación de cada programa que quiera sincronizar.*

8. Seleccione la casilla de verificación que aparece al lado de cada programa de televisión o episodio que quiera sincronizar.

9. Haga clic en **Aplicar**. iTunes sincroniza el iPad utilizando los nuevos ajustes.

Nota

Un programa de televisión es "no visto" si no lo ha visto todavía en iTunes ni en el iPad. Si reproduce un programa en el iPad, el reproductor envía esta información a iTunes la próxima vez que los sincronice.

Truco

Para marcar un programa de televisión como no visto, seleccione la biblioteca Programas de televisión *en iTunes, haga clic con el botón derecho del ratón (**Control-clic** en Mac) en el episodio y seleccione* Marcar como no visto.

Sincronizar vídeos musicales

En iTunes no encontrará ninguna opción para sincronizar los vídeos musicales en la ficha Películas. Esto se debe a que buscamos la parte "vídeo" de "vídeo musical"; iTunes, por el contrario, prioriza la parte "musical": considera los vídeos musicales como música en lugar de verlos como películas. Por eso, para incluir los vídeos musicales en el proceso de sincronización, tiene que ir a la ficha Música, como se describe en los pasos siguientes:

1. Conecte el iPad al ordenador.

2. En iTunes, haga clic en iPad en la lista DISPOSITIVOS.

3. Haga clic en la ficha Música.

4. Seleccione la casilla de verificación Sincronizar la música. iTunes solicita confirmación.

5. Seleccione la casilla de verificación Incluir vídeos musicales.

6. Haga clic en **Aplicar**. iTunes incluye los vídeos musicales en la sincronización del iPad.

Truco

Si ha descargado un vídeo musical de la Web y lo ha importado a iTunes (seleccionando Archivo>Importar*), iTunes lo añadirá a la biblioteca* Películas*. Para cambiarlo a la biblioteca* Música*, abra la biblioteca* Películas*, haga clic con el botón derecho (o pulse **Control-clic** en Mac) en el vídeo musical y haga clic en* Obtener información*. Haga clic en la ficha* Opciones *y en la lista* Tipo de soporte *seleccione* Vídeo musical*. Haga clic en **OK***. iTunes traslada el vídeo musical a la biblioteca* Música.

⬤ ⬤ ⬤ APROVECHAR AL MÁXIMO LAS FUNCIONALIDADES DE VÍDEO DEL IPAD

Cuando tenga unas cuantas películas en el iPad, ya puede empezar a disfrutar de la experiencia de vídeo. Conecte los auriculares y que comience el espectáculo. En las siguientes secciones explicamos unas cuantas técnicas y consejos para que pueda aprovechar un poco más las capacidades de vídeo que ofrece el iPad.

Reproducir vídeos, películas y programas de televisión

Lo ideal es ver todos los vídeos sentados en un cómodo sofá situado frente a un televisor de pantalla plana y con un sistema de sonido de última generación. Lamentablemente, todo ese equipamiento no es muy portátil. Pero el iPad sí que lo es y podemos llevarlo con nosotros a todas partes. Además, tiene una bonita pantalla, con lo que tenemos un estupendo reproductor de vídeo portátil.

Para ver un vídeo en el iPad, siga estos pasos:

1. Pulse el icono **Vídeos** en la pantalla de inicio. Aparecerá la aplicación Vídeos.

2. Ahora pulse la ficha para el tipo de vídeo que quiera reproducir: Alquileres, Películas, Programas de TV, Podcasts, Vídeos musicales o iTunes U.

3. Pulse el vídeo que quiera reproducir. El iPad muestra información sobre él; si selecciona un programa de televisión o bien un *podcast*, también aparecerá una lista con los episodios.

4. Elija qué quiere ver:

   - Una película o un vídeo musical enteros, o todos los episodios de un programa de televisión o de un *podcast*. Pulse el botón **Reproducir**.

   - El capítulo de una película. Pulse **Capítulos** para ver una lista de los capítulos de la película y, después, pulse el capítulo que quiera ver.

   - Un episodio de un programa de televisión o de un *podcast*. Seleccione el episodio que quiera ver.

5. Gire el iPad para colocarlo en posición horizontal.

Al reproducir un vídeo en el iPad por primera vez, puede que piense que no tiene ningún control sobre la reproducción, ya que no hay controles a la vista. Por suerte, Apple se dio cuenta de que ver una película con un grupo de controles en pantalla empeoraría bastante la experiencia; por eso, los botones están ocultos.

Podemos hacer que aparezcan pulsando la pantalla, como puede ver en la figura 9.4. Cuando termine de utilizar los controles, vuelva a pulsar la pantalla para ocultarlos.

Los controles son los siguientes:

- **Barra de progreso**: En esta barra puede ver el progreso de la reproducción. La bola blanca muestra la posición actual y puede arrastrarla hacia la izquierda (para rebobinar) o hacia la derecha (para avanzar). A la derecha de la barra aparece el tiempo restante del vídeo y, a la izquierda, el tiempo transcurrido.

Figura 9.4. *Pulse el vídeo para ver los controles de reproducción.*

- **Ajustar a pantalla/Pantalla completa**: Este botón, situado en la esquina superior derecha de la pantalla, cambia entre pantalla completa, que recorta los bordes exteriores del vídeo, y ajusta el vídeo al ancho de la pantalla, lo que le da una apariencia *letterbox* con franjas negras encima y debajo de la imagen.

- **Anterior**: Pulse este botón (la flecha apuntando a la izquierda) para volver al principio del vídeo o, en caso de ya estar en el principio, para saltar al capítulo anterior (siempre y cuando el vídeo tenga varios capítulos). Mantenga pulsado el botón para rebobinar el vídeo.

- **Siguiente**: Pulse este botón (la flecha apuntando a la derecha) para saltar al capítulo siguiente (siempre y cuando el vídeo tenga varios capítulos). Mantenga pulsado el botón para avanzar el vídeo.

- **Pausa/Reproducir**: Pulse este botón para realizar una pausa en la reproducción y vuelva a pulsar para reanudarla.

- **Barra de volumen**: Esta barra controla el nivel de volumen del vídeo. Arrastre la bola blanca para cambiar el nivel. También puede utilizar los controles de volumen situados en el lado izquierdo del iPad.

- **OK**: Pulse este botón para detener el vídeo y volver a la lista de vídeos del iPad. También puede pulsar el botón **Inicio** a fin de detener el vídeo e ir a la pantalla de inicio.

Truco

Puede utilizar los auriculares del iPhone para controlar la reproducción de vídeo. Haga clic sobre el botón del micrófono para reproducir o hacer una pausa. Haga clic dos veces para saltar al siguiente capítulo.

Nota

Si detiene el vídeo antes del final, la siguiente vez que abra el mismo vídeo la reproducción se reanudará desde el punto en el que lo detuvo.

Reproducir sólo la parte de audio de un vídeo musical

Al reproducir un vídeo musical tenemos dos elementos multimedia en uno: buena música y un vídeo creativo. El único problema es que no podemos separar estos dos elementos. Por ejemplo, algunas veces puede interesarnos escuchar únicamente la parte de audio de un vídeo musical. ¿Por qué? Porque si estamos reproduciendo un vídeo en el iPad no podremos hacer otra cosa a la vez. Si pulsa el botón **Inicio**, por ejemplo, el vídeo se detiene y aparece la pantalla de inicio.

Este comportamiento es lógico, pero estaría bien que el iPad nos dejase reproducir tan sólo la parte de audio, puesto que el dispositivo sí permite realizar otras tareas mientras se reproduce audio.

Lamentablemente, el iPad no nos ofrece ninguna forma para hacer esto directamente. Puede que piense que la única solución es comprar o hacerse con la canción de forma separada, pero existe un método alternativo.

El secreto es añadir un vídeo musical a una lista de reproducción: el iPad tratará el vídeo musical como una canción. Cuando la reproducimos en el iPad a través de esa lista de reproducción, escucharemos sólo la parte de audio y veremos el primer fotograma del vídeo como portada del disco.

Para añadir un vídeo musical a una lista de reproducción de iTunes, siga estos pasos:

1. Abra iTunes en el ordenador.

2. Es mejor utilizar una lista de reproducción personalizada; por tanto, cree su propia lista si no lo ha hecho todavía. Consulte el capítulo 8 para aprender a crear listas de reproducción en iTunes.

3. En LISTAS, haga clic en Vídeos musicales y aparecerá una lista con todos los que tenga.

4. Haga clic con el botón derecho (**Control-clic** en Mac) en el vídeo con el que quiera trabajar, haga clic en Agregar a lista de reproducción y seleccione una lista. iTunes añade el vídeo musical a la lista de reproducción.

5. Repita el paso 4 para cualquier otro vídeo musical que también quiera escuchar.

Sincronice el iPad para descargar la lista de reproducción actualizada. En el iPad, pulse **iPod**, seleccione la lista de reproducción y pulse el vídeo musical. Se reproducirá la parte de audio y aparecerá el primer fotograma del vídeo. Ahora puede moverse libremente por el iPad mientras escucha música.

Reproducir vídeos del iPad en un televisor

Podemos reproducir vídeos en el iPad, así que, ¿por qué no podemos reproducirlos en un televisor si queremos?. Podemos hacerlo si tenemos un dispositivo Apple TV compatible con AirPlay, ya que podemos utilizar AirPlay para transmitir el vídeo desde el iPad al televisor. En el iPad, reproduzca el vídeo, pulse la pantalla para que aparezcan los controles y después pulse el icono **AirPlay** que aparece a la derecha de la barra de volumen. Puede pulsar el dispositivo Apple TV para transmitir el vídeo a ese dispositivo y, por tanto, al televisor.

Si no tiene un dispositivo Apple TV (o si tiene uno antiguo que no es compatible con AirPlay) tendrá que comprar otro cable, pero es la única inversión que tendrá que realizar para ver los vídeos del iPad en el televisor. Para conectar el iPad a un televisor tiene tres opciones:

- **Adaptador AV digital de Apple:** Este cable cuesta 39 euros y tiene un conector de 30 clavijas en uno de sus extremos que se conecta al conector Dock del iPad o a una base Dock. El otro extremo tiene otro conector de 30 clavijas que conecta el iPad a un enchufe y un puerto HDMI que se conecta a la entrada HDMI de su televisor HD.

Nota

Si tiene un iPad 2, el adaptador AV digital de Apple le proporciona una reproducción "en espejo", que significa que todo lo que aparece en el iPad se reproduce también en el televisor HD. Esto significa que este adaptador no sólo es bueno para transmitir vídeos al televisor, sino también para ver fotografías, presentaciones, sitios Web, aplicaciones, llamadas de vídeo FaceTime y cualquier cosa que pueda ver en el iPad 2.

- **Adaptador VGA de Apple:** Este cable cuesta 29 euros y tiene un conector de 30 clavijas en un extremo que se conecta al iPad o a una base Dock y, en el otro extremo, un conector VGA. Es muy poco probable que su televisor tenga un puerto VGA, así que también necesitará un adaptador que convierta la salida VGA a las entradas correspondientes de su televisor (normalmente entradas por componentes).

- **Cable Apple de AV por componentes:** Este cable cuesta 39 euros y tiene un conector Dock en un extremo que se conecta al conector Dock del iPad y, en el otro extremo, conectores por componentes que se conectan a las entradas del televisor.

El cable dependerá del tipo de televisor que tenga. Los modelos más antiguos tienen entradas AV o entradas de vídeo compuesto, mientras que las pantallas de televisión planas más modernas tienen entradas por componentes.

Una vez que tenga el cable adecuado, configure el televisor y reproduzca los vídeos como haría normalmente.

Nota

El iPad tiene un par de ajustes que afectan a la salida de televisión. Consulte la sección siguiente para aprender más acerca de ellos.

Personalizar los ajustes de vídeo del iPad

El iPad tiene ajustes de vídeo que podemos personalizar. Siga estos pasos para acceder a ellos:

1. Pulse el botón **Inicio** para abrir la pantalla de inicio.
2. Pulse **Ajustes** para abrir la pantalla Ajustes.
3. Pulse el icono **Vídeo**. Aparecerá la pantalla Vídeo.

Tiene a su disposición cuatro ajustes:

- Iniciar: Este ajuste controla el comportamiento del iPad al detener y reiniciar un vídeo. Tiene dos opciones: Donde se paró (por defecto), que retoma el vídeo desde el punto en el que lo dejó; y Desde el principio, que reinicia siempre el vídeo desde el principio. Pulse **Iniciar** y, a continuación, seleccione el ajuste que prefiera.

- Con subtítulos: Este ajuste activa y desactiva los subtítulos, siempre y cuando se encuentren disponibles. Para activar esta funcionalidad, pulse el regulador Con subtítulos.

- Panorámica: Este ajuste activa y desactiva la compatibilidad con la salida de televisión panorámica. Si tiene un televisor panorámico y quiere reproducir en él vídeos del iPad, pulse el regulador Panorámica para activarlo.

- Señal TV: Este ajuste especifica la señal de salida de televisión. Si va a reproducir vídeos en un televisor, pulse **Señal TV** y, después, seleccione NTSC o PAL.

GRABAR Y EDITAR VÍDEO

El iPad 2 es un poco más ligero y más delgado que el iPad original, por lo que es más fácil llevarlo y, en general, es más cómodo. Sin embargo, este iPad tan manejable todavía no es una opción muy práctica como videocámara, así que seguramente no utilizará mucho la cámara del iPad 2 para grabar vídeo. Por otro lado, la cámara trasera realiza grabaciones con calidad 720p HD a 30 fotogramas por segundo, así que si surge algún evento que quiera grabar y no tiene la cámara digital (ni la del iPhone) el iPad le servirá.

Grabar vídeo con la cámara del iPad

No es sorprendente que grabar vídeo con el iPad sea tan fácil. Esto es lo que tiene que hacer:

1. En la pantalla de inicio, pulse el icono **Cámara**. Aparecerá la cámara.

2. Cambie el modo de Cámara a Vídeo en la esquina superior derecha de la pantalla.

3. Pulse la pantalla para enfocar el vídeo si es necesario.

4. Pulse el icono **Cambiar cámara** si quiere utilizar la cámara frontal en lugar de la trasera.

5. Pulse el botón **Grabar**. El iPad empezará a grabar vídeo y aparecerá el tiempo total de grabación en la esquina superior derecha de la pantalla.

6. Cuando termine, pulse el botón **Grabar** de nuevo para detener la grabación. El iPad guarda el vídeo en la carpeta `Carrete`.

Truco

*Si tiene un dispositivo compatible con AirPlay como Apple TV, puede transmitir los vídeos grabados en el iPad a ese dispositivo. Asegúrese de que el dispositivo esté encendido, abra el vídeo grabado en el iPad y después pulse el icono **AirPlay** que aparece en la esquina superior derecha. En el menú que aparece pulse el nombre del dispositivo AirPlay (como Apple TV) y ya está.*

Editar un vídeo grabado

Poder grabar vídeo haciendo clic en un botón está muy bien, pero el iPad puede mejorarlo permitiéndonos realizar ediciones básicas de vídeo en el mismo dispositivo. No es nada nuevo: básicamente podemos recortar el vídeo desde el principio hasta el final del archivo, pero es necesario sincronizar el vídeo con el ordenador y luego usar iMovie u otro programa de edición de vídeo. Así es cómo se edita vídeo en el iPad:

1. En la pantalla de inicio, pulse el icono **Fotos**. Aparecerá la pantalla Fotos.

2. Pulse **Álbumes** y después pulse **Carrete**. Se abrirá la carpeta `Carrete`.

3. Pulse el vídeo que quiere editar. Aparecerá el vídeo.

4. Pulse en cualquier lugar para que aparezcan en pantalla los controles. Si el vídeo se está reproduciendo, pulse **Pausa** para detener la reproducción. Aparecerá una línea de tiempo del vídeo a lo largo de la parte superior de la pantalla.

Nota

En las miniaturas de vídeo aparece el icono de una cámara de vídeo en la esquina inferior izquierda de la pantalla y la duración del vídeo en la esquina inferior derecha.

---

5. Pulse y arrastre el borde izquierdo de la línea de tiempo para configurar el punto de inicio del vídeo.

6. Pulse y arrastre el borde derecho de la línea de tiempo para configurar el punto final del vídeo. La línea de tiempo recortada aparecerá rodeada de naranja, véase la figura 9.5.

Figura 9.5. *Utilice la línea de tiempo del vídeo para configurar los puntos de inicio y de fin que quiera conservar.*

> ## Nota
>
> *Si necesita más precisión a la hora de recortar la línea de tiempo, mantenga pulsado el control de recorte del principio o del final. El iPad amplía la línea de tiempo y aparecerán más fotogramas, lo que le permite realizar ediciones más precisas.*

7. Pulse **Reproducir** para asegurarse de que ha configurado los puntos de principio y de fin correctamente. Si no es así, repita los pasos 5 y 6 para ajustar la línea de tiempo.

8. Pulse **Cortar**. El iPad recorta el vídeo y guarda el trabajo.

Cargar un vídeo grabado en YouTube

Puede que la verdadera razón por la que querría grabar un vídeo sea para cargarlo en YouTube y compartirlo con el mundo.

El iPad también le ayuda en eso, tal y como puede ver en estos pasos:

1. En la pantalla de inicio, pulse el icono **Fotos**. Aparecerá la pantalla Fotos.

2. Pulse **Álbumes** y después pulse **Carrete**. Aparecerán las fotos del álbum Carrete.

3. Pulse el vídeo que quiera compartir. El iPad lo abrirá.

4. Pulse el icono **Acción** que aparece en la barra de menús. El icono **Acción** aparece a la izquierda de icono de la papelera.

   Si no ve la barra de menús, pulse la pantalla para que aparezcan los controles. Aparecerán las opciones para compartir.

5. Pulse **Enviar a YouTube**. El iPad comprime el vídeo y le pide que se registre en su cuenta de YouTube.

6. Escriba el nombre de usuario y la contraseña y haga clic en **Acceder**. Aparecerá la pantalla Publicar vídeo.

7. Escriba un título, una descripción y etiquetas para el vídeo y después seleccione una categoría.

8. Si quiere cargar una versión de alta definición (HD), pulse **HD**. Las versiones HD de los vídeos del iPad son tres veces más grandes que las versiones de definición estándar, así que la carga tardará más tiempo.

9. Haga clic en **Publicar**. El iPad publica el vídeo en su cuenta de YouTube. Esto puede tardar varios minutos, dependiendo del tamaño del vídeo. Cuando se publique el vídeo, verá un cuadro de diálogo con varias opciones.

10. Pulse una de las siguientes opciones:

- **Ver en YouTube**: Pulse esta opción para ver el vídeo en el sitio YouTube.

- **Pasa la voz**: Pulse esta opción para enviar un mensaje de correo electrónico que incluya un enlace con el vídeo de YouTube.

- **Cerrar**: Pulse esta opción para volver al vídeo.

⬤ ⬤ ⬤ REPRODUCIR VÍDEOS DE YOUTUBE

Si piensa que todos las funcionalidades que hemos visto para películas, programas de televisión y videoclips no son suficientes, el iPad incluye también una aplicación YouTube en la propia pantalla de inicio, que le permite ver ese vídeo del que todo el mundo habla o simplemente buscar otros nuevos.

Los vídeos de YouTube suelen estar en Flash, un formato que el iPad no reconoce. Sin embargo, muchos de los vídeos de YouTube han sido convertidos a H.264, un formato de vídeo de mucha mejor calidad y compatible con el iPad. La aplicación YouTube reproduce únicamente estos vídeos en formato H.264.

Para iniciar la aplicación YouTube, pulse el botón **Inicio** para volver a la pantalla de inicio y, a continuación, pulse el icono **YouTube**.

Buscar un vídeo en YouTube

La colección de vídeos que ofrece YouTube sobre gatos que hablan, bromas estúpidas y curiosidades de televisión es enorme.

Para poner un poco de orden en el caos de YouTube, el iPad organiza esta aplicación con una serie de botones que aparecen en la barra de menús, como puede ver en la figura 9.6.

A continuación, aparece un resumen de lo que hace cada botón:

- **Destacados:** Pulse este botón para ver una lista de los vídeos seleccionados por los editores de YouTube. En la lista aparece el nombre de cada vídeo, el número de reproducciones, la popularidad y la duración.

- **Valorados:** Pulse este botón para ver los vídeos que han recibido las puntuaciones más altas por parte de los usuarios.

- **Vistos:** Pulse este botón para ver los vídeos más vistos. En la parte superior puede pulsar **Hoy**, **Semana** y **Siempre** y seleccionan los vídeos más vistos hoy, esta semana o siempre. En la parte inferior de la lista puede pulsar **Cargar más** para que se carguen 30 vídeos más.

- **Favoritos:** Pulse este botón para ver una lista de vídeos que haya marcado como favoritos. Esta pantalla también incluye la ficha **Listas**; pulsándola, iniciará sesión en YouTube y verá las listas de reproducción que haya creado.

- **Suscripciones:** Pulse este botón para iniciar sesión en YouTube y ver una lista con todas las suscripciones a vídeos.

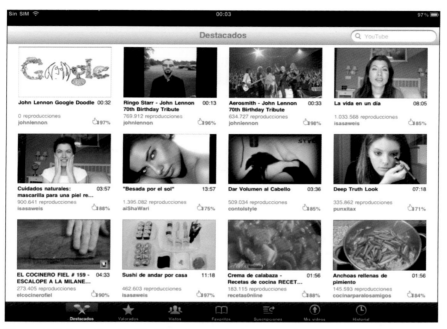

Figura 9.6. *La aplicación YouTube tiene varios botones en la parte inferior de la pantalla que le permiten buscar y gestionar los vídeos de YouTube.*

- **Mis vídeos:** Pulse este botón para iniciar sesión en YouTube y ver una lista con todos los vídeos que haya subido.

- **Historial:** Pulse este botón para ver los vídeos que haya reproducido.

Nota

Para obtener más información sobre un vídeo, pulse el vídeo y después la ficha Información. En la pantalla que aparece puede ver una descripción del vídeo, cuándo fue añadido y una lista de vídeos relacionados.

También puede buscar vídeos utilizando el cuadro **Buscar** situado en la esquina superior derecha de la pantalla. Pulse dentro del cuadro, escriba el texto que quiere buscar y pulse **Buscar**. YouTube mostrará una lista de vídeos que coincidan con los términos de búsqueda.

> **Nota**
>
> *¿No quiere que alguien vea que es adicto a* `chicasolitaria15`*? No se preocupe. Pulse el botón* **Historial***, seleccione* Borrar *y, cuando el iPad le solicite confirmación, pulse* **Borrar historial***.*

Guardar un vídeo como favorito

Encontrar un vídeo interesante en YouTube es algo que no sucede todos los días. Es muy probable que quiera volver a reproducir un vídeo de este tipo, pero tenga cuidado, puede que el vídeo no se guarde en la lista del Historial. Afortunadamente, la aplicación YouTube ofrece la posibilidad de guardar un vídeo como favorito. Esto le permitirá reproducir el mismo vídeo siempre que quiera; sólo tiene que pulsar el botón **Favoritos**.

Siga estos pasos para guardar un vídeo como favorito:

1. En la aplicación YouTube, localice el vídeo que quiera guardar.
2. Pulse el vídeo para iniciar la reproducción.
3. Para crear el favorito:
   - Si está viendo el vídeo a pantalla completa, pulse el icono **Favoritos** que aparece a la izquierda de los controles de reproducción. Si no ve los controles, pulse la pantalla. El iPad guarda el vídeo como favorito.
   - Si está viendo el vídeo en una pantalla normal, pulse **Añadir** y después pulse **Favoritos**.

Enviar por correo electrónico el enlace con un vídeo

Si encuentra el vídeo de un espectacular guitarrista y quiere compartirlo con un amigo, la aplicación YouTube le facilita la operación permitiéndole enviar a esa persona un correo electrónico en el que se incluye la dirección del vídeo en forma de enlace. A continuación, se detalla cómo hacerlo:

1. En la aplicación YouTube, localice el vídeo que quiera compartir.
2. Pulse el vídeo para iniciar la reproducción.
3. Pulse **Compartir**. El iPad crea un nuevo mensaje de correo electrónico con el título del vídeo como asunto y la dirección de YouTube en el cuerpo del mensaje.
4. Seleccione el destinatario del mensaje.
5. Modifique la línea Asunto y el texto del mensaje si es necesario.
6. Pulse **Enviar**. iPad envía el mensaje y vuelve al vídeo.

⬤ ⬤ ⬤ HACER UNA VIDEOLLAMADA CON FACETIME

Una de las características más esperadas del iPad 2 es la cámara frontal que nos permite, al fin, utilizar la increíble característica FaceTime de Apple: podemos utilizar el iPad para realizar videollamadas.

Es una característica increíble, pero tiene un par de restricciones:

• La otra persona también tiene que utilizar un iPad 2, un iPhone 4 o un Mac con una cámara y la aplicación FaceTime instalada.

• Ambos usuarios tienen que tener una conexión Wi-Fi.

Además de ser una aplicación muy interesante, la ventaja es que ya está instalada en el iPad 2 y sólo necesita la ID de Apple.

Configurar FaceTime

La primera vez que inicie FaceTime tendrá que llevar a cabo un proceso de configuración. Así funciona:

1. En la pantalla de inicio del iPad 2 pulse **FaceTime**. Aparecerá entonces la aplicación FaceTime.

2. Escriba la ID de Apple y la contraseña.

3. Pulse **Conectarse**. FaceTime le preguntará qué dirección quiere utilizar.

4. Cambie la dirección que aparece en pantalla si es necesario.

5. Pulse **Siguiente**. FaceTime verifica la ID de Apple y después aparece la pantalla FaceTime.

Hacer una llamada con FaceTime

Para realizar una llamada con FaceTime, pulse **FaceTime** (si la aplicación no está abierta) y después siga una de estas técnicas:

• Si la otra persona está en su lista de contactos, pulse **Contactos** y después pulse la persona que quiera llamar. Si la persona tiene varios elementos de contacto (números de teléfono y direcciones de correo electrónico), pulse el elemento que quiera utilizar para realizar la llamada.

• Si ha hecho recientemente una llamada con FaceTime, pulse **Recientes** y después pulse el icono de FaceTime que aparece en ese contacto.

Advertencia

Si llama con frecuencia a una persona a través de FaceTime, *añada esa persona a la lista de favoritos de la aplicación. Pulse* **Favoritos**, *pulse el signo* **+** *que aparece en la esquina superior derecha y después pulse el número de teléfono o la dirección que quiera utilizar.*

Si le llama un usuario que tenga un iPad 2, un iPhone 4 o FaceTime para Mac con una conexión Wi-Fi (y usted también tiene una conexión Wi-Fi) verá un mensaje con el nombre de la persona que le llama (si está en su lista de contactos). Si acepta, se iniciará la videollamada. Verá a la persona que realiza la llamada en la pantalla del iPad y su propia imagen en una ventana PIP (*Picture-In-Picture*, imagen en imagen).

La pantalla de llamada de FaceTime incluye tres botones en la barra de menús:

- **Mute:** Pulse este botón (aparece a la izquierda) para silenciar el sonido en su lado de la conversación (aunque podrá escuchar el sonido de la otra persona).

- **Finalizar:** Pulse este botón (está en el medio de la pantalla) para finalizar la llamada.

- **Cambiar cámara:** Pulse este botón para cambiar la salida de vídeo a la cámara trasera (por ejemplo, si quiere enseñarle a la persona que llama algo que está delante de usted).

Truco

La ventana PIP aparece por defecto en la esquina superior derecha de la pantalla. Si prefiere cambiarla a un lugar distinto, pulse y arrastre la ventana PIP a otra esquina de la pantalla.

Deshabilitar FaceTime

En algunas ocasiones, puede que no quiera realizar una videollamada con la persona que le está llamando. No importa la razón, puede seguir estos pasos para desactivar FaceTime:

1. En la pantalla de inicio pulse **Ajustes**. Aparecerá la pantalla Ajustes.

2. Pulse **FaceTime**. Aparecerá pantalla FaceTime.

3. Deslice el regulador FaceTime para desactivarlo.

Ahora, cuando alguien intente llamarle utilizando FaceTime verá un mensaje que le indica que no está disponible para FaceTime.

Capítulo 10

Utilizar el iPad para gestionar los contactos

Una de las paradojas de la vida moderna es que, en un momento en el que la información de contacto es cada vez más importante, almacenamos menos información de este tipo en la base de datos más sencilla de todas: nuestra memoria. En vez de memorizar los números de teléfono que utilizamos con frecuencia, ahora los guardamos de forma electrónica.

No es ninguna sorpresa, porque no sólo tenemos que memorizar un número fijo para cada persona, sino que también tenemos que recordar un número de teléfono móvil, una dirección de correo electrónico, una dirección Web, etc. Son muchos los datos que hay que recordar; por eso, tiene sentido seguir el camino electrónico. Y, en lo que respecta al iPad, "electrónico" es sinónimo de la aplicación Contactos, que está llena de prácticas funcionalidades que le ayudarán a organizar sus contactos.

SINCRONIZAR LOS CONTACTOS

Aunque podemos añadir contactos directamente en el iPad (como veremos más adelante en este capítulo), es mucho más sencillo añadir, editar, agrupar y borrar contactos en un ordenador. Por tanto, un buen método para controlar los contactos es gestionarlos en un Mac o un PC con Windows y sincronizarlos con el iPad.

Crear grupos de contactos

Puede que se pregunte si es necesario sincronizar siempre todos los contactos. Por ejemplo, si sólo utiliza el iPad para contactar con amigos y familiares, ¿para qué llenar la aplicación Contactos del iPad con los contactos del trabajo? No lo sé.

Puede controlar qué contactos se transfieren al iPad mediante la creación de grupos de contactos y, después, sincronizar sólo los grupos que quiera. A continuación, puede ver algunas instrucciones rápidas para crear grupos:

- **Agenda (Mac):** Seleccione Archivo>Nuevo grupo, escriba el nombre del grupo y pulse **Retorno**. Después, llene el nuevo grupo arrastrando y soltando contactos sobre él.

- **Contactos (Windows 7 y Windows Vista):** Haga clic en Nuevo grupo de contactos, escriba el nombre del grupo y después haga clic en Agregar al grupo de contactos. Seleccione todos los contactos que quiera tener en el grupo y haga clic en **Agregar**. Haga clic en **Aceptar**.

> ### Nota
>
> *Si es usuario de Outlook, tenga en cuenta que iTunes no es compatible con los grupos de contactos de Outlook, así que tendrá que sincronizar todos los contactos que tenga en la carpeta* Contactos.

Ejecutar la sincronización

Una vez que haya creado el grupo (o grupos), siga estos pasos para sincronizar los contactos con el iPad:

1. Conecte el iPad al ordenador.

2. En iTunes, haga clic en iPad en la lista DISPOSITIVOS.

3. Haga clic en la ficha Información.

4. Active la sincronización de contactos utilizando alguna de las técnicas siguientes:

   - **Mac:** Seleccione la casilla de verificación Sincronizar contactos de la Agenda.

   - **Windows:** Seleccione la casilla Sincronizar contactos con y utilice la lista para elegir el programa que quiera utilizar (por ejemplo, Outlook).

5. Seleccione una opción:

   - Todos los contactos: Seleccione esta opción para sincronizar todos los contactos de su Agenda.

   - Grupos seleccionados: Seleccione esta opción para sincronizar sólo los grupos que elija. En la lista de grupos seleccione la casilla de verificación situada junto a cada grupo que quiera sincronizar, tal y como puede ver en la figura 10.1.

6. Si quiere que la sincronización se lleve a cabo en ambos sentidos, seleccione la casilla de verificación Añadir contactos creados en el iPad y que no pertenezcan a ningún grupo a: y elija un grupo en el menú.

7. (Sólo Mac) Si tiene una cuenta de Yahoo! y también quiere que se incluyan los contactos de esta agenda, seleccione la casilla Sincronizar contactos de la libreta de direcciones de Yahoo!, escriba su ID y contraseña de Yahoo! y después haga clic sobre **Acepto**.

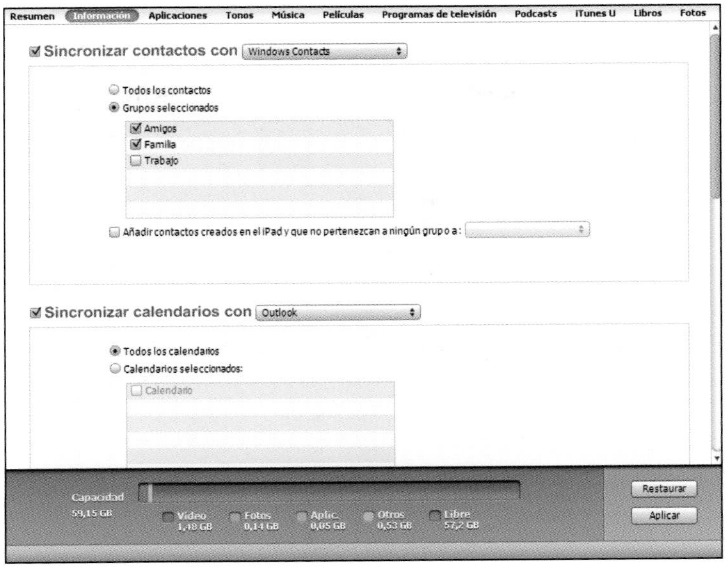

Figura 10.1. *Puede sincronizar con el iPad los grupos de contactos que seleccione.*

8. (Sólo Mac) Si tiene una cuenta Google y también quiere que se incluyan los contactos de esta agenda, seleccione la casilla Sincronizar contactos de Google, escriba su ID y contraseña de Google y haga clic en **Acepto**.

9. Haga clic en **Aplicar**. iTunes sincroniza el iPad utilizando la nueva configuración.

⦿ ⦿ ⦿ PRIMEROS PASOS CON LA APLICACIÓN CONTACTOS

Para este capítulo necesitará la aplicación Contactos, así que pulse la pantalla de inicio y pulse el icono **Contactos**. Puede ver esta aplicación en la figura 10.2. En la aplicación Contactos puede ver la lista Todos en la parte izquierda y, en la derecha, la información referente al contacto seleccionado. Si tiene un número considerable de contactos tendrá que saber cómo navegar por la lista. Tiene cuatro opciones:

*   De forma predeterminada, la aplicación Contactos muestra la lista Todos. Si lo que quiere es ver un grupo de contactos, pulse el icono **Grupos** situado en la esquina superior izquierda de la pantalla y, a continuación, seleccione el grupo que quiera abrir.

*   Deslice el dedo hacia arriba y hacia abajo para desplazarse por la lista.

*   Pulse una letra para ir directamente a los contactos cuyos apellidos comiencen por esa letra.

*   Utilice el cuadro Buscar situado en la parte superior de la lista Todos para buscar el nombre de un contacto y, después, pulse el contacto en los resultados de búsqueda.

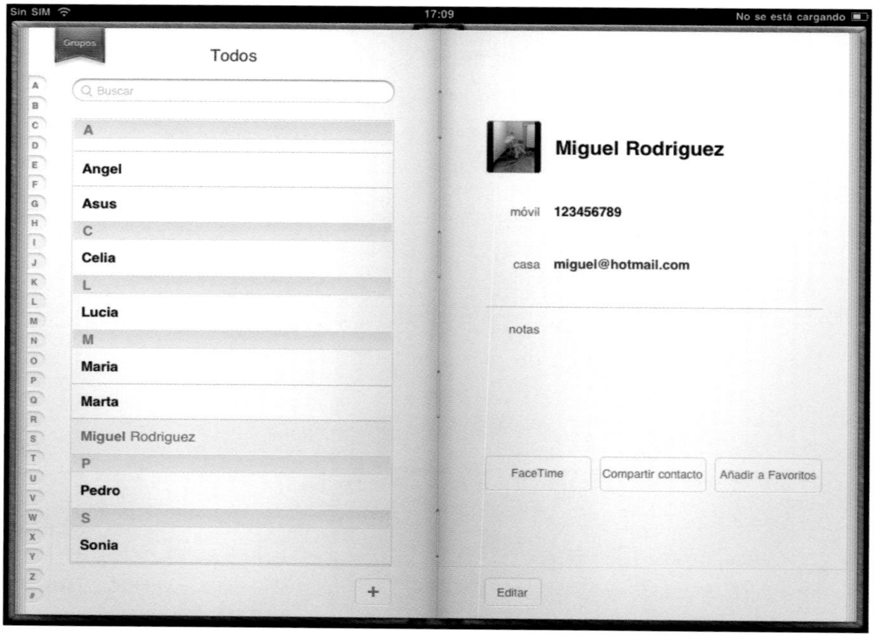

Figura 10.2. *La excelente aplicación Contactos del iPad.*

CREAR Y EDITAR CONTACTOS

Sincronizar el programa de contactos de su ordenador (como **Agenda** en Mac o bien la carpeta Contactos en Outlook) es, con diferencia, la forma más sencilla para llenar la aplicación **Contactos** del iPad, pero puede que no incluya a todos sus conocidos. Si le falta alguien por añadir y no tiene a mano el ordenador, puede hacerlo directamente en la aplicación **Contactos**. O, si se encuentra con algún dato erróneo o ve que falta información en un contacto, puede editarlo directamente en el iPad. Lo mejor de todo es que cualquier cambio que realice en la aplicación **Contactos** se sincroniza automáticamente con el ordenador la siguiente vez que el iPad e iTunes inicien una sesión de sincronización.

Crear un contacto nuevo

Cuando se percate de la ausencia de alguien en sus contactos puede encender el iPad e incluir las estadísticas vitales de esa persona directamente en la aplicación **Contactos**. Siga estos pasos:

1. En la pantalla de inicio, pulse el icono **Contactos**. El iPad abre la aplicación **Contactos**.

2. Pulse el botón **+** situado en la parte inferior derecha de la pantalla. Aparecerá la pantalla **Nuevo** y el teclado, tal y como puede ver en la figura 10.3.

3. El cursor se sitúa inicialmente en el campo **Nombre**, así que escriba el nombre de la persona. Si, por el contrario, su intención es añadir los datos de contacto de una empresa o algún otro objeto inanimado, vaya al paso 5.

4. Pulse el cuadro **Apellidos** y escriba el apellido de la persona.

5. Si quiere anotar en qué empresa trabaja su contacto (o si está añadiendo una empresa a su lista de **Contactos**), pulse el cuadro **Empresa** y escriba el nombre de la empresa.

Es cierto que aún quedan muchos campos por rellenar; los veremos en un momento. Por el momento, vamos a interrumpir el proceso para ver cómo editar un contacto que ya existe. Enseguida se dará cuenta del sentido de todo esto.

Figura 10.3. *Utilice esta pantalla para escribir los detalles de un contacto.*

Editar un contacto que ya existe

Ahora que ya tiene el nuevo contacto, puede seguir y añadir detalles como los números de teléfono, direcciones (correo electrónico, Web y postal) y cualquier otro dato que se le ocurra. Las siguientes secciones explican los pormenores de cada uno de estos tipos de datos.

Nota

La única técnica que no tratamos aquí es la que permite añadir una fotografía a un contacto. El motivo es que ya lo hemos explicado en el capítulo 6.

Los pasos que encontrará a continuación también son aplicables a cualquier contacto que ya esté guardado en el iPad. Éstos son los pasos necesarios para abrir y editar un contacto:

1. En la pantalla de inicio, pulse el icono **Contactos** para abrir la pantalla con todos los contactos.

2. Pulse el contacto que quiera editar.

3. Pulse **Editar**. Los datos del contacto aparecerán en la pantalla Información.

4. Realice sus modificaciones, tal y como se describe en las secciones siguientes.

5. Pulse **OK**. El iPad guarda su trabajo y vuelve a la pantalla Todos.

Asignar números de teléfono a un contacto

Todo el mundo tiene un número de teléfono, así que es lógico escribir el número de teléfono de cada contacto. Perfecto pero, ¿qué número? ¿El de casa? ¿El del trabajo? ¿El de fax? Afortunadamente, no hay que elegir solamente uno porque el iPad estará encantado de almacenar todos ellos e incluso alguno más.

Siga estos pasos para asignar uno o más números de teléfono a un contacto:

1. En la pantalla de edición del contacto, fíjese en el campo Teléfono para ver si la etiqueta predeterminada es la que quiere. En un contacto nuevo la etiqueta predeterminada es móvil, pero puede aparecer una etiqueta diferente si está editando un contacto existente. Si está conforme con la etiqueta vaya al paso 4.

2. Pulse la etiqueta del campo Teléfono. La aplicación Contactos muestra una lista de etiquetas para los números de teléfono, como la que puede ver en la figura 10.4.

Figura 10.4. *Pulse la etiqueta de Teléfono y seleccione la que quiere utilizar para el número de teléfono del contacto.*

3. Pulse la etiqueta que mejor represente el número de teléfono que esté añadiendo, como **móvil**, **iPhone**, **casa** o **trabajo**. La nueva etiqueta aparecerá en la aplicación **Contactos**.

4. Pulse dentro del campo **Teléfono** y escriba el número de teléfono. Cuando empiece a escribir el número de teléfono se incluirá de forma automática otro campo **Teléfono** debajo del actual.

5. Repita los pasos 1-4 para añadir tantos números de teléfono como sea necesario.

Asignar direcciones de correo electrónico a un contacto

Es habitual tener contactos con más de una dirección de correo electrónico; de hecho, la gran mayoría cuenta con al menos dos, normalmente una personal y otra de trabajo. Hay personas que tienen más de diez. La vida es demasiado corta para tener que escribir tantas direcciones de correo, pero si quiere utilizar la aplicación **Mail** del iPad para enviar notas a sus contactos tendrá que escribir, al menos, las más importantes.

Siga estos pasos para añadir una o más direcciones de correo electrónico a un contacto:

1. En la pantalla de edición del contacto fíjese en la etiqueta del campo **Correo**. En un contacto nuevo, la etiqueta predeterminada es **casa**, pero puede aparecer una etiqueta diferente si está editando un contacto existente. Si está conforme con la etiqueta, vaya al paso 4.

2. Pulse la etiqueta del campo **Correo**. La aplicación **Contactos** muestra una lista de etiquetas para las direcciones de correo electrónico.

3. Pulse la etiqueta que quiera utilizar, como **casa** o **trabajo**. La aplicación **Contactos** aplica la nueva etiqueta.

4. Pulse dentro del campo **Correo** y escriba el correo electrónico de la persona. Verá que en el teclado que aparece en pantalla se incluyen ahora las teclas @ y .; las va a necesitar. Cuando empiece a escribir la dirección de correo electrónico, la aplicación **Contactos** incluye, automáticamente, otro campo **Correo electrónico** debajo del actual.

5. Repita los pasos 1-4 para añadir tantas direcciones de correo electrónico como necesite.

Asignar direcciones Web a un contacto

¿Quién no tiene un sitio Web hoy en día? Ya sea una página personal, un *blog*, una página de Facebook, una cuenta en Twitter, un sitio Web empresarial o el sitio Web de la empresa de otra persona. Hay gente que tiene hasta 6. Siempre está bien incluir la dirección Web de una persona en su información de contacto porque, en un futuro, puede pulsar esa dirección y el iPad mostrará el sitio Web en Safari (si tiene una conexión a Internet). No importa cuántas páginas Web tenga su contacto, el iPad puede con todas ellas. Puede añadir una o más direcciones Web a un contacto siguiendo estos pasos:

1. En la pantalla de edición del contacto fíjese en la etiqueta del campo **URL** para ver si la etiqueta predeterminada es la que quiere. Si está conforme con ella, vaya al paso 4.

2. Pulse la etiqueta del campo **URL**. La aplicación **Contactos** muestra una lista de etiquetas para las direcciones Web.

3. Pulse la etiqueta de dirección Web que quiera utilizar, como **casa** o **trabajo**. La aplicación **Contactos** aplica la nueva etiqueta.

4. Pulse dentro del campo **URL** y escriba la dirección Web. En la figura 10.5 puede ver que el teclado incluye varias teclas útiles para escribir direcciones URL, como la barra invertida (**/**), el punto (**.**), el subrayado (**_**) y **.com**. Cuando empiece a escribir la dirección Web la aplicación **Contactos** incluye, automáticamente, otro campo **URL** debajo del actual.

5. Repita los pasos 1-4 para añadir tantas direcciones Web como sea necesario.

Figura 10.5. *Al escribir una dirección Web no olvide aprovechar las teclas que se incluyen en el teclado para escribir direcciones URL.*

Truco

Para ahorrar tiempo al escribir, recuerde que no es necesario escribir `http://` *al comienzo de la dirección. El iPad añade esos caracteres automáticamente cada vez que pulse la dirección para ir al sitio Web. Con el prefijo* `www.` *sucede lo mismo. Por tanto, si la dirección completa es* `http://www.anayamultimedia.es`*, sólo tiene que escribir* `anayamultimedia.es`*.*

Asignar direcciones físicas a un contacto

Con toda esta charla sobre números de teléfono, direcciones de correo electrónico y direcciones Web, es fácil olvidar que la gente vive y trabaja en algún sitio. Seguro que tiene muchos contactos cuya dirección física no tiene importancia, pero nunca se sabe si necesitará llegar hasta esa dirección, así que merece la pena tomarse un tiempo para introducir la dirección física de un contacto. ¿Por qué? Porque sólo tiene que pulsar la dirección y el iPad mostrará un mapa de Google indicando su ubicación exacta. Allí puede encontrar direcciones, ver un mapa satélite de la zona y mucho más. En el capítulo 12 hablamos de esta fantástica aplicación de mapas.

Escribir la dirección completa de un contacto requiere algo de trabajo; aun así, siguiendo los pasos que se detallan a continuación, el proceso se simplifica bastante:

1. En la pantalla de edición de contactos, pulse **Añadir dirección**. La aplicación Contactos muestra campos para la calle, código postal, ciudad, provincia y país, tal y como puede ver en la figura 10.6.

2. Fíjese en la etiqueta de la dirección para ver si es casa la etiqueta que quiere. Si está conforme con la etiqueta, vaya al paso 5.

3. Pulse la etiqueta de la dirección. La aplicación Contactos muestra una lista de etiquetas para las direcciones Web.

4. Pulse la etiqueta que quiera utilizar, como casa o trabajo. La aplicación Contactos aplica la nueva etiqueta.

5. Pulse el campo Calle y escriba la dirección. Cuando empiece a escribir la calle, la aplicación Contactos incluye, automáticamente, otro campo Calle debajo del actual.

6. Si es necesario, pulse el segundo campo Calle y escriba más datos sobre la calle.

7. Pulse el campo Ciudad y escriba la ciudad.

8. Pulse el campo Provincia y escriba la provincia. Dependiendo del país que seleccione, este campo podría tener un nombre diferente, como Estado.

9. Pulse el campo CP y escriba el código postal. Dependiendo del país que seleccione, este campo podría tener un nombre diferente.

10. Pulse el campo País y seleccione el país del contacto.

11. Repita los pasos 1-10 si quiere escribir otra dirección para su contacto.

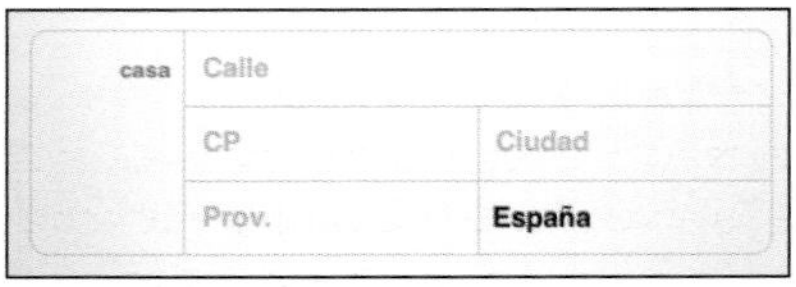

casa	Calle	
	CP	Ciudad
	Prov.	**España**

Figura 10.6. *Utilice estos campos para escribir las coordenadas físicas del contacto.*

⊙ ⊙ ⊙ APROVECHAR AL MÁXIMO LA APLICACIÓN CONTACTOS

Añadir y editar datos con la aplicación Contactos es bastante monótono: pulsar una etiqueta para cambiarle el nombre y después pulsar un campo para añadir los datos. Si, además, utiliza las teclas sensibles al contexto que aparecen en el teclado (como la tecla **.com** que aparece al escribir una dirección Web), entonces la introducción de datos de contacto es muy fácil.

La aplicación Contactos es, aparentemente, muy sencilla; pero si investiga un poco encontrará algunas herramientas y funcionalidades de gran utilidad que pueden optimizar aún más las tareas de gestión de contactos.

Crear una etiqueta personalizada

Al rellenar los datos de contacto, el iPad insiste en que asigne una etiqueta a cada elemento: casa, trabajo, móvil, etc. Si ninguna de las etiquetas predefinidas se ajusta al contexto, siempre puede utilizar una etiqueta genérica: otro, aunque no es una solución muy apropiada. Si tiene un número de teléfono o una dirección que no se ajusta a ninguna de las etiquetas prediseñadas del iPad, sea creativo y cree una nueva:

1. En la pantalla de edición del contacto, pulse la etiqueta con la que quiere trabajar. Aparecerá la lista Etiqueta.

2. Pulse **Etiqueta personalizada**. Aparece en pantalla el cuadro de diálogo Personalizar que puede ver en la figura 10.7.

Figura 10.7. *Utilice el cuadro Personalizar para crear una etiqueta personalizada para los contactos.*

3. Escriba la etiqueta personalizada.

4. Pulse **Guardar**. La aplicación Contactos guarda la etiqueta recién creada y vuelve a la pantalla de edición de contactos.

Puede aplicar una etiqueta personalizada a cualquier tipo de dato del contacto. Por ejemplo, puede crear una etiqueta llamada colegio y asignársela a un teléfono móvil, a una dirección de correo electrónico, a una dirección Web o a una dirección física.

Borrar una etiqueta personalizada

Si se cansa de una etiqueta personalizada, siga estos pasos para borrarla:

1. En la pantalla de edición del contacto, pulse la etiqueta de cualquier campo y aparecerá en pantalla la lista Etiqueta.

2. Pulse **Editar**. La aplicación Contactos pone la lista Etiqueta en modo de edición.

3. Pulse el icono rojo situado a la izquierda de la etiqueta personalizada que quiera eliminar. Aparecerá el botón **Eliminar** a la derecha del campo.

4. Pulse **Eliminar**.

5. Pulse fuera de la lista Etiqueta. La aplicación Contactos vuelve a la pantalla de edición.

Añadir campos adicionales a un contacto

Las pantallas que aparecen cuando se añade o se edita un contacto sólo incluyen los campos necesarios para obtener información básica del contacto. Pero en estas pantallas no aparecen algunos campos habituales. Por ejemplo, puede que tenga que especificar un tratamiento (como Dr., Sr. o Sra.) o un cargo.

Por suerte, el iPad oculta éstos y otros campos en un lugar en el que no podemos verlos. Existen 11 campos ocultos que puede añadir a cualquier contacto:

* Prefijo.
* Nombre (fonético).
* Apellidos (fonéticos).
* Segundo nombre.
* Sufijo.
* Sobrenombre.
* Cargo.
* Departamento.
* Mensajería instantánea.
* Cumpleaños.
* Fecha.

El iPad le permite añadir tantos campos adicionales como quiera. Para ello, puede hacer lo siguiente:

1. En la pantalla de edición del contacto, pulse **Añadir campo**. Aparece en pantalla la lista Añadir campo, como puede ver en la figura 10.8.

2. Pulse el campo que quiera añadir. La aplicación Contactos lo añade al contacto.

3. Si el campo tiene una etiqueta, pulse la etiqueta para seleccionar una nueva si es necesario.

4. Escriba los datos del campo.

5. Repita los pasos 1-4 para añadir tantos campos como sea necesario.

Realizar un seguimiento de los cumpleaños y los aniversarios

¿Tiene problemas para recordar los cumpleaños? Si es así, sé cómo se siente, a mí me pasa lo mismo. Además, en los últimos tiempos no sólo hay que acordarse de los cumpleaños de familiares y amigos, tampoco podemos olvidarnos de los de nuestros empleados, compañeros y clientes. ¡Es demasiado! Mi secreto consiste en dejar esta tarea a la aplicación Contactos del iPad. En ella, hay un campo oculto que puede utilizar para almacenar las fechas de los cumpleaños.

Figura 10.8. *La lista Añadir campo muestra los campos ocultos que puede añadir a cualquier contacto.*

Para añadir un campo Cumpleaños a un contacto, haga lo siguiente:

1. En la aplicación Contactos, pulse el contacto con el que quiere trabajar.

2. Pulse **Editar** y aparecerá la pantalla Información.

3. Pulse **Añadir campo**. La aplicación Contactos abre la lista Añadir campo.

4. Pulse **Cumpleaños**. La aplicación Contactos añade un campo de cumpleaños al contacto y aparecen unas ruedas desplazables que permiten definir la fecha (véase la figura 10.9).

5. Desplace la rueda de la izquierda para definir el día de la fecha de nacimiento.

6. Desplace la rueda de central para definir el mes de la fecha de nacimiento.

7. Desplace la rueda de la derecha para definir el año de la fecha de nacimiento.

8. Pulse fuera de las ruedas desplazables. La aplicación Contactos guardará la información. Todo el mundo tiene cumpleaños, pero mucha gente también tiene aniversario: la fecha de la boda, la fecha en la que dejó de fumar o bien la fecha en que empezó a trabajar en una empresa. No importa cuál sea la ocasión, puede añadirla a la información de contacto para que le sirva de recordatorio cada vez que abra dicho contacto.

Figura 10.9. Utilice esta rueda para definir el cumpleaños de un contacto.

Siga estos pasos para asignar un aniversario a un contacto:

1. En la aplicación Contactos, pulse el contacto con el que quiere trabajar.

2. Pulse **Editar** y aparecerá la pantalla Información.

3. Pulse **Añadir campo**. La aplicación Contactos abre la lista Añadir campo.

4. Pulse **Fecha**. La aplicación Contactos añade un campo Fecha al contacto y aparecen las mismas ruedas desplazables que vimos en la figura 10.9.

5. Desplace la rueda de la izquierda para definir el día del aniversario.

6. Desplace la rueda de central para establecer el mes del aniversario.

7. Desplace la rueda de la derecha para definir el año del aniversario.

8. El cuadro de la etiqueta ya debería mostrar la etiqueta con el aniversario pero, si no es así, pulse el cuadro de la etiqueta y escriba el aniversario.

9. Pulse fuera de las ruedas desplazables. La aplicación Contactos guarda el aniversario.

Nota

Aunque sólo es posible asignar un cumpleaños a un contacto, puede añadir tantos aniversarios como quiera.

Añadir notas a un contacto

Los campos estándar de un contacto están diseñados para almacenar datos específicos: un nombre, una dirección, una fecha, etc.

Sin embargo, puede que tenga que añadir información que no se ajuste a ningún formato específico:

- Los puntos clave de una reunión reciente con un cliente.
- Una lista de tareas que hay que hacer para el contacto.
- Cómo conoció al contacto o por qué lo añadió a la lista de Contactos.
- Datos de contacto que no encajan en ningún campo concreto: el nombre de la pareja, los nombres de los hijos, números de cuenta, género, aficiones, etc.

Para datos de este tipo el iPad tiene un campo Notas que puede añadir a un contacto y en el que puede escribir todo lo que quiera.

Para añadir un campo Notas a un contacto siga estos pasos:

1. En la lista de Contactos, pulse el contacto con el que quiera trabajar.
2. Pulse **Editar**. Aparecerá la pantalla Información.
3. Pulse en el campo Notas.
4. Escriba los datos de la nota.

Crear un nuevo contacto a partir de una tarjeta de visita electrónica

Introducir a mano los datos de contacto de una persona suele ser una tarea bastante laboriosa, así que ayudaría tener una forma más rápida de hacerlo. Si un contacto le envía sus datos de contacto electrónicamente puede añadirlos con un par de pulsaciones. ¿A qué nos referimos cuando hablamos de enviar los datos de contacto electrónicamente? El mundo de la gestión de contactos lleva tiempo contemplando un formato de archivo estándar para los datos de contacto: vCard. Se trata de una tarjeta electrónica digital en forma de archivo independiente. La gente puede enviarse estos datos adjuntando su tarjeta (o la de otra persona) a un mensaje de correo electrónico.

Si recibe un mensaje con datos de contacto, verá un icono para el archivo VCF, tal y como puede ver en la figura 10.10.

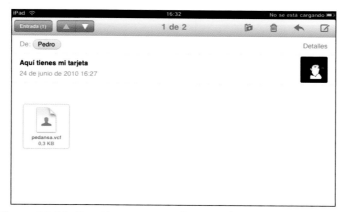

Figura 10.10. *Si recibe un mensaje de correo electrónico con una vCard adjunta verá el icono del archivo en el cuerpo del mensaje.*

Para copiar estos datos en la lista de Contactos, siga estos pasos:

1. En la pantalla de inicio, pulse **Mail** para abrir la aplicación Mail.

2. Pulse el mensaje que contiene el adjunto vCard.

3. Pulse el icono del archivo vCard y el iPad abrirá la vCard.

4. Pulse **Nuevo contacto**. Si la persona ya está en su lista de Contactos pero la vCard contiene datos nuevos, pulse **Contacto existente** y seleccione el contacto.

Ordenar los contactos

La aplicación Contactos ordena los contactos por apellido (o por nombre de empresa, en el caso de las empresas) y, después, por nombre (si hay dos personas con el mismo apellido). Aunque es lo habitual, tal vez prefiera ordenar los contactos primero por nombre y, después, por apellido. Para ello, haga lo siguiente:

1. Vaya a la pantalla de inicio del iPad y pulse **Ajustes**. Aparecerá la pantalla Ajustes.

2. Pulse **Correo, contactos, calendarios**. Aparecerá la pantalla Correo, contactos, calendarios.

3. Vaya a la sección Contactos.

4. Pulse **Ordenar como** para ver sus opciones.

5. Pulse **Nombre, apellido**. La aplicación Contactos ordenará ahora los contactos por nombre.

Borrar un campo de un contacto

Igual que cambian las personas, también lo hace su información de contacto. En general, estos cambios implican la edición de un campo existente pero, a veces, la gente cambia por completo sus datos. Por ejemplo, pueden haberse deshecho de su máquina de fax o cambiado de sitio Web. No importa la razón, tendrá que borrar los datos del contacto para mantener la pantalla Información organizada y para que sea más sencillo navegar por ella.

Para borrar un campo de contacto, siga estos pasos:

1. En la lista de Contactos, pulse el contacto con el que quiera trabajar.

2. Pulse **Editar**. Aparece la pantalla Información.

3. Pulse el icono rojo situado a la izquierda del campo que quiera eliminar. Aparecerá un botón **Eliminar** a la derecha del campo.

4. Pulse **Eliminar**. La aplicación Contactos elimina el campo.

5. Pulse **OK**. La aplicación Contactos cierra la pantalla Información.

Borrar un contacto

Uno se siente satisfecho después de añadir nuevos contactos pero, la vida es así, no existe una garantía vitalicia con estas cosas: los amigos se alejan o dejan de serlo, los compañeros de trabajo deciden cambiar de empresas, los clientes dejan el negocio, etc. La vida sigue y la lista de Contactos también. Por ello, lo mejor que se puede hacer es eliminar el contacto para mantener la lista organizada y actualizada.

Siga estos pasos para eliminar un contacto:

1. En la lista de Contactos, seleccione el contacto con el que quiera trabajar.

2. Pulse **Editar**. Aparece la pantalla Información.

3. Pulse el botón **Eliminar contacto** situado en la parte inferior de la pantalla. La aplicación Contactos solicita su confirmación para borrarlo.

4. Pulse **Eliminar**. La aplicación Contactos elimina el contacto y vuelve a la pantalla Todos.

Capítulo 11

UTILIZAR EL iPAD PARA REALIZAR UN SEGUIMIENTO DE LAS CITAS

¿Le pasa lo mismo que al conejo blanco del libro *Alicia en el País de las Maravillas*, de Lewis Carroll, que siempre se le hace tarde? Lo imaginaba. Lo cierto es que ha venido al lugar idóneo, porque el iPad puede ayudarle. No porque puede utilizarlo para leer *Alicia en el País de las Maravillas* (aunque sea un buen libro, leerlo le hará llegar más tarde aún). Puede utilizar la práctica y eficiente aplicación Calendario que convierte el iPad en una especie de ayudante electrónico que almacena las citas e incluso le recuerda cuando van a tener lugar. ¡Ya no volverá a llegar tarde!

SINCRONIZAR EL CALENDARIO

Cuando está fuera de casa no querrá llegar tarde a las citas. La mejor forma de asegurarse que no se olvida de una cita o de una reunión es tener siempre a mano los detalles del evento y, para ello, tendrá que añadirlos a la aplicación Calendario del iPad. Podría añadir la cita al Calendario desde el propio iPad, tal y como veremos posteriormente en este capítulo, pero es más fácil crearla en el ordenador y después sincronizarla en el iPad. Así, tendrá el valor añadido de disponer de la cita guardada en dos lugares y se asegurará de que llega a tiempo. Casi todo el mundo sincroniza sus propias citas pero tampoco es extraño tener calendarios distintos como, por ejemplo, uno de trabajo y otro personal. Puede controlar qué calendario se sincroniza con su iPad creando calendarios distintos y, después, sincronizando únicamente los calendarios que quiera:

- **Mac:** En la aplicación iCal de Mac, seleccione Archivo>Nuevo calendario, escriba el nombre del calendario y pulse **Retorno**.

- **Windows:** En Outlook, haga clic en la ficha Calendarios, seleccione Nuevo> Calendario, escriba el nombre del calendario y haga clic en **Aceptar**.

Después, siga los pasos que se describen a continuación para sincronizar el calendario con el iPad:

1. Conecte el iPad al ordenador.

2. En iTunes, haga clic en iPad en la lista DISPOSITIVOS.

3. Haga clic en la ficha Información.

4. Active la sincronización de calendarios utilizando una de las técnicas siguientes:

   • **Mac:** Seleccione la casilla de verificación Sincronizar calendarios de iCal.

   • **Windows:** Seleccione la casilla Sincronizar calendarios con y utilice la lista para seleccionar el programa que quiera utilizar (como Outlook).

5. Seleccione una opción:

   • Todos los calendarios: Seleccione esta opción para sincronizar todos los calendarios.

   • Calendarios seleccionados: Seleccione esta opción para sincronizar sólo los calendarios seleccionados. En la lista de calendarios, seleccione la casilla de verificación situada junto a cada uno de los calendarios que quiera sincronizar, como puede ver en la figura 11.1.

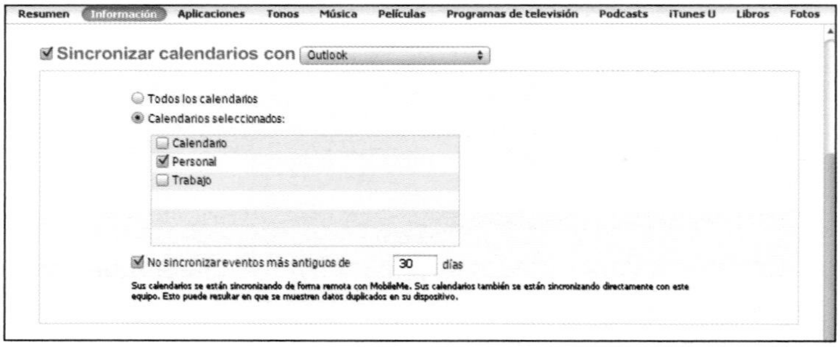

Figura 11.1. *Puede sincronizar los calendarios seleccionados en el iPad.*

6. Para controlar hasta qué momento en el tiempo llega la sincronización de calendarios, seleccione No sincronizar eventos más antiguos de X días y escriba cuántos días quiere ver en el Calendario del iPad.

7. Haga clic en **Aplicar**. iTunes sincroniza el iPad utilizando la nueva configuración.

Truco

*Si tiene una cuenta de MobileMe, el iPad sincroniza los eventos que ya han pasado para que tenga un registro de ellos. Por defecto, el iPad sincroniza los eventos que se produjeron hasta un mes antes. Para cambiar esta configuración vaya a la pantalla de inicio, pulse **Ajustes** y pulse **Correo, contactos, calendarios**. Vaya a la sección Calendarios, pulse **Sincr.** y seleccione cuánto tiempo quiere que aparezca: Eventos de hace 2 sem., Eventos de hace 1 mes, Eventos de hace 3 meses, Eventos de hace 6 meses, o Todos los eventos.*

Nota
iTunes no es compatible con el Calendario Windows Live (Windows 7) ni con el Calendario de Windows (Windows Vista), así que no podrá utilizarlo para gestionar el calendario del iPad.

⬤ ⬤ ⬤ PRIMEROS PASOS CON LA APLICACIÓN CALENDARIO

Cuando nos encontramos con alguien y le preguntamos: "¿Qué tal?", la respuesta más frecuente suele ser breve: "¡Muy liado!". Todos estamos ocupados, por eso tenemos que mantener nuestros compromisos en orden y eso incluye las citas.

El iPad incluye la aplicación Calendario, en la que podemos crear elementos, llamados "eventos", que representan nuestros compromisos, reuniones, citas para comer, etc. Calendario registra todos nuestros eventos y así nosotros podemos pensar en otras cuestiones más importantes.

En este capítulo, vamos a trabajar con la aplicación Calendario, así que encienda su iPad, vaya a la pantalla de inicio y pulse el icono **Calendario**.

En la figura 11.2 puede ver la aplicación Calendario en modo horizontal.

Figura 11.2. *El ayudante administrativo del iPad: la estupenda e ingeniosa aplicación Calendario.*

La clave para dominar de forma eficiente esta aplicación es aprovechar sus distintas vistas, representadas por cuatro botones que aparecen en la parte superior de la pantalla:

- **Día:** En esta vista aparecen las citas de un solo día, con el horario del día en la parte derecha y una lista con las citas a la izquierda.

- **Semana:** En esta vista aparecen todas las citas de la semana seleccionada.

- **Mes:** En esta vista aparecen todas las citas de un mes determinado.

- **Lista:** En esta vista aparece una lista de todas las citas próximas en la parte izquierda y, en la derecha, los detalles de la cita seleccionada.

La aplicación **Calendario** también tiene una barra de navegación en la parte inferior de la pantalla que cambia dependiendo de la vista actual. Por ejemplo, en la vista **Día** puede usar la barra de navegación para seleccionar un día diferente y, en la vista **Mes**, puede seleccionar un mes distinto.

Truco

En la vista Mes aparece sólo el título de cada cita junto con una viñeta cuyo color indica en qué calendario está guardada esa cita. Para ver más detalles sobre las citas, deslice el dedo sobre ellas: cada vez que pase el dedo sobre una cita, Calendario muestra detalles como fecha, lugar, notas y asistentes al evento.

⬤ ⬤ ⬤ REALIZAR UN SEGUIMIENTO DE LAS CITAS

Al principio de este capítulo, hemos visto cómo sincronizar la aplicación de calendarios del ordenador (**iCal** en Mac o la herramienta **Calendario** en Outlook) y que es la forma más fácil de llenar el iPad con citas. Sin embargo, siempre surge algo cuando menos nos lo esperamos, así que tiene que saber cómo añadir y editar citas directamente en la aplicación **Calendario** del iPad. En las siguientes secciones encontrará todos los detalles.

Añadir una cita al calendario

Siga estos pasos para añadir una cita básica:

1. Seleccione la fecha en la que tendrá lugar la cita. En la vista **Día**, vaya hasta la hora; en las vistas **Semana** y **Mes**, pulse el día.

2. Pulse el botón **+**, situado en la esquina inferior derecha de la pantalla. Aparecerá la pantalla **Añadir evento**, tal y como puede ver en la figura 11.3.

3. Pulse el cuadro **Título** y escriba un título para la cita.

Figura 11.3. *Utilice la pantalla Añadir evento para crear una cita.*

4. Pulse el cuadro Lugar y escriba un lugar para la cita.

5. Pulse **Empieza/Termina** y aparecerá la pantalla Inicio y fin.

6. Pulse **Empieza** y utilice las ruedas desplazables para definir la fecha y la hora de comienzo de la cita.

7. Pulse **Termina** y utilice las ruedas desplazables para definir la fecha y la hora a la que termina la cita.

8. Pulse **OK**. La aplicación Calendario guarda la información y vuelve a la pantalla Añadir evento.

9. Si tiene varios calendarios, pulse **Calendario** y seleccione el calendario en el que quiere que aparezca esta cita.

10. Pulse el cuadro Notas y escriba las notas que quiera añadir a la cita.

11. Pulse **OK**. La aplicación guarda la información de la cita y la muestra en el calendario.

Editar una cita

Tanto si ha programado una cita a mano como si la ha sincronizado desde el ordenador, los detalles del evento pueden cambiar: una nueva hora, ubicación, etc. Sea por el motivo que sea, tiene que editar la cita para que esté actualizada. Siga estos pasos para editar una cita:

1. Vaya al día que contiene la cita que quiere editar. En la vista Día, vaya hasta la hora; en las vistas Semana y Mes, abra la semana o mes que contenga el día.

2. Pulse la cita.

3. Pulse **Editar**. El iPad muestra la fecha de la cita en la pantalla Editar.

4. Realice los cambios oportunos en la cita.

5. Pulse **OK**. El iPad guarda su trabajo y vuelve a los detalles del evento.

Incluir un evento que se repite

Una de las funcionalidades de Calendario que permiten ahorrar más tiempo es la función de repetición, con la que podemos crear un evento y hacer que Calendario lo repita automáticamente en un intervalo regular.

Por ejemplo, si incluye un evento para un viernes, puede repetir ese evento cada semana, lo que significa que Calendario configura el mismo evento automáticamente para que ocurra todos los viernes. Puede hacer que los eventos tengan lugar de forma indefinida o que terminen después de un número de repeticiones o incluso en una fecha concreta.

Siga estos pasos para hacer que un evento se repita:

1. Localice el día que contiene la cita que quiere editar. En la vista Día, vaya hasta la hora; en las vistas Semana y Mes, abra la semana o mes que contenga la cita.

2. Pulse la cita. Calendario abre la información del evento.

3. Pulse **Editar**. El iPad muestra la fecha del evento en la pantalla Editar.

4. Pulse **Repetir**. Aparecerá la lista Repetir evento, como puede ver en la figura 11.4.

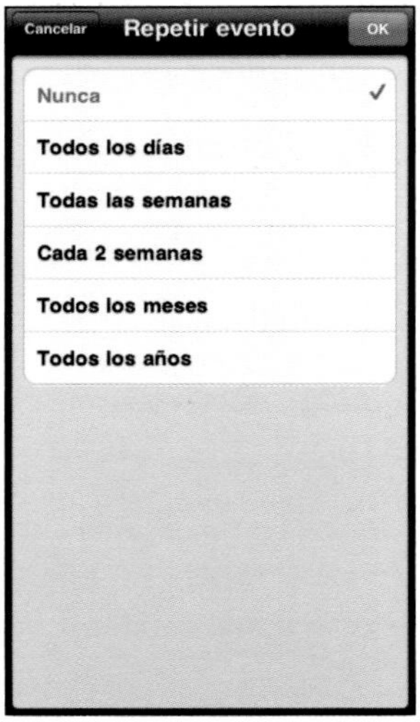

Figura 11.4. *Utilice la lista Repetir evento para decidir la frecuencia de repetición de un evento.*

5. Pulse el intervalo de repetición que quiera utilizar.

6. Pulse **OK**. Calendario vuelve a la pantalla de edición del evento.

7. Pulse **Terminar**. La lista Terminar aparece en pantalla (véase la figura 11.5).

Figura 11.5. *Utilice la lista Terminar para definir durante cuánto tiempo quiere que se repita el evento.*

8. Tiene dos opciones:

- Para hacer que el evento se repita indefinidamente, pulse **Repetir indefinidamente**.

- Para hacer que el evento finalice un día concreto, pulse **Terminar**. Utilice las ruedas desplazables para definir el día, mes y año del último evento.

9. Pulse **OK**. Calendario vuelve a la pantalla de edición del evento.

10. Pulse **OK**. Calendario guarda los datos de repetición y vuelve a los detalles del evento.

Convertir un evento en un evento que tiene lugar durante todo el día

Algunos eventos no pueden asociarse a horas concretas, como es el caso de cumpleaños, aniversarios, ferias, conferencias y vacaciones. Lo que tienen en común todos estos eventos es que pueden durar todo el día: en el caso de cumpleaños y aniversarios siempre se da esta situación; en el caso de ferias y similares, "todo el día" se refiere a la jornada laboral completa. ¿Por qué es esto importante? Imagine que programa una feria como una cita normal que empieza a las 9 de la mañana y termina a las 17 horas. Al examinar ese día en la vista Día o Semana de la aplicación Calendario, verá un enorme bloque que ocupa todo el día. Si, además, quiere programar reuniones que se producirán durante la feria, Calendario se lo permite, pero mostrará esas reuniones "encima" del evento existente para la feria. Lo único que conseguirá así es complicar el calendario e incluso puede que se le pase alguna cita.

Para solucionar este problema configure la feria (o lo que sea) para que sea un evento que tenga lugar durante todo el día: no aparecerá en el programa normal sino que aparecerá de forma separada, cerca de la parte superior de la vista Día o Semana. Siga estos pasos para configurar un evento que tenga lugar durante todo el día:

1. Vaya al día que contiene la cita que quiere editar. En la vista Día, vaya a la hora; en las vistas Semana y Mes, abra la semana o mes que contenga la cita.

2. Pulse la cita. Calendario abre la información del evento.

3. Pulse **Editar**. El iPad muestra la fecha del evento en la pantalla Editar.

4. Pulse **Empieza/Termina** y aparecerá la pantalla Inicio y fin.

5. Pulse el regulador Día entero para activarlo.

6. Pulse **OK**. La aplicación Calendario guarda el evento, vuelve al calendario y lo muestra como un evento que tendrá lugar durante todo el día.

En la figura 11.6 puede ver el Calendario en la vista Día y un evento que dura todo el día.

Figura 11.6. *La sección "eventos de todo el día" está en la parte superior de las vistas Día y Semana.*

Añadir una alerta a un evento

Uno de los secretos más útiles para ser productivos y no estresarse en el mundo moderno es configurar una cita electrónicamente y hacer que sea la propia tecnología la que nos recuerde cuándo tendrá lugar. De esa forma, no perdemos el tiempo pensando en la cita porque sabemos que la tecnología nos cubrirá las espaldas.

En el caso del iPad, la tecnología de la que hablamos es la aplicación Calendario y su funcionalidad de alertas. Al añadir una alerta a un evento, Calendario muestra de manera automática un recordatorio en forma de cuadro de diálogo que aparece en pantalla. El iPad también vibra y emite unos pitidos para atraer nuestra atención. También podemos elegir en qué momento se activa la alerta (es decir, cuántos minutos, horas o días antes del evento) e, incluso, podemos configurar una segunda alerta para estar aún más seguros.

Siga estos pasos para configurar una alerta para un evento:

1. Localice el día que contiene la cita que quiere editar. En la vista Día, vaya a la hora; en las vistas Semana y Mes, abra la semana o mes que contenga el día.

2. Pulse la cita. Calendario abre la información del evento.

3. Pulse **Editar**. El iPad muestra la fecha del evento en la pantalla Editar.

4. Pulse **Alerta**. Aparece en pantalla la lista Alerta, tal y como puede ver en la figura 11.7.

Figura 11.7. *Utilice la pantalla Alerta para indicarle a Calendario cuándo tiene que recordarle el evento.*

5. Pulse el número de minutos, horas o días de antelación con los que quiere ver la alerta.

6. Pulse **OK**.

7. Para configurar una segunda alerta de seguridad, pulse la opción **Segunda alerta** y seleccione con cuántos minutos, horas o días de antelación quiere que aparezca la segunda alerta.

8. Pulse **OK**. La aplicación Calendario guarda las alertas y vuelve al calendario.

Nota

Puede deshabilitar el ruido de la alerta si le resulta molesto. En la pantalla de inicio pulse Ajustes>General>Sonidos *y deslice el regulador* Alertas calendario *para desactivarlo.*

En la figura 11.8 puede ver un ejemplo de una alerta. Pulse **Detalles** para ver los detalles o pulse **OK** para cerrar la alerta.

Figura 11.8. *El iPad muestra una alerta similar a ésta para recordarle un evento próximo.*

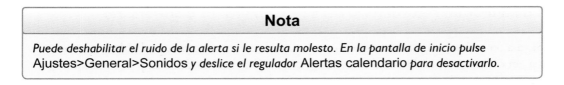

APROVECHAR AL MÁXIMO LA APLICACIÓN CALENDARIO

Las funciones básicas de la aplicación Calendario (varias vistas, calendarios de distintos colores, repetición de eventos, eventos que tienen lugar durante todo el día y alertas) la convierten en una herramienta indispensable para la gestión de horarios. Pero esta aplicación tiene algunos trucos más que tal vez le interese conocer y que veremos en lo que resta de capítulo.

Configurar el calendario predeterminado

Si tiene varios calendarios, cada vez que cree una nueva cita la aplicación Calendario elige automáticamente uno de ellos.

Puede que tenga que acceder a la configuración de Calendario y seleccionar un calendario diferente. Si esto le sucede con frecuencia, puede configurar la aplicación para que utilice un calendario predeterminado diferente. A continuación, se detalla cómo hacerlo:

1. Vuelva a la pantalla de inicio del iPad y pulse **Ajustes**. Se abre la pantalla Ajustes.

2. Pulse **Correo, contactos, calendarios**. Aparece la pantalla Correo, contactos, calendarios.

3. En la sección Calendarios, pulse **Calendario por omisión**. Aparece la pantalla Calendario por omisión.

4. Pulse el calendario que quiera utilizar como predeterminado. La aplicación Calendario utilizará ese calendario como el predeterminado para cualquier evento nuevo.

Configurar un recordatorio para un cumpleaños o aniversario

Si va a ser próximamente el cumpleaños de algún conocido, lo más probable es que no quiera olvidarse de él. Puede utilizar la aplicación Contactos del iPad para añadir un campo de cumpleaños para esa persona; eso funciona muy bien si está mirando ese contacto. Pero si no es así, está perdido. La forma más fácil para recordar una fecha es hacer que el iPad se lo diga.

Siga estos pasos para configurar el recordatorio para un cumpleaños (o aniversario u otra fecha importante):

1. Vaya a la fecha en la cual tendrá lugar la cita. En la vista Día, vaya a la hora; en las vistas Semana y Mes, abra la semana o mes que contenga la cita.

2. Pulse el botón + situado en la esquina inferior derecha de la pantalla. Aparecerá la pantalla Añadir evento.

3. Pulse el cuadro Título y entonces escriba el título del evento. Por ejemplo, "Cumpleaños de Karen".

4. Pulse **Empieza/Termina** y utilice las ruedas para seleccionar la fecha del cumpleaños.

5. Active el regulador Día entero.

6. Pulse **OK** para volver a la pantalla Añadir evento.

7. Pulse **Repetir** y pulse la opción Todos los años.

8. Pulse **Alerta** y pulse la opción En la fecha del evento.

9. Pulse **Segunda alerta** y pulse la opción 2 días antes. Esto le da un par de días de tiempo para poder comprar una tarjeta de felicitación y un regalo.

10. Pulse **OK**. Calendario guarda el evento y, así, tendrá algo menos en lo que pensar.

Suscribirse a un calendario

Si conoce a alguien que haya publicado un calendario, tal vez le interese realizar un seguimiento de ese calendario desde la aplicación Calendario del iPad. Sólo tendrá que suscribirse a ese calendario. El iPad configura el calendario publicado como un elemento separado, de forma que pueda cambiar fácilmente de sus propios calendarios al calendario publicado.

Para ello, tiene que saber la dirección del calendario publicado. Esta dirección suele tener la forma `servidor.com/calendario.ics`. Aquí, `servidor.com` es la dirección del servidor del calendario y `calendario.ics`, es el nombre del archivo iCalendar (casi siempre precedido por una ubicación de carpeta). Para calendarios publicados en MobileMe, la dirección es siempre como ésta: `ical.me.com/miembro/calendario.ics`.

En este caso, `miembro` es el nombre de miembro MobileMe de la persona que publicó el calendario. Una dirección de ejemplo podría ser la siguiente: `ical.me.com/aardvarksorenstam/aardvark.ics`.

Siga estos pasos para suscribirse a un calendario publicado:

1. En la pantalla de inicio, pulse **Ajustes**. El iPad abre la pantalla Ajustes.

2. Pulse **Correo, contactos, calendarios**. Aparece una pantalla con ese mismo nombre.

3. Pulse **Añadir cuenta**. Se abre la pantalla Añadir cuenta.

4. Pulse **Otras**. El iPad muestra la pantalla Otras.

5. Pulse **Añadir calendario suscrito**. Aparece la pantalla Suscripción.

6. Utilice el cuadro de texto Servidor para escribir la dirección del calendario.

7. Pulse **Siguiente**. El iPad se conecta al calendario.

8. Pulse **Guardar**. El iPad añade una cuenta para el calendario al que se ha suscrito.

Para ver el calendario al que se ha suscrito, pulse **Calendario** en la pantalla de inicio para abrir la aplicación Calendario y, a continuación, pulse **Calendarios** para abrir la pantalla Mostrar calendarios. El nuevo calendario aparece en la sección Los sucritos (véase la figura 11.9). Pulse el calendario para ver sus citas.

Ver una lista de los próximos eventos

La vista Mes de la aplicación Calendario muestra los próximos eventos mediante títulos que anuncian los eventos el día en el que se producen. Es una forma útil de tener una vista general del calendario, pero puede que le distraiga encontrarse con muchos días en blanco.

Si de verdad quiere centrarse en los próximos eventos, puede hacer que Calendario realice todo el trabajo mostrando una lista de todo lo que ha planeado durante los próximos días o semanas. Siga estos pasos:

1. En la pantalla de inicio pulse **Calendario**. Se abrirá la aplicación Calendario.

2. Pulse el botón **Lista**. La aplicación Calendario muestra una lista de los próximos eventos. Pulse un evento para ver los detalles.

Figura 11.9. *Sus suscripciones a calendarios aparecen en la sección*
Los suscritos de la pantalla Mostrar calendarios.

Manejar peticiones de reunión de Microsoft Exchange

Si ha configurado una cuenta de Microsoft Exchange en su iPad, es bastante probable que utilice sus características de mensajería: el servidor de Exchange envía automáticamente los mensajes de correo electrónico a su iPad, así como los contactos nuevos y modificados y los datos de los calendarios. Si alguien en la oficina añade su nombre a una reunión programada, Exchange genera una petición de reunión en forma de mensaje de correo electrónico que incluye información sobre la reunión y que le pregunta si quiere asistir.

¿Dónde aparecen estas peticiones? Pulse **Calendario** en la pantalla de inicio y fíjese en la zona izquierda de la pantalla. En la barra de herramientas de la aplicación Calendario, el icono **Invitaciones** le muestra cuántas peticiones de reunión tiene a la espera de respuesta, tal y como puede ver en la figura 11.10.

Si no ve el icono **Invitaciones** tendrá que activar la sincronización de su calendario Exchange. En el capítulo 5 explicamos cómo hacerlo.

Es mejor gestionar esas peticiones tan pronto como sea posible. Para ello, haga lo siguiente:

1. Pulse el icono **Invitaciones**, situado en la esquina superior derecha de la pantalla. Calendario muestra las peticiones pendientes.

2. Pulse la petición que quiera responder y pulse **Detalles**. Calendario muestra los detalles de la reunión.

3. Seleccione su respuesta:

- **Aceptar:** Pulse este botón para confirmar que asistirá a la reunión.

- **Tal vez:** Pulse este botón si no está seguro y lo decidirá más tarde.

- **Rechazar:** Pulse este botón para confirmar que no asistirá a la reunión.

Figura 11.10. *El icono Invitaciones de Calendario le muestra el número de peticiones Exchange que tiene pendientes.*

Nota

Las peticiones de reunión aparecen como eventos en el calendario y puede reconocerlas por su fondo gris. Otra forma de abrir los detalles de una reunión es pulsar la petición en el calendario.

Capítulo 12

UTILIZAR EL iPAD PARA NAVEGAR POR EL MUNDO REAL

Los dispositivos GPS dedicados se han vuelto increíblemente populares en los últimos años: no es fácil moverse por una ciudad en la que no hemos estado nunca o por una parte de la ciudad que no conocemos. Con el método clásico (direcciones escritas con prisa o un mapa posiblemente desactualizado), era muy fácil equivocarse. Por eso, tener un dispositivo que nos diga hacia dónde tenemos que dirigirnos es muy fácil. Sin embargo, los dispositivos dedicados, tanto si hablamos de reproductores de música como de lectores de libros electrónicos o receptores GPS, se están quedando obsoletos. Están siendo sustituidos por dispositivos multifunción que reproducen música, leen libros y muestran mapas.

En este capítulo, aprovecharemos el poder multifuncional del iPad para conocer mejor una herramienta muy útil: Mapas.

⬤ ⬤ ⬤ ENCONTRAR EL CAMINO CON MAPAS Y GPS

En el mundo real, cuando estamos intentando ir entre los ya conocidos puntos A y B, es muy habitual que surjan preguntas como: "¿Dónde estoy ahora?", "¿Qué desvío tomo?", "¿Habrá mucho tráfico en la autopista?", "¿Puedo llegar allí desde donde me encuentro?".

Afortunadamente, las respuestas a éstas y otras cuestiones están en unos cuantos toques en la pantalla.

El iPad incluye una estupenda aplicación Mapas por cortesía de Google y un receptor GPS integrado (para que quede claro: el iPad sólo tiene GPS en el modelo 3G; si tiene la versión Wi-Fi no tendrá esta opción). Ahora su iPad sabrá exactamente dónde está (y, por extensión, usted también sabrá dónde está) y pude ayudarle a llegar a donde quiere ir.

Para empezar a utilizar la aplicación Mapas, pulse el icono **Mapas** que aparece en la pantalla de inicio del iPad. En la figura 12.1 puede ver la pantalla Mapas.

Figura 12.1. *Utilice la aplicación Mapas del iPad para navegar por el mundo.*

Visualizar un destino

Cuando quiera localizar un destino utilizando **Mapas**, el método más sencillo es buscarlo:

1. Pulse el cuadro **Buscar** situado en la esquina superior derecha de la pantalla.

2. Escriba el nombre, dirección, palabra clave o frase que describa el destino.

3. En el teclado en pantalla, pulse **Buscar**. La aplicación **Mapas** localiza el destino, mueve el mapa hasta esa zona y coloca un marcador, como puede ver en la figura 12.2.

Una vez que tenga el destino marcado en el mapa puede examinarlo para encontrar el camino hasta ese punto: buscar nombres de calles, tiendas, cruces, etc. También puede utilizar la aplicación **Mapas** para conseguir direcciones específicas, como veremos más adelante en este capítulo. Sin embargo, siempre es difícil transferir la abstracción de un mapa al mundo real que vemos desde la ventanilla del coche (o desde donde sea) cuando estamos cerca de nuestro destino.

Afortunadamente, **Mapas** puede solucionar esta cuestión. Si Street View está disponible en la zona, verá un icono rojo a la izquierda del marcador de destino (véase la figura 12.2). Pulse ese icono y **Mapas** le mostrará inmediatamente el destino en formato Street View, como puede ver en la figura 12.3. Para hacerse una idea de dónde está, vaya girando la pantalla hacia la izquierda o hacia la derecha para conseguir una visualización de 360 grados de la zona que rodea a su destino.

Street View de Google Maps

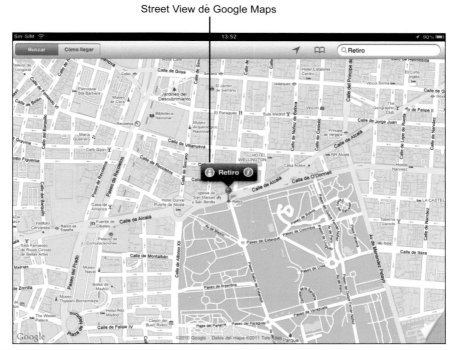

Figura 12.2. *Al buscar un destino, aparecerá un marcador que indica su ubicación en el mapa.*

Figura 12.3. *Pulse el icono Street View para ver una representación real de su destino.*

Ver la posición actual

Al entrar en un centro comercial desconocido, lo primero que haría para orientarse sería buscar el mapa más cercano y buscar la inevitable señal "Usted está aquí". Esto le servirá para hacerse una idea de su posición actual con respecto al resto del centro comercial. Cuando llega a una parte de la ciudad que no conoce o a una nueva ciudad, no estaría de más tener al alcance una señal como la del centro comercial como punto de referencia. La verdad es que ya la tiene, porque el iPad tiene algo parecido.

Pulse el icono **Rastreo** que aparece en la barra de menús de la aplicación **Mapas** (véase la figura 12.4) y listo. El iPad examina las coordenadas GPS, puntos de acceso Wi-Fi y, si su iPad es el modelo 3G, torres móviles cercanas para averiguar su ubicación actual. Una vez que termina el procesamiento y triangulación necesarios, el iPad muestra un mapa de su ciudad actual, ampliada en la zona en la que se encuentra, y añade un marcador azul que indica su posición (véase la figura 12.4). Le sorprenderá saber que si está en un coche, taxi u otro vehículo en movimiento, el marcador azul se moverá en tiempo real.

Figura 12.4. *Pulse el botón Rastreo para ver su posición exacta representada por un marcador azul en un mapa.*

Ver el mapa de ubicación de un contacto

No hace mucho tiempo, cuando queríamos visitar a alguien que vivía en una parte de la ciudad que no conocíamos o incluso en otra ciudad, era necesario llamarle por teléfono o enviarle un correo electrónico pidiéndole indicaciones. Entonces anotábamos las instrucciones o las recibíamos por correo electrónico (o incluso recibíamos por fax un mapa dibujado a mano). Hoy en día, son múltiples los recursos en línea de los que disponemos para saber cómo llegar hasta una dirección concreta e incluso podemos conseguir indicaciones para llegar por carretera.

Y, lo que es aún mejor, el iPad lleva ese concepto un poco más lejos y se integra con Google Maps para generar un mapa de la ubicación de una persona basándose en su dirección. Por tanto, siempre que incluya (o sincronice) la dirección de un contacto, puede ver su posición en el mapa.

Truco

Saber dónde estamos está bien, pero es incluso mejor saber qué tenemos cerca. Por ejemplo, si estamos en una ciudad nueva y queremos tomarnos un café, pulsamos el cuadro Buscar, *escribimos* **café** *y pulsamos* **Buscar**. *La aplicación* Mapas *coloca marcadores que representan los lugares que se corresponden con nuestros criterios de búsqueda. Pulse un marcador para ver el nombre y pulse el icono* **Más información** *para ver el número de teléfono, la dirección y la página Web.*

Para ver un mapa con la ubicación de un contacto, siga estos pasos:

1. En la pantalla de inicio, pulse el icono **Contactos** para abrir la aplicación Contactos.

2. A continuación, pulse el contacto con el que quiera trabajar. El iPad muestra los datos del contacto.

3. Seleccione la dirección que quiere ver en el mapa. El iPad cambia a la aplicación Mapas y coloca un marcador en la ubicación del contacto.

Nota

También puede ver un mapa con la ubicación de un contacto utilizando la propia aplicación Mapas. *En la barra de menús, pulse el icono* **Favoritos** *(situado a la izquierda del cuadro* Buscar). *Pulse* **Contactos** *y seleccione el contacto que quiera ver en el mapa. La aplicación* Mapas *localizará la dirección del contacto.*

Localizar en el mapa una dirección incluida en un correo electrónico

Las direcciones aparecen en muchos correos electrónicos hoy en día. Las personas incluyen la dirección de su casa o del trabajo en la firma del correo en la parte inferior de cada mensaje. Si el correo es una invitación a un evento, el remitente casi siempre incluirá la dirección del evento en alguna parte del mensaje.

Si necesita saber cuál es la ubicación de una dirección, tal vez piense que es necesario copiar la dirección que viene en el mensaje y pegarla en la aplicación Mapas. En efecto, eso funcionará, pero es un método demasiado laborioso.

Haga lo siguiente:

1. En la aplicación Mail, localice el mensaje que incluye la dirección. Si el iPad está en modo vertical, pulse el buzón de entrada para ver los mensajes.

2. Pulse y mantenga pulsada la dirección. El iPad mostrará una lista de acciones.

3. Pulse **Abrir en Mapas**. La aplicación Mapas se abre y coloca un marcador en la dirección.

Guardar una ubicación como favorito para acceder a ella más fácilmente

Si sabe la dirección de un lugar que quiere ver en el mapa, puede añadir un marcador para esa ubicación abriendo la aplicación Mapas y buscando la dirección. Es decir, pulse el cuadro Buscar situado en la barra de menús, escriba la dirección y después pulse el botón **Buscar**.

Ese procedimiento no supone mucho esfuerzo para búsquedas esporádicas, pero para una ubicación que utiliza con frecuencia, escribir la dirección una y otra vez acaba siendo muy pesado, se lo aseguro.

Puede ahorrar tiempo indicándole a la aplicación Mapas que guarde la ubicación en su lista Favoritos, lo que significa que puede acceder a ella con tan sólo unas pocas pulsaciones.

Siga estos pasos para añadir una ubicación a la lista de favoritos de la aplicación Mapas:

1. Busque la ubicación que quiere guardar. La aplicación Mapas indica la ubicación con un marcador y aparece su nombre o dirección en un recuadro sobre ese marcador.

2. Pulse el icono azul **Más información** en el recuadro. Aparecerá la pantalla Información con detalles sobre la ubicación:

   • Si la ubicación está en su lista de Contactos, aparecen los datos del contacto.

   • Si la ubicación es una empresa o institución, verá la dirección y otros datos como el número de teléfono y la página Web de la organización.

   • Para el resto de ubicaciones, simplemente verá la dirección.

3. Pulse **Favoritos**. La aplicación Mapas muestra la pantalla Añadir favorito.

4. Si quiere, edite el nombre del favorito y pulse **Guardar**. La aplicación Mapas añade la ubicación a la lista de favoritos.

Truco

La pantalla Favoritos *incluye también un botón* **Recientes** *en la barra de menús. Pulse este botón para ver las últimas búsquedas, ubicaciones introducidas y direcciones solicitadas. Para hacer que la aplicación* Mapas *localice alguno de estos elementos, simplemente selecciónelo.*

Para ver en el mapa una ubicación guardada en los favoritos, siga estos pasos:

1. Pulse el icono **Favoritos** en la barra de menús. Aparecerá la pantalla Favoritos.

2. Pulse **Favoritos** en la barra de menús. Aparecerá una lista de ubicaciones almacenadas como favoritos, tal y como puede ver en la figura 12.5.

3. Seleccione la ubicación que quiere ver en el mapa. La aplicación Mapas muestra el mapa apropiado y añade un marcador en la ubicación.

Figura 12.5. *Puede acceder a las ubicaciones utilizadas con frecuencia guardándolas como favoritos.*

Especificar una ubicación cuando no sabemos la dirección exacta

En ocasiones, sólo tenemos una ligera idea del lugar al que nos dirigimos. En una ciudad nueva, por ejemplo, puede que queramos ir hasta el centro y buscar algún restaurante o cafetería. Perfecto pero, ¿cómo hacemos para ir hasta el centro desde un hotel situado en las afueras de la ciudad? El iPad puede proporcionarnos direcciones, pero necesita saber nuestro punto de destino, y ésa es precisamente la información que no tenemos. Parece un problema complicado, pero hay una solución: podemos colocar un marcador en un lugar próximo al que queramos ir y la aplicación Mapas puede darnos indicaciones para llegar hasta ese marcador.

Siga estos pasos para colocar un marcador en el mapa:

1. En la aplicación Mapas, localice un mapa de la ciudad con el que quiera trabajar:

   • Si ya está en la ciudad, pulse el icono **Rastreo**, situado en la esquina superior derecha de la pantalla.

   • Si no está en la ciudad, pulse el cuadro Buscar, escriba el nombre de la ciudad y, tal vez, la provincia, y pulse el botón **Buscar**.

2. Deslice un dedo por la pantalla para moverse por el mapa hasta llegar a la ubicación aproximada que quiera utilizar como punto de destino.

3. Pulse el botón **Acción** situado en la esquina inferior derecha de la pantalla. Aparecerá una lista de acciones.

4. Pulse **Colocar marcador**. La aplicación Mapas coloca un marcador morado en el centro del mapa actual.

5. Arrastre el marcador morado hasta la ubicación que prefiera. La aplicación Mapas crea un favorito temporal con el nombre de esa ubicación. Puede utilizar ese favorito cuando le pida al iPad las indicaciones, tal y como se describe a continuación.

Obtener indicaciones hasta una ubicación

Una posible utilización de la aplicación Mapas consiste en especificar un destino (utilizando un contacto, una búsqueda de dirección, un marcador o un favorito) y, a continuación, pulsar el icono **Rastreo**. Con esto, obtenemos un mapa que muestra tanto el destino como la ubicación actual. Así podemos echar un vistazo a las calles para ver cómo llegar hasta el destino.

Dependiendo de lo lejos que estemos del destino, tal vez tengamos que alejar la imagen (imitando el gesto de un pellizco sobre la pantalla), para ver ambas ubicaciones en el mapa. Así podremos ver las calles para ir de un lugar a otro.

La aplicación Mapas no sólo nos permite visualizar la ruta hasta un destino, sino que también nos indica la distancia y el tiempo que tardaremos en llegar a él, además de proporcionar indicaciones precisas calle por calle, desvío a desvío. Se trata de una de las funcionalidades más interesantes del iPad y funciona de esta forma:

1. Utilice la aplicación Mapas para añadir un marcador en su punto de destino. Utilice el método que quiera: la lista de Contactos, una búsqueda de dirección, un marcador colocado en el mapa o un favorito.

2. Pulse **Cómo llegar** en la barra de menús. La aplicación Mapas abre la pantalla Cómo llegar. Como puede ver en la figura 12.6, debería ver Ubicación inicial en el cuadro Inicio y, en el cuadro Fin, su dirección de destino.

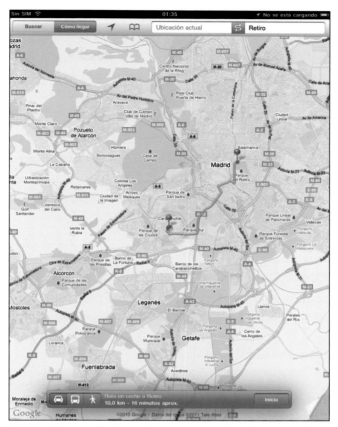

Figura 12.6. *Utilice la pantalla Cómo llegar para especificar los puntos de origen y destino.*

Truco

En lugar de buscar indicaciones para llegar a un destino, tal vez necesite indicaciones para moverse desde ese destino. Para ello, con el punto de destino marcado en el mapa, pulse el icono azul **Más información** *y pulse* **Ruta desde aquí**. *Si ya tiene la pantalla* Cómo llegar *abierta, pulse el botón* **Intercambiar** *situado entre los cuadros* Inicio *y* Fin. *La aplicación* Mapas *cambia las ubicaciones.*

---

3. Si quiere utilizar un punto de origen distinto al de su ubicación actual, pulse entonces **Ubicación actual** en el cuadro Inicio y luego escriba la dirección de la ubicación que quiere utilizar.

4. En la barra de resumen situada en la parte inferior de la pantalla, seleccione el medio de transporte: en coche, en transporte público o caminando.

    La aplicación Mapas muestra la distancia del trayecto y el tiempo aproximado que llevará realizarlo.

5. A continuación, pulse **Inicio**. Aparecerán entonces las indicaciones para el primer tramo del viaje.

6. Pulse ahora la tecla **Siguiente** (flecha derecha). Verá las indicaciones para el siguiente tramo del viaje. Repita el proceso para ver las indicaciones de los tramos siguientes. También puede pulsar la tecla **Anterior** (flecha izquierda) para poder ver la indicación anterior.

Nota

En lugar de ver las direcciones paso a paso, tal vez prefiera que aparezcan todas al mismo tiempo. En la parte izquierda de la barra de resumen, situada en la parte inferior de la pantalla, pulse el icono formado por tres líneas horizontales que está más a la izquierda.

CONTROLAR EL ACCESO DE LA APLICACIÓN AL GPS

Cuando abrimos una aplicación que incluye un componente GPS, aparecerá un cuadro de diálogo (véase la figura 12.7) que nos pide permiso para utilizar el hardware de localización del iPad y determinar nuestra ubicación actual.

Pulse **OK** si está de acuerdo o **No permitir** si no quiere que la aplicación utilice su ubicación actual.

Figura 12.7. *La primera vez que abra una aplicación con GPS le pedirá permiso para utilizar su ubicación actual.*

Sin embargo, puede que cambie de idea después de haber tomado una decisión. Por ejemplo, si no permite que la aplicación utilice su ubicación actual, ésta puede no disponer de alguna funcionalidad importante. O si permite que la aplicación utilice su ubicación, podría volver a pensárselo mejor por motivos de privacidad.

No importa cuál sea la razón, puede controlar el acceso de la aplicación al GPS siguiendo estos pasos:

1. En la pantalla de inicio del iPad, pulse **Ajustes**. Aparecerá la pantalla Ajustes.

2. Pulse **Localización**. Aparecerá la pantalla Localización que puede observar en la figura 12.8.

Figura 12.8. *Utilice la pantalla Localización para controlar qué aplicaciones tienen acceso a su ubicación.*

3. Configure el acceso de la aplicación al GPS de la siguiente forma:

   • Si no quiere que las aplicaciones utilicen su ubicación actual, desactive el regulador **Localización**.

   • Si no quiere que aplicaciones específicas utilicen su ubicación actual, desactive el regulador de cada aplicación.

COMPARTIR LA INFORMACIÓN DE UN MAPA

Si quiere enseñarle a alguien dónde vive, dónde trabaja o en qué lugar quiere quedar, podría enviarle la dirección a esa persona; un método del siglo pasado. La forma más moderna consiste en enviarle a su amigo un mapa digital que muestre la ubicación. El iPad facilita esta operación, tal y como veremos en la sección siguiente.

Prácticamente, todo el mundo tiene dirección de correo electrónico, así que es lógico enviar un mapa como adjunto. Éstos son los pasos que tiene que seguir:

1. Utilice la aplicación **Mapas** para añadir un marcador a la ubicación que quiere enviar. Utilice cualquier método: la lista de **Contactos**, la búsqueda de una dirección, un marcador o un favorito. Si quiere enviar su ubicación actual, búsquela y luego pulse el marcador azul.

2. Pulse el icono **Más información**.

3. Pulse **Compartir ubicación**. El iPad crea un nuevo mensaje de texto que incluye un enlace de Google Maps con la ubicación.

4. Rellene el resto de campos del mensaje y envíelo.

◉ ◉ ◉ UTILIZAR EL GPS PARA BUSCAR Y PROTEGER UN IPAD PERDIDO

Dependiendo de cómo utilicemos el iPad, podemos terminar con media vida dentro del dispositivo. Eso suena bien, pero si perdemos el iPad también habremos perdido esa parte de nuestra vida y tendremos un gran problema de privacidad, porque cualquiera podrá acceder a nuestros datos (si no hemos configurado el iPad con un código de bloqueo, tal y como hemos visto en el capítulo 3).

Si ha sincronizado con frecuencia el iPad y el ordenador, seguramente recuperará la mayoría o incluso todos los datos. Pero estoy casi seguro de que no encontrará el iPad, porque es un dispositivo caro, y pensar que algún extraño puede acceder a nuestras cosas produce escalofríos. El método antiguo para encontrar el iPad sería volver a todos aquellos lugares en los que hemos estado antes de perderlo y llamar a varios departamentos de objetos perdidos para ver si ha aparecido.

La nueva forma de buscar el iPad es una aplicación llamada Buscar mi iPhone que, a pesar del nombre, también puede utilizarse con el iPad (también puede utilizar esta característica con una cuenta de MobileMe). La aplicación Buscar mi iPhone utiliza un sensor GPS incrustado dentro del iPad para localizar el dispositivo. Puede utilizarla para enviar un mensaje al iPad, bloquearlo de forma remota y, si es necesario, eliminar los datos también de forma remota. En las siguientes secciones encontrará todos los detalles.

Activar Buscar mi iPhone

La aplicación Buscar mi iPhone funciona buscando una señal en particular que transmite el iPad. Esta señal está desactivada por defecto, así que es necesario activarla si quiere utilizar Buscar mi iPhone. Siga estos pasos:

1. En la pantalla de inicio, pulse **Ajustes**. Aparecerá la pantalla Ajustes.

2. Pulse **Correo, contactos, calendarios**. Aparecerá la pantalla Correo, contactos, calendarios.

3. Pulse **Obtener datos** para abrir la pantalla Obtener datos.

4. Si el ajuste Push está desactivado, actívelo.

5. Pulse **Correo, contactos, calendarios** para volver a la pantalla del mismo nombre.

6. Pulse su cuenta de MobileMe. Aparecerán los ajustes de la cuenta.

7. Active el regulador Buscar mi iPad. Aunque en general Apple llama a esta característica "Buscar mi iPhone", en los ajustes de la cuenta de MobileMe se llama "Buscar mi iPad". El iPad le pedirá confirmación.

8. Pulse **Permitir**. El iPad activará la característica Buscar mi iPad.

9. Pulse **OK**.

Localizar el iPad en un mapa

Con las características Obtener datos y Buscar mi iPad activadas en el iPad, puede utilizar MobileMe para localizarlo en cualquier momento. En las dos secciones que aparecen a continuación verá cómo hacerlo utilizando la aplicación y MobileMe.

Localizar el iPad utilizando la aplicación Buscar mi iPhone

Siga estos pasos para ver el iPad perdido en un mapa con la aplicación Buscar mi iPhone:

1. En un iPad, iPhone o iPod Touch que tenga la aplicación Buscar mi iPhone instalada, pulse la aplicación para ejecutarla. Tendrá que introducir su ID de Apple.

2. Escriba la dirección de Apple y la contraseña. Tendrá que utilizar la misma ID de Apple que ha utilizado para activar el ajuste Buscar mi iPad en el iPad.

3. Pulse **Ir**. La aplicación inicia sesión en su cuenta de Apple.

4. Si está utilizando Buscar mi iPhone en un iPad, pulse **Dispositivos**.

5. En la lista de dispositivos pulse el iPad que se ha perdido. La aplicación localiza el iPad en un mapa, como puede ver en la figura 12.9.

6. Para ver si la ubicación ha cambiado, pulse el botón **Actualizar ubicación** (la flecha circular). En la versión del iPad este botón aparece a la derecha del botón **Dispositivos**; en el iPhone y el iPod Touch aparece en la esquina inferior izquierda de la pantalla.

Figura 12.9. *En la lista de dispositivos, pulse su iPad para localizarlo en el mapa.*

Localizar el iPad utilizando MobileMe

Siga estos pasos para ver el iPad perdido en un mapa utilizando MobileMe:

1. Inicie la sesión en su cuenta de MobileMe.

Nota

Todas estas opciones de las que se habla a continuación se pueden configurar en el propio iPad o a través de una cuenta de MobileMe. Las cuentas de MobileMe tienen todos los menús y opciones en inglés, de ahí que se especifiquen las opciones del iPad en español y en inglés las de MobileMe.

---

2. Haga clic en el icono en forma de nube y luego haga clic en Find My iPhone/Buscar mi iPhone. MobileMe le pedirá que vuelva a escribir su contraseña para iniciar la aplicación.

3. Escriba la contraseña y haga clic en **Continue/Continuar**. Aparecerá la aplicación Find My iPhone/Buscar mi iPhone de MobileMe.

4. Haga clic en su iPad en la lista Devices/Dispositivos. MobileMe localiza su iPad en un mapa.

5. Para ver si la ubicación ha cambiado, haga clic en el botón **Refresh Location/Actualizar ubicación**, la flecha circular que aparece en la esquina superior derecha.

Enviar un mensaje al iPad

Si piensa que otra persona tiene su iPad, puede intentar contactar con ella enviándole un mensaje al iPad utilizando la aplicación Buscar mi iPhone o la característica Find My iPhone de MobileMe. Siga estos pasos:

1. Pulse o bien haga clic sobre el iPad en la lista Dispositivos/Devices. Buscar mi iPhone/Find My iPhone localiza el iPad en el mapa.

2. Pulse o haga clic sobre el icono azul **Más información** que aparece a la derecha del nombre del iPad. Aparecerá información sobre el iPad y los botones de varias acciones que puede realizar.

3. Pulse o haga clic en la opción Mostrar mensaje o emitir sonidos/Display Message or Play Sound. Aparecerá el cuadro de diálogo Mostrar mensaje/ Display a Message.

4. Escriba el mensaje. En la figura 12.10 puede ver un ejemplo.

5. Si quiere asegurarse de que la otra persona ve el mensaje, deje activado el regulador Emitir un sonido/Play a sound for 2 minutes (Reproducir un sonido durante 2 minutos).

6. Pulse o haga clic en **Enviar/Send**. Se envía el mensaje, que aparecerá en la pantalla del iPad de la otra persona, tal y como puede ver en la figura 12.11.

Figura 12.10. Puede enviar un mensaje a su iPad perdido.

Figura 12.11. Podemos enviar un mensaje al iPad que hemos perdido.

Bloquear remotamente los datos del iPad

Mientras está esperando a que la otra persona le devuelva el iPad, seguramente no querrá que examine sus datos. Para evitarlo, puede bloquear el iPad remotamente.

Siga estos pasos:

1. Pulse o haga clic en el iPad en la lista Dispositivos/Devices. El dispositivo aparecerá en un mapa.

2. Pulse o bien haga clic sobre el icono azul **Más información** que aparece a la derecha del nombre del iPad. Aparecerá información sobre el iPad y varios botones con acciones que puede realizar.

3. Pulse o haga clic sobre Bloquear remotamente/Remote Lock. Aparecerá entonces el cuadro de diálogo Bloquear remotamente/Remote Lock que puede ver en la figura 12.12.

4. Pulse o haga clic en los números del teclado para escribir un código de cuatro dígitos.

5. Vuelva a escribir el código de cuatro dígitos. El iPad se bloqueará.

Figura 12.12. *El mensaje aparecerá en la pantalla del iPad.*

Borrar remotamente los datos del iPad

Si no puede conseguir que la otra persona le devuelva el iPad y éste contiene información delicada o confidencial o si sólo contiene una parte importante de su vida tal y como hemos mencionado antes, puede utilizar la aplicación **Buscar mi iPhone** o la característica **Find My iPhone** de MobileMe para llevar a cabo un paso drástico: borrar remotamente todos los datos del iPad. Siga estos pasos:

1. Pulse o haga clic en el iPad en la lista **Dispositivos/Devices**. El iPad aparecerá en el mapa.

2. Pulse o haga clic en el icono **Más información** que aparece a la derecha del nombre del iPad. Aparecerá información sobre el iPad y otros botones para realizar distintas acciones.

3. Pulse o haga clic en **Borrar remotamente/Erase All Data**. Aparecerá el cuadro de diálogo de advertencia que puede ver en la figura 12.13.

Figura 12.13. *Si está convencido de que la pérdida del iPad es una causa perdida, puede borrar remotamente todos sus datos.*

4. Pulse o haga clic en **Borrar todos los datos/Erase All Data**. Se borrarán todos los datos del iPad de forma remota.

Capítulo 13

MEJORAR EL IPAD CON APLICACIONES

La colección de aplicaciones que incluye el iPad de forma predeterminada es bastante sorprendente y la mayoría de nosotros podríamos darnos por satisfechos con ella. No obstante, eso sería un tanto ridículo. Después de todo, cuando Apple lanzó al mercado el iPad a principios de 2010, también anunció que la tienda App Store disponía de más de 140.000 aplicaciones. Cuando escribo este libro a principios de 2011, App Store ofrece más de 250.000 aplicaciones, así que cuando lea estas líneas el total será sin duda mucho mayor. Unas cifras impresionantes que significan que podrá encontrar montones de aplicaciones que harán que su vida sea más sencilla, productiva y entretenida. Lo mejor de todo es que son muchas las aplicaciones que tienen precios reducidos, así que podrá atiborrar el iPad sin vaciar su cuenta bancaria.

 **LAS APLICACIONES Y EL IPAD**

Se habrá dado cuenta de que el iPad no sólo incluye una cantidad considerable de tecnología, sino que también viene cargado con una colección realmente extraordinaria de aplicaciones que aprovechan las funciones especiales del iPad. Aun así, habrá notado que este conjunto de aplicaciones es un tanto incompleto. ¿Dónde están las noticias y los titulares deportivos? ¿Por qué no hay una forma más sencilla para publicar una nota breve en mi *blog* o un enlace con mi una de mis cuentas? ¿Y por qué no hay ningún juego ni una calculadora a la vista?

Podemos solucionar éstas y otras carencias existentes en la estructura de aplicaciones del iPad con la tienda App Store. En ella, encontrará aplicaciones de alta calidad organizadas en categorías como negocios, educación, redes sociales, juegos y muchas otras. Como puede ver en la figura 13.1, cuando abra una aplicación para iPhone en el iPad, verá primero la aplicación con su tamaño predeterminado para el iPhone. La inmensa mayoría de estas aplicaciones fueron desarrolladas para el iPhone, pero no se preocupe, casi todas ellas funcionan también en el iPad.

Figura 13.1. *Abra una aplicación para iPhone en el iPad y aparecerá primero la versión para iPhone.*

Puede utilizar la aplicación en este formato, pero no tiene mucho sentido desaprovechar la magnífica pantalla del iPad. Por suerte, no tiene porqué hacerlo. Pulse el botón **2x** situado en la esquina inferior derecha y el iPad duplica, automáticamente, el tamaño de la aplicación (una operación que Apple denomina *pixel doubling*), que ocupa ahora toda la pantalla del iPad, tal y como puede ver en la figura 13.2.

La imagen es un poco borrosa, así que si no le convence el resultado siempre puede pulsar el botón **1x** para volver a la vista estándar para iPhone.

Afortunadamente, no tiene por qué utilizar aplicaciones desarrolladas para iPhone en el iPad. Desde la salida el mercado del iPad en la primavera de 2010, los desarrolladores de software de todo el mundo se han dedicado a adaptar aplicaciones ya existentes y a crear otras nuevas expresamente para aprovechar la estupenda pantalla del iPad. Esto significa que encontrará más de 40.000 aplicaciones diseñadas específicamente para el iPad y no tendrá que utilizar la versión para iPhone con mucha frecuencia.

Figura 13.2. *Pulse el botón 2x para disfrutar de su aplicación a tamaño completo.*

ACCEDER A LA TIENDA APP STORE EN EL ORDENADOR

El lugar en el que encontrará aplicaciones para iPad es la ya conocida tienda App Store que puede ver en la figura 13.3. De la misma forma que utilizamos la tienda iTunes Store para buscar y comprar canciones o discos, utilizamos la tienda App Store para buscar y comprar aplicaciones (aunque muchas de ellas son gratuitas). Para ello, basta con utilizar iTunes en un Mac o PC con Windows. Como veremos más adelante, también es posible conectarse a App Store directamente desde el iPad.

Para acceder a la tienda App Store desde el ordenador, siga estos pasos:

1. Abra iTunes.

2. Haga clic en iTunes Store. Aparece en pantalla la interfaz de iTunes Store.

3. Haga clic en **App Store**. Aparecerá la página principal de la tienda App Store.

4. Haga clic en **iPad**. Aparecerá la versión para iPad de la página.

A partir de ahí, utilice los enlaces para buscar aplicaciones o el cuadro de búsqueda para buscar algo específico.

Figura 13.3. *La versión para iPad de la página principal de la tienda App Store es el punto de partida para la búsqueda de aplicaciones para el iPad.*

Descargar aplicaciones gratuitas

Cuando se creó la tienda App Store, Apple hizo un trato con los desarrolladores de software: si creaban una aplicación gratuita, Apple la albergaría en la App Store sin ningún coste. Poder enseñar sus creaciones digitales a millones de personas es el sueño de cualquier desarrollador, pero tener ese privilegio a cambio de nada es demasiado bueno para ser verdad. Casi. La tienda App Store está repleta, de verdad, de una gran colección de aplicaciones cuyas descarga es gratuita. Siga estos pasos para descargar e instalar una aplicación gratuita:

1. En iTunes, haga clic en el enlace **App Store**. El ordenador abre la tienda App Store.

2. Utilice la interfaz de la tienda para buscar la aplicación que quiera descargar.

3. Haga clic en la aplicación. Aparecerá una descripción junto a su puntuación, algunas capturas de pantalla y una serie de comentarios de usuarios, como ve en la figura 13.4.

Figura 13.4. Haga clic en una aplicación para ver sus detalles.

Nota

En la mayoría de casos, sólo con echar un vistazo no es suficiente para saber si una aplicación es gratuita o no. Sin embargo, la tienda App Store incluye una lista muy útil llamada Top Apps gratis para iPad en la zona derecha de la pantalla (justo debajo de la lista de aplicaciones de pago para el iPad), el lugar ideal para comenzar a buscar aplicaciones gratuitas.

4. Haga clic en **App gratuita**. La tienda App Store le pedirá su ID de Apple y la contraseña.

5. Escriba su contraseña y haga clic en **Obtener**. iTunes descarga la aplicación y la almacena en la categoría Aplicaciones de la biblioteca.

Comprar aplicaciones

Como comprenderá, los desarrolladores de software tienen que vivir de algo: regalar aplicaciones es una buena estrategia de *marketing* pero no sirve para dar de comer a sus creadores. Por eso, muchas de las aplicaciones que encontrará en App Store tienen un precio.

Si la aplicación es medianamente decente, es más que comprensible que haya que pagar por ella. Además, es probable que aparezcan algunos comentarios de usuarios que le permitirán saber si merece la pena o no gastarse unos euros en ella.

Siga estos pasos para comprar e instalar una aplicación de pago desde la tienda App Store:

1. En iTunes, haga clic en el enlace **App Store**.

2. Utilice la interfaz de la tienda para buscar la aplicación que quiera descargar.

3. Haga clic en la aplicación. Aparecerá una descripción de la aplicación. Preste especial atención a las valoraciones y a los comentarios que hayan realizado los usuarios sobre la misma.

4. Haga clic en **Comprar App**. La tienda App Store le pedirá su ID de Apple y la contraseña.

5. Escriba su contraseña y haga clic en **Comprar**. iTunes descarga la aplicación y la almacena en la categoría **Aplicaciones** de la biblioteca.

Ver y actualizar aplicaciones

Al hacer clic en **Aplicaciones** en la biblioteca de iTunes, verá una lista de iconos que representan todas las aplicaciones que haya descargado en la App Store, tal y como puede ver en la figura 13.5.

Figura 13.5. *En la biblioteca de iTunes, haga clic en la categoría Aplicaciones para ver las aplicaciones que haya descargado.*

Fíjese en que, en la parte inferior de la pantalla, iTunes indica cuántas actualizaciones están disponibles. Cuando el desarrollador publica una nueva versión de la aplicación, App Store compara esa versión con la que tiene instalada. Si su versión es anterior a la disponible, le ofrece actualizar la aplicación automáticamente, normalmente sin coste adicional.

Para ver qué aplicaciones necesitan actualizaciones, haga clic en X actualizaciones disponibles (donde X es el número de actualizaciones). iTunes abre App Store y muestra la lista de actualizaciones disponibles. Para actualizar la aplicación, haga clic en el botón **ACTUALIZA**, introduzca su ID de Apple y su contraseña y haga clic en **Obtener**.

⬤ ⬤ ⬤ ACCEDER A LA TIENDA APP STORE EN EL IPAD

Sincronizar aplicaciones en el iPad desde iTunes es fabuloso, pero ¿qué pasa si no estamos cerca del ordenador y oímos algo sobre un juego divertidísimo para iPad o nos acordamos de que no hemos descargado una aplicación importante con iTunes? Esto no supone ningún problema porque el iPad puede establecer una conexión inalámbrica con App Store desde cualquier ubicación con acceso Wi-Fi o mediante una señal móvil (lo ideal sería con 3G para descargas más rápidas, si es que tienen una versión 3G).

Puede examinar y buscar aplicaciones, comprobar actualizaciones y comprar cualquier aplicación que quiera. La aplicación se descarga en el iPad y se instala ella sola en la pantalla de inicio.

Para acceder a la tienda App Store desde el iPad, siga estos pasos:

1. Pulse el botón **Inicio** para ir a la pantalla de inicio.
2. Pulse el icono **App Store**.

Como puede ver en la figura 13.6, la organización de App Store en el iPad es parecida a la de iTunes Store. Es decir, tiene a su disposición cinco botones en la barra de menús: Destacados, Genius, Top Charts, Categorías y Actualizar. Con estos botones puede navegar por la tienda.

A continuación, se explica brevemente la funcionalidad de cada uno de estos botones:

- **Destacados:** Pulse este botón para ver una lista de aplicaciones seleccionadas por los editores de App Store. Aparece el nombre, el icono, la puntuación, el número de comentarios y el precio de cada aplicación. Pulse **Nuevo** para ver las aplicaciones más recientes, pulse **Lo último** para ver los elementos más populares y pulse **Fecha de salida** para ver las aplicaciones clasificadas cronológicamente por fecha de salida.

- **Genius:** Pulse este botón para acceder a la característica Genius, que le proporcionará una lista de aplicaciones que le pueden gustar seleccionadas en función de aquellas que ya tenga.

- **Top Charts:** Pulse este botón para poder ver las aplicaciones más populares de pago y gratuitas.

- **Categorías:** Pulse este botón para ver una lista de las aplicaciones agrupadas en categorías como **Juegos** y **Finanzas**. Pulse una categoría para ver una lista de todas las aplicaciones disponibles.

- **Actualizar:** Pulse este botón para instalar versiones actualizadas de las aplicaciones.

Figura 13.6. *Utilice los botones de navegación situados en la barra de menús de App Store para localizar y gestionar aplicaciones para su iPad.*

Nota

Pulse una aplicación para obtener información detallada sobre ella. En la pantalla de información, verá una descripción de la aplicación, una captura de pantalla de la misma e incluso reseñas de otros usuarios.

Cuando empiece a buscar aplicaciones, se encontrará con muchas en las que en el botón del precio o en el botón **GRATIS** aparece un pequeño signo más (+) en la esquina superior izquierda, tal y como puede ver en la figura 13.7. Esto indica que la aplicación funciona tanto en el iPad como en el iPhone. Si en algún momento está buscando en App Store y no tiene muy claro lo que quiere, lo mejor es pulsar **Categorías** en la barra de menús para ver la pantalla Elige una categoría (véase la figura 13.8). Esto le ayudará a decidirse y, en ocasiones, le permitirá encontrar auténticos tesoros ocultos.

Figura 13.7. *Un signo más (+) en el precio de la aplicación o en el botón GRATIS indica que la aplicación funciona tanto en el iPad como en el iPhone.*

Descargar aplicaciones gratuitas

Sorprendentemente, son múltiples las aplicaciones de App Store que no cuestan nada. Tal vez piense que estas aplicaciones son obra de desarrolladores principiantes o que son demasiado sencillas para ser útiles.

Es cierto que algunas de ellas pueden considerarse de segunda categoría, pero son numerosas las que nos ofrecen funcionalidades tan interesantes como las que se encuentran en las aplicaciones comerciales.

Figura 13.8. *Pulse Categorías y utilice una de las 20 categorías para encontrar lo que busca, aunque no sepa qué está buscando.*

Nota

En la tienda App Store del iPad encontrará el botón **GRATIS** a la derecha de las aplicaciones gratuitas. Si busca un buen lugar para aumentar su colección de aplicaciones gratuitas, pulse **Top Charts** y recorra la lista de aplicaciones.

Siga los pasos que se describen a continuación para descargar e instalar una aplicación gratuita:

1. En la pantalla de inicio pulse **App Store**. Se abrirá la pantalla.

2. Busque la aplicación que quiere descargar y púlsela. Aparecerá la pantalla de información de la aplicación.

3. Pulse el botón **GRATIS**, que se convertirá en el botón **INSTALAR APP**.

4. Pulse **INSTALAR APP**. App Store le pedirá su ID de Apple y la contraseña.

5. Escriba la contraseña y pulse **OK**. Empezará la descarga de la aplicación. El icono de la aplicación aparecerá en la pantalla de inicio y verá una barra de progreso para los procesos de descarga e instalación. El título del icono pasa de **Cargando** a **Instalando** y, por último, aparece el nombre de la aplicación.

6. Cuando termine la instalación, pulse el nuevo icono que aparece en la pantalla de inicio para empezar a utilizar la aplicación.

Nota

Si la aplicación ocupa demasiado y está navegando por Internet a través de una conexión móvil (especialmente si se trata de una conexión EDGE), el iPad podría detener la instalación e informarle que necesita conectarse a una red Wi-Fi para descargar la aplicación.

Comprar aplicaciones

Muchas de las aplicaciones para iPad son extremadamente sofisticadas, así que no se sorprenda si tiene que pagar por ellas. Para asegurarse de no tirar el dinero, lea la descripción de la aplicación y los comentarios de otros usuarios que la hayan probado.

Si, finalmente, se decide por alguna aplicación, siga estos pasos para comprarla y descargarla:

1. En la pantalla de inicio pulse **App Store**. Se abrirá la pantalla App Store.

2. Busque la aplicación que quiere descargar y púlsela. Aparecerá la pantalla de información de la aplicación.

3. Pulse el botón del precio, que se convertirá en el botón **COMPRAR APP**.

4. Pulse **COMPRAR APP**. App Store le pedirá su ID de Apple y la contraseña.

5. Escriba la contraseña y pulse **OK**. Empezará la descarga de la aplicación. El icono de la aplicación aparecerá en la pantalla de inicio y verá una barra de progreso para los procesos de descarga e instalación. El título del icono pasa de **Cargando** a **Instalando** y, por último, aparece el nombre de la aplicación.

6. Cuando termine la instalación, pulse el nuevo icono que aparece en la pantalla de inicio para empezar a utilizar la aplicación.

Nota

App Store podría no permitirle descargar una aplicación de gran tamaño si está conectado mediante una señal móvil. En lugar de descargar la aplicación, el iPad le mostrará un mensaje indicándole que lo intente de nuevo mediante una conexión Wi-Fi.

Actualizar aplicaciones

Al acceder a la tienda App Store desde el iPad, fíjese en el icono **Actualizar** situado en la barra de menús. Si dentro de ese icono aparece un círculo rojo con un número blanco en su interior, significa que existen actualizaciones para algunas de las aplicaciones que tiene instaladas. El número que aparece dentro del círculo indica el número de actualizaciones disponibles. Es buena práctica actualizar las aplicaciones siempre que haya versiones más recientes. La versión nueva suele solucionar errores, pero también puede incluir nuevas funcionalidades, optimizar el rendimiento o mejorar la seguridad de una aplicación.

Siga estos pasos para instalar una actualización:

1. En la pantalla de inicio, pulse **App Store**. El iPad se conecta a la tienda App Store.

2. Pulse el icono **Actualizar**. Recuerde que sólo debe pulsar este botón si aparece un círculo rojo con un número que indica las actualizaciones disponibles.

3. Pulse una actualización. Aparecerá una descripción de esa actualización.

Truco

Si tiene varias actualizaciones pendientes, puede ser molesto actualizarlas una a una porque tendrá que repetir estos pasos para cada aplicación. Para ahorrar tiempo, pulse el icono **Actualizar** *y después pulse* **Actualizar todo***.*

---

4. Pulse **GRATIS**. El botón **GRATIS** se convierte en **INSTALAR**. En el poco probable caso de que la actualización no fuese gratuita, tendría que pulsar el precio y después seleccionar **COMPRAR**.

5. Pulse **INSTALAR**. El iPad descarga e instala la actualización de la aplicación.

⬤ ⬤ ⬤ SINCRONIZAR LAS APLICACIONES

Después de descargar alguna aplicación en iTunes, no tendría mucho sentido dejarlas ahí. Para utilizar las aplicaciones es necesario transferirlas al iPad. O si ha descargado alguna aplicación en el iPad, no es mala idea copiarla en el ordenador.

Puede conseguir estos dos objetivos sincronizando las aplicaciones entre el ordenador y el iPad:

1. Conecte el iPad al ordenador para que se abra iTunes y acceda al iPad.

2. En iTunes, haga clic en iPad en la lista DISPOSITIVOS.

3. Haga clic en la ficha **Aplicaciones**.

4. Seleccione la casilla de verificación **Sincronizar aplicaciones**.

5. En la lista de aplicaciones, seleccione la casilla de verificación situada junto a cada una de las aplicaciones que quiera sincronizar, como puede ver en la figura 13.9.

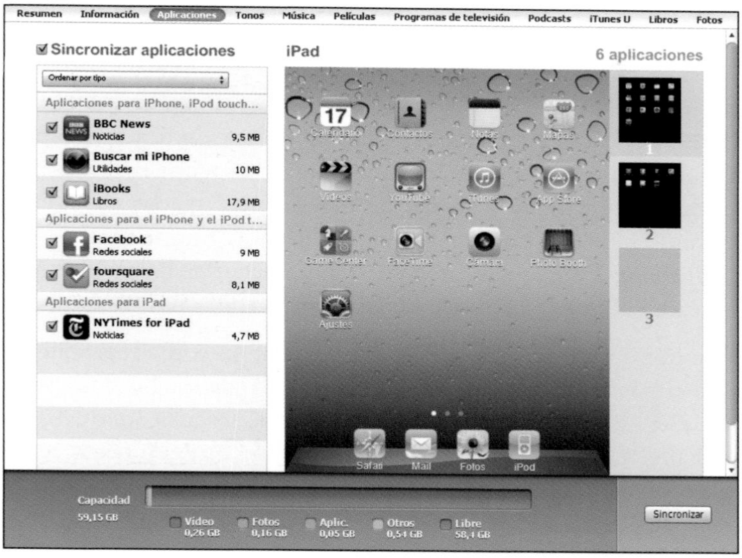

Figura 13.9. *Puede sincronizar con el iPad las aplicaciones que seleccione.*

6. Para borrar una aplicación del iPad, haga clic en la pantalla de inicio que contiene la aplicación, deslice el cursor del ratón sobre el icono y haga clic en la **X** que aparece en la esquina superior izquierda del icono.

7. Haga clic en **Aplicar**. iTunes sincroniza el iPad con la nueva configuración.

⬤ ⬤ ⬤ APLICACIONES MULTITAREA

Una de las características mejor recibidas del iPad es la multitarea, que nos permite utilizar varias aplicaciones a la vez. Esto es útil, por ejemplo, si estamos jugando a un juego y nos llega un correo electrónico, porque podemos ir al mensaje para leerlo y contestarlo y después volver al juego y continuar en el punto en el que lo dejamos.

A grandes rasgos, la multitarea en el iPad significa que siempre que ejecutemos una aplicación y después cambiemos a otra, el iPad mantiene la primera aplicación ejecutándose en segundo plano. En la mayoría de los casos, la primera aplicación no hace nada mientras está en esta situación: no le quita tiempo de procesamiento a la aplicación actual ni consume batería. Esto significa que puede abrir tantas aplicaciones como quiera. Sin embargo, si la primera aplicación realiza alguna tarea y cambiamos a otra aplicación, la primera aplicación seguirá realizando esta tarea en segundo plano.

Pero para entender mejor cómo funciona la multitarea en el iPad tiene que conocer los tres estados que puede tener una aplicación:

- **Cerrada:** La aplicación está totalmente cerrada. Si reinicia el iPad apagándolo y volviendo a encenderlo, todas las aplicaciones estarán cerradas.

- **Suspendida:** Si inicia una aplicación y después pulsa el botón **Inicio** para volver a la pantalla de inicio, en la mayoría de los casos el iPad suspende la aplicación que se está ejecutando. Esto significa que la aplicación permanece cargada en la memoria, pero no se está ejecutando ni utiliza tiempo del procesador ni consume batería. Sin embargo, la aplicación sigue conservando sus características actuales, de forma que cuando volvemos a ella, continúa en el punto en el que lo dejamos.

- **De fondo:** Si inicia una aplicación, empieza una acción como reproducir música y después pulsa el botón **Inicio** para volver a la pantalla de inicio, el iPad pone la aplicación en este estado, lo cual significa que el proceso de la aplicación se ejecuta en segundo plano. Cuando vuelva a la aplicación, verá que el proceso continúa ejecutándose o ya habrá terminado.

Truco

*Para navegar mejor por la lista de aplicaciones que están ejecutándose, cierre las que no vaya a utilizar. Pulse dos veces el botón **Inicio** para ver la lista de aplicaciones, mantenga pulsada cualquier aplicación para ponerlas todas en el modo de edición y, después, pulse el icono rojo de eliminación que aparece en la esquina superior izquierda de la aplicación que quiera cerrar. Cuando termine, pulse el botón **Inicio** para salir del modo de edición.*

La mayoría de las aplicaciones pasan al modo suspendido cuando cambiamos a otra aplicación. Sin embargo, si iniciamos una aplicación y el iPad no tiene suficiente memoria libre, empezará a cerrar las aplicaciones suspendidas para liberar memoria.

Entonces, ¿cómo cambiamos de una aplicación a otra? Pulse dos veces el botón **Inicio** para ver la lista de aplicaciones que se están ejecutando, tal y como puede ver en la figura 13.10, desplácese hacia la derecha o hacia la izquierda para ver el icono que está buscando y púlselo para cambiar a esa aplicación.

Además, la lista de navegación también incluye unas cuantas herramientas muy útiles. Desplácese por la lista de aplicaciones hacia la derecha hasta que vea los controles que aparecen en la figura 13.11.

Figura 13.10. *Pulse dos veces el botón Inicio para ver una lista de las aplicaciones que se están ejecutando.*

Pulse el icono **Bloquear rotación** para que el iPad no cambie entre la posición vertical y la horizontal; utilice el regulador Brillo para controlar el brillo de la pantalla del iPad y utilice los botones centrales para controlar la reproducción de la mayoría de las aplicaciones de audio utilizadas recientemente (como puede ver a la derecha de la figura 13.11, donde aparece el icono **iPod**).

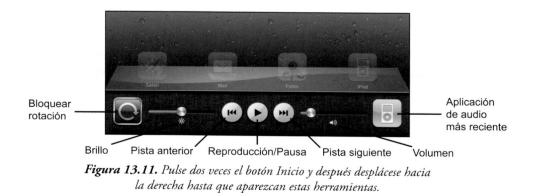

Figura 13.11. *Pulse dos veces el botón Inicio y después desplácese hacia la derecha hasta que aparezcan estas herramientas.*

Tenga en cuenta que en lugar del icono **Bloquear rotación** que aparece en la figura 13.11 puede aparecer el icono **Silenciar**. El iPad tiene un ajuste que cambia entre los dos estados siguientes:

- **Bloquear rotación**: Cuando en la zona de navegación de aplicaciones aparece este icono, puede utilizar el interruptor lateral del iPad para bloquear y desbloquear la orientación actual.

- **Silenciar**: Cuando en la zona de navegación de aplicaciones aparece este icono, puede utilizar el interruptor lateral del iPad para silenciar o devolver el sonido al dispositivo.

Para saber cómo cambiar entre estos dos estados, consulte el capítulo 3.

Capítulo 14

Solucionar los problemas del iPad

Aunque el iPad se parece a un iPod Touch, la realidad es que el iPad es un dispositivo mucho más complejo: puede considerarse un ordenador en todos los sentidos y, gracias a su rápido procesador, su memoria adicional y su sólido disco duro, podemos utilizarlo para realizar tareas sorprendentes. El inconveniente de ser un ordenador es que pueden surgir problemas. El iPad puede comportarse de forma extraña, aunque no siempre tiene por qué ser así. En este capítulo, veremos algunas técnicas generales para resolver los problemas que pueden aparecer en el iPad y veremos algunas incidencias específicas.

TÉCNICAS GENERALES PARA RESOLVER LOS PROBLEMAS DEL IPAD

Si el iPad tiene problemas de funcionamiento puede que se deba a algún componente interno específico del dispositivo y, en ese caso, no tendrá más remedio que llevar el iPad al servicio técnico de Apple para que lo reparen. Por suerte, la mayoría de incidencias son temporales y pueden solucionarse con alguna de estas técnicas:

- **Reiniciar el iPad:** La solución más habitual para solucionar un problema en el iPad es apagarlo y volver a encenderlo. Al reiniciar el iPad se vuelve a cargar todo el sistema, algo que suele ser suficiente para arreglar muchos problemas. Para reiniciarlo, mantenga pulsado el botón **Reposo/Activación** durante unos segundos hasta que aparezca en pantalla el interruptor Apagar; entonces, suelte el botón. Deslice el regulador Apagar hacia la derecha para comenzar el reinicio. Cuando la pantalla sea completamente negra significará que el iPad está apagado. Para reiniciar, mantenga pulsado el botón **Reposo/Activación** de nuevo hasta que aparezca el logotipo de Apple y suelte el botón.

- **Reiniciar el hardware del iPad:** Al reiniciar el iPad manteniendo pulsado el botón **Reposo/Activación** durante unos segundos lo que realmente hacemos es reiniciar el software del sistema. Si eso no soluciona el problema, puede que tengamos que reiniciar también el hardware del iPad. Para ello, mantenga pulsados el botón **Reposo/Activación** y el botón **Inicio** hasta que aparezca el logotipo de Apple (tarda unos ocho segundos más o menos), lo cual indica que el reinicio se ha realizado con éxito.

Truco

*Reiniciar el hardware también es la solución si el iPad no responde y no funciona la técnica de pulsar el botón **Reposo/Activación** durante unos segundos.*

- **Cargar el iPad:** Es posible que la batería del iPad se haya descargado por completo. Conecte el iPad a un ordenador o a la base Dock. Si se enciende y aparece el logotipo de la batería (10 o 20 segundos después), significa que la carga se está realizando correctamente y que el dispositivo volverá a funcionar enseguida.

- **Cerrar una aplicación que no responde:** Si el iPad se bloquea porque una aplicación ha dejado de funcionar podemos forzar la salida de esa aplicación. Mantenga pulsado el botón **Inicio** durante unos seis segundos. El iPad cierra la aplicación y vuelve a la pantalla de inicio.

- **Buscar actualizaciones de software para el iPad:** Si Apple ya conoce el problema que tenemos con el iPad, lo arreglará (con el tiempo) y pondrá a disposición de los usuarios un parche en forma de actualización de software. Más adelante, en este capítulo, veremos cómo actualizar el iPad.

- **Buscar actualizaciones para las aplicaciones:** Es posible que la causa del problema sea un fallo en una aplicación. En la pantalla de inicio, pulse **App Store** y seleccione Actualizar para ver si hay alguna actualización disponible. Si es así, selecciónela y pulse el botón **GRATIS** (o, en el improbable caso de que tenga que pagar por la actualización, pulse **COMPRAR**) para descargarla.

- **Borrar y restaurar el contenido y los ajustes:** Aunque parezca una solución drástica, podemos utilizar iTunes para realizar una copia de seguridad completa del contenido del iPad. Entonces podemos restablecer el iPad a su estado original y, a continuación, restaurar la copia de seguridad. Más adelante, en este mismo capítulo, se explicará el proceso.

- **Restablecer los ajustes:** A veces, el iPad deja de funcionar debido a que los ajustes se han dañado. En ese caso, podemos restablecer los ajustes originales del iPad. Si iTunes no reconoce el iPad no podremos realizar una copia de seguridad para después restablecer los ajustes. Sin embargo, podemos restablecer los ajustes en el propio iPad. Pulse **Ajustes** en la pantalla de inicio y, luego, General>Restablecer> Restablecer ajustes. Cuando el iPad solicite confirmación, pulse **Restablecer**.

Truco

*Si restablecer los ajustes no soluciona el problema, es posible que la causa sea algún elemento del contenido. Pulse **Ajustes** en la pantalla de inicio y, después,* General>Restablecer> Borrar contenidos y ajustes. *Cuando el iPad solicite confirmación, pulse **Borrar**.*

Solucionar problemas con los dispositivos conectados al iPad

Sólo podemos conectar dispositivos con el iPad de tres formas: utilizando el conector para auriculares, utilizando el conector Dock y mediante Bluetooth. Aunque el número de dispositivos que podemos conectar es relativamente limitado, pueden surgir problemas. Los problemas que pueden surgir en un dispositivo que está conectado al iPad son bastante limitados, así que puede solucionarlos utilizando algunos remedios que suelen funcionar en otros dispositivos. Si no localiza el problema, pruebe estas sencillas técnicas:

- **Comprobar las conexiones, los enchufes, etc.:** Algunos de los problemas de hardware más frecuentes están causados por elementos sencillos: asegúrese de que el dispositivo está encendido y de que los cables están correctamente conectados. Por ejemplo, si no puede acceder a Internet mediante la conexión Wi-Fi del iPad, compruebe que el *router* está encendido y que el cable que conecta el *router* con el módem del ISP está conectado correctamente.

- **Cambiar las pilas:** Los dispositivos inalámbricos (como los auriculares) utilizan pilas. Así que, si un dispositivo empieza a funcionar de forma intermitente o deja de hacerlo por completo, pruebe siempre a cambiar las pilas para ver si se soluciona el problema.

- **Apagar el dispositivo y volver a encenderlo:** Apague el dispositivo, espere unos segundos y después vuelva a encenderlo. Este sencillo método puede conseguir que un dispositivo vuelva a funcionar. Si el dispositivo no tiene interruptor de apagado/encendido, pruebe a desconectarlo de la corriente o quítele las pilas.

- **Restablecer los ajustes predeterminados del dispositivo:** Si tiene un dispositivo que se puede configurar, es posible que el causante del problema sea un nuevo ajuste. Si ha realizado un cambio recientemente, pruebe a restablecer el ajuste a su configuración original. Si eso no soluciona el problema, la mayoría de dispositivos configurables tienen algún tipo de opción que permite restablecer los valores de fábrica.

- **Actualizar el firmware del dispositivo:** Son muchos los dispositivos que incluyen *firmware*, un pequeño programa que se ejecuta dentro del dispositivo y que controla sus funciones internas. Por ejemplo, todos los *routers* tienen *firmware*. Consulte con su fabricante si existe una versión nueva. Si es así, descárguela y lea el manual del dispositivo para saber cómo actualizar el *firmware*.

Actualizar el sistema operativo del iPad

De vez en cuando, el sistema operativo del iPad se actualizará al conectarse con el ordenador (siempre y cuando tenga una conexión a Internet). Ésta es otra buena razón para sincronizar el iPad de forma regular: tal vez se trate de una actualización importante que incluya una funcionalidad que necesitamos o que solucione un problema de seguridad. ¿Qué hacemos si iTunes no está configurado para comprobar las actualizaciones con frecuencia? En ese caso, podemos hacerlo manualmente:

1. Conecte el iPad al ordenador. iTunes se abre y se conecta al iPad.

2. Haga clic en iPad en la lista DISPOSITIVOS.

3. Haga clic en la ficha Resumen.

4. Haga clic en **Buscar actualización**. iTunes se conecta a los servidores de Apple para comprobar si hay alguna actualización para el iPad. Si es así, aparecerá un cuadro de diálogo de actualización de software para iPad, en el que encontrará una descripción de la actualización.

5. Haga clic en **Siguiente**. Aparecerá el Acuerdo de licencia de software.

6. Haga clic en **Acepto**. iTunes descarga la actualización de software y la instala.

Realizar una copia de seguridad y restablecer los datos y los ajustes del iPad

En ocasiones, el iPad deja de funcionar cuando se dañan los ajustes. En ese caso, puede restaurar sus ajustes originales. La mejor forma de hacerlo es utilizar la funcionalidad que ofrece el propio iTunes, que nos permite realizar una copia de seguridad de los ajustes. Sin embargo, esto significa que el iPad tiene que poder conectarse al ordenador y ser visible para iTunes.

Si no es así, siga las instrucciones que aparecen en la siguiente sección para restablecer el iPad. De lo contrario, siga estos pasos para realizar una copia de seguridad y restablecer el iPad:

1. Conecte el iPad a su ordenador.

2. En iTunes, haga clic en iPad en la lista DISPOSITIVOS.

3. Haga clic en **Sincronizar**. Así, se asegurará de que iTunes tiene una copia de todos los datos del iPad.

4. Compruebe que se ha realizado una copia de seguridad del iPad. Para ello, seleccione iTunes>Preferencias y haga clic en la ficha Dispositivos. Debería ver el iPad en la lista Copias de seguridad del dispositivo, tal y como puede ver en la figura 14.1. Cuando termine, haga clic en **OK** para cerrar el cuadro de diálogo.

5. Haga clic en la ficha Resumen.

6. Haga clic en **Restaurar**. iTunes le solicita confirmación para restaurar.

7. Haga clic en **Restaurar**.

8. Si aparece el cuadro de diálogo de actualización de software, haga clic en **Siguiente** y, luego, haga clic en **Acepto**. iTunes descarga el software, hace una copia de seguridad del iPad y, después, restaura el software y los ajustes originales. Cuando se reinicie el iPad, iTunes se conectará a él y aparecerá la pantalla de configuración inicial.

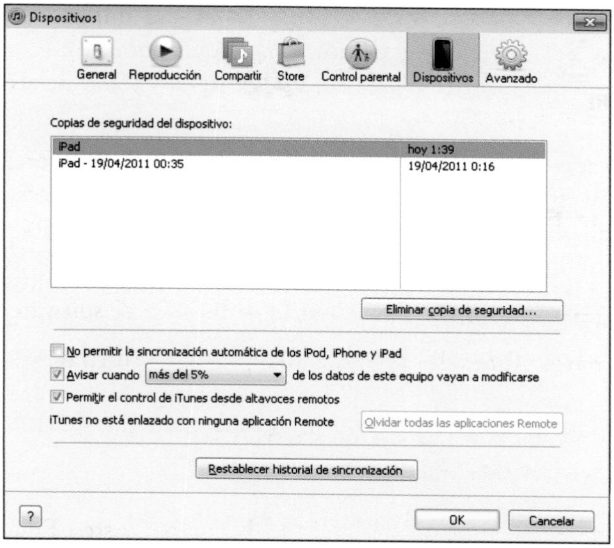

Figura 14.1. *En las preferencias de iTunes, utilice la ficha Dispositivos para comprobar que se ha realizado la copia de seguridad del iPad.*

9. Seleccione la opción Restaurar desde la copia de seguridad de.

10. Si tiene copias de seguridad de más de un iPad, utilice la lista para seleccionar la suya.

11. Haga clic en **Continuar**. iTunes restaura los datos, reinicia el iPad y lo sincroniza.

12. Revise las distintas pestañas y marque los ajustes de sincronización que le interesen.

13. Si ha realizado cambios en los ajustes, haga clic en **Sincronizar**. De esta manera, se asegurará de que el iPad restaure todos sus datos.

Advertencia

Si tiene datos confidenciales o importantes en el iPad, esos datos formarán parte de los archivos de la copia de seguridad y podrían ser vistos por otras personas. Para evitarlo, seleccione la casilla de verificación Encriptar copia de seguridad del iPad *y, después, utilice el cuadro de diálogo* Definir contraseña *para especificar una contraseña.*

CUIDAR LA BATERÍA DEL IPAD

El iPad tiene una batería de polímeros de litio y, de acuerdo con Apple, su duración es de hasta diez horas utilizándolo de forma continua y de hasta 30 días en reposo. A pesar de tratarse de cifras sorprendentes, no siempre se alcanza esa autonomía.

El gran inconveniente de la batería del iPad es que no es un complemento que pueda configurar el usuario. Si la batería deja de funcionar, la única opción es sustituirla por otra. Éste es un motivo más que razonable para cuidar la batería y tratar de alargar su vida al máximo.

Comprobar el nivel de la batería

El iPad no ofrece mucha información sobre la batería, pero podemos realizar un seguimiento del tiempo de uso total (en el que se incluyen todas las actividades realizadas: navegar, leer libros electrónicos, jugar, reproducción multimedia, etc.) y del tiempo en reposo (el tiempo durante el cual el iPad ha estado en el modo Reposo). Para ello, haga lo siguiente:

1. En la pantalla de inicio, pulse **Ajustes**. Aparecerá la pantalla Ajustes.

2. Pulse **General**. Aparecerá la pantalla General.

3. (Sólo en el iPad 3G) Pulse **Uso**. Aparecerá la pantalla Uso.

4. Active el interruptor Carga de la batería. El iPad muestra (en la barra de estado) el porcentaje de batería restante, tal y como puede ver en la figura 14.2.

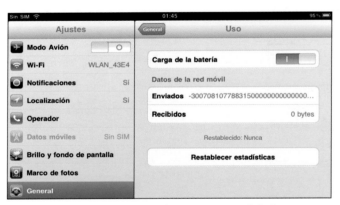

Figura 14.2. *En la pantalla Uso, active la opción Carga de la batería para controlar la duración de la batería en la barra de estado del iPad.*

Trucos para alargar la duración de la batería

Reducir el consumo de la batería del iPad no sólo alarga el tiempo entre cada carga, sino que también aumenta la vida de la batería. Aquí tiene algunas sugerencias:

• **Atenuar el brillo de la pantalla:** La pantalla táctil del iPad consume mucha batería, por lo que si reducimos el brillo reduciremos también el consumo. En la pantalla de inicio, pulse Ajustes>Brillo y fondo de pantalla y deslice el regulador hacia la izquierda para atenuar el brillo de la pantalla.

- **Completar el ciclo de carga de la batería:** Las baterías de litio pierden su capacidad de carga con el paso del tiempo. Si utiliza el iPad con la batería durante ocho horas diarias, más adelante sólo podrá utilizarlo durante seis horas con la batería completamente cargada. No podemos detener este proceso, pero podemos retrasarlo de forma significativa si completamos el ciclo de carga de la batería. Completar el ciclo de carga de una batería (también conocido como reacondicionar o recalibrar) consiste en dejar que la batería se descargue por completo para luego volver a cargarla. Para conseguir un rendimiento óptimo, es necesario completar el ciclo de la batería del iPad una o dos veces al mes.

- **Reducir las comprobaciones automáticas de correo electrónico:** Hacer que el correo electrónico conecte constantemente con el servidor para ver si existentes nuevos mensajes consume mucha batería. Si es posible, no lo configure para que haga las comprobaciones cada 15 minutos. Lo ideal sería configurar este ajuste para que la comprobación sea manual. Consulte el capítulo 5 para obtener más información.

- **Desactivar la obtención automática de datos:** Si tiene una cuenta de MobileMe, desactive la funcionalidad de obtención automática de datos para ahorrar energía. Pulse Ajustes>Correo, contactos, calendarios>Obtener datos. En la pantalla Obtener datos, pulse el ajuste Push para desactivarlo y, por último, pulse **Manualmente** en la sección Obtener, tal y como puede ver en la figura 14.3.

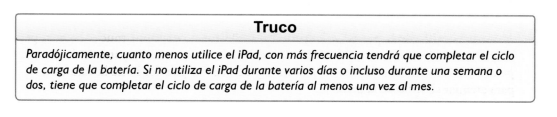

Figura 14.3. *Puede ahorrar consumo de la batería si desactiva estas características del iPad.*

Truco

Paradójicamente, cuanto menos utilice el iPad, con más frecuencia tendrá que completar el ciclo de carga de la batería. Si no utiliza el iPad durante varios días o incluso durante una semana o dos, tiene que completar el ciclo de carga de la batería al menos una vez al mes.

- **Minimizar las tareas:** Si no va a poder cargar el iPad durante un tiempo, evite realizar tareas en segundo plano (como reproducir música) o trabajos secundarios (como organizar los contactos). Si sólo necesita leer el correo electrónico, limítese a eso hasta que sepa cuándo va a cargar el iPad.

- **Si es necesario, poner el iPad manualmente en el modo Reposo:** Si le interrumpen (por ejemplo, llega la pizza que ha pedido a domicilio), no espere a que el iPad se ponga en el modo Reposo, porque esos minutos consumen una cantidad de batería muy valiosa. Ponga el iPad manualmente en el modo Reposo pulsando el botón **Reposo/Activación**.

- **Evitar las temperaturas extremas:** Exponer el iPad a temperaturas excesivamente cálidas o frías reduce el rendimiento de la batería a largo plazo. Trate de mantener su iPad dentro de un rango de temperatura razonable.

- **Desactivar el ajuste Wi-Fi si no lo necesita:** Si el ajuste Wi-Fi está activado, comprueba regularmente si existen redes inalámbricas disponibles, lo que consume mucha batería. Si no necesita conectarse a una red inalámbrica, desactive este ajuste para conservar energía. Pulse Ajustes>Wi-Fi y pulse el ajuste Wi-Fi para desactivarlo.

- **Desactivar el ajuste GPS si no lo necesita:** Cuando el GPS está activado, el receptor intercambia datos regularmente con el sistema GPS, algo que consume batería. Si tiene la versión Wi-Fi y 3G del iPad y no necesita la funcionalidad GPS en un momento determinado, desactive la antena GPS. Pulse Ajustes>General y pulse el ajuste Localización para desactivarlo.

- **Desactivar el ajuste Bluetooth si no lo necesita:** Cuando el Bluetooth está activado comprueba regularmente si hay dispositivos Bluetooth cerca, algo que consume mucha batería. Si no utiliza ningún dispositivo Bluetooth, desactive este ajuste para ahorrar energía. Pulse Ajustes>General>Bluetooth y después pulse el regulador Bluetooth para desactivarlo.

Truco

Si no necesita ninguna de las tres antenas del iPad durante un rato, una forma más rápida de desactivarlas es poner el iPad en el Modo Avión. *Pulse **Ajustes** y después pulse el regulador* Modo Avión *para activarlo.*

Reparar el iPad

Puede llevar el iPad a una tienda Apple para que se lo arreglen o incluso concertar una cita de reparación en línea. Visite www.apple.es/support *y siga las instrucciones que encontrará en esta página Web. Recuerde que el dispositivo volverá completamente limpio, así que sincronícelo con iTunes si puede hacerlo. Además, si tiene un iPad Wi-Fi con 3G, no olvide quitar la tarjeta SIM antes de llevarlo a reparar.*

⬤ ⬤ ⬤ SOLUCIONAR PROBLEMAS ESPECÍFICOS

Las técnicas para solucionar problemas que hemos visto hasta ahora pueden solucionar todo tipo de incidencias. Sin embargo, los problemas específicos siempre requieren soluciones específicas. En el resto del capítulo, verá algunos de estos problemas más comunes.

La batería no se carga

Si la batería no se carga, aquí tiene algunas soluciones:

- Si el iPad está conectado a un ordenador para cargarse a través del puerto USB, puede que el ordenador esté suspendido: Reactivar el ordenador debería solucionar el problema.

- El puerto USB no transfiere suficiente energía: Por ejemplo, los puertos USB de la mayoría de teclados apenas transmiten energía. Si tiene el iPad conectado al puerto USB de un teclado, conéctelo a un puerto USB del propio ordenador.

- Conecte el cable USB a un adaptador de corriente USB y, a continuación, conecte el adaptador a un enchufe.

- Compruebe todas las conexiones para asegurarse de que todo está conectado correctamente.

- Pruebe con un cable para iPod (si tiene uno).

Si después de seguir estos pasos no encuentra el problema, tal vez tenga que llevar el iPad al servicio técnico.

Problemas para acceder a una red Wi-Fi

Las redes inalámbricas aumentan el número de posibles problemas debido a las interferencias y el alcance de los dispositivos. A continuación, puede ver una lista con algunos de los elementos que tiene que comprobar para solucionar cualquier problema de conectividad inalámbrica:

- **Comprobar que la antena Wi-Fi está activada:** Pulse Ajustes>Wi-Fi y pulse el regulador Wi-Fi para activarlo.

- **Comprobar que el iPad no esté en Modo Avión:** Pulse **Ajustes** y después pulse el regulador Modo Avión para desactivarlo.

- **Verificar la conexión:** El iPad tiene cierta tendencia a desconectarse de una red Wi-Fi cercana sin razón aparente. Pulse **Ajustes**; si el ajuste Wi-Fi aparece como no conectado, pulse **Wi-Fi** y seleccione su red en la lista.

- **Renovar la concesión:** Cuando nos conectamos a una red Wi-Fi, el punto de acceso proporciona al iPad una concesión DHCP (*Dynamic Host Control Protocol*, Protocolo de configuración dinámica de servidor) que le permite acceder a la red. Puede solucionar problemas de conectividad renovando esta concesión. Pulse Ajustes>Wi-Fi y después pulse el icono azul de más información que aparece a la derecha de la red Wi-Fi. Pulse la ficha DHCP y luego pulse el botón **Renovar concesión**, como ve en la figura 14.4.

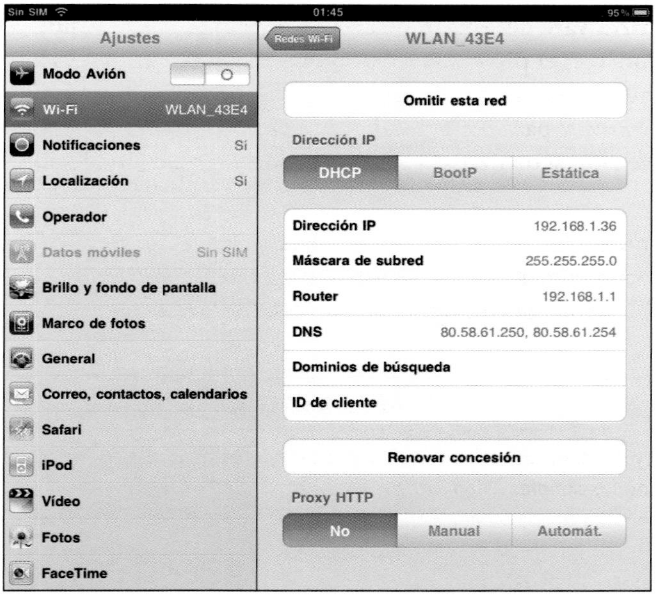

Figura 14.4. Abra los ajustes de la red Wi-Fi a la que esté conectado y pulse Renovar concesión.

- **Volver a conectarse a la red:** A veces, puede solucionar problemas de red inalámbrica desconectándose de la red y volviendo a conectarse. Pulse Ajustes>Wi-Fi y después pulse el icono azul **Más información** que aparece a la derecha de la red Wi-Fi. Pulse el botón **Omitir esta red** para desconectarse y después vuelva a conectarse a la misma red.

- **Restaurar los ajustes de red del iPad:** Se eliminan todos los datos de red almacenados y se restablecen todos los ajustes a su configuración original, lo que podría solucionar el problema. Pulse Ajustes>General>Restablecer>Restablecer ajustes de red. Cuando el iPad le solicite confirmación, pulse **Restablecer**.

- **Reiniciar los dispositivos:** Reinicie todo el hardware siguiendo este orden: el iPad, el hardware del iPad, el punto de acceso inalámbrico y, por último, el módem de banda ancha.

- **Buscar interferencias:** Dispositivos como los intercomunicadores para bebés y los teléfonos inalámbricos utilizan la banda de frecuencia 2.4 GHz, por lo que pueden interferir con las señales inalámbricas. Pruebe a mover o incluso a apagar esos dispositivos si están cerca del iPad o del punto de acceso inalámbrico.

- **Comprobar el alcance:** Si la señal que recibe es muy débil o simplemente no la recibe, el iPad podría estar demasiado lejos del punto de acceso. Si tiene un punto de acceso 802.11n, el alcance teórico es de unos 70 metros; si tiene un punto de acceso más antiguo (como 802.11g), lo normal es no poder sobrepasar el límite de los 35 metros antes de que la señal disminuya. Acérquese al punto de acceso o bien encienda la característica para aumentar el alcance del punto de acceso, si la tiene. También podría instalar un amplificador del alcance inalámbrico.

- **Actualizar el firmware del punto de acceso inalámbrico:** El *firmware* del punto de acceso inalámbrico es el programa interno que utiliza el punto de acceso para llevar a cabo sus distintas tareas. Los fabricantes de puntos de acceso inalámbricos suelen actualizar su *firmware* para corregir fallos, de modo que es recomendable comprobar si existe alguna versión actualizada. Examine la documentación del dispositivo para saber cómo hacerlo.

- **Reiniciar el router:** Como última opción, restablezca el *router* a sus ajustes de fábrica (examine la documentación del dispositivo para saber cómo hacerlo). Tenga en cuenta que si lo hace, tendrá que configurar su red desde el principio.

Advertencia

Mantenga el iPad y el punto de acceso inalámbrico alejados de cualquier microondas, ya que pueden interferir en las señales inalámbricas.

---

iTunes no reconoce el iPad

Al conectar el iPad al ordenador, iTunes debe abrirse y mostrar el iPad en la lista DISPOSITIVOS. Si iTunes no se inicia al conectar el iPad o si ya se está ejecutando y el iPad no aparece en la lista DISPOSITIVOS, iTunes no reconoce el iPad.

A continuación, se detallan algunas soluciones:

- **Comprobar las conexiones:** Asegúrese de que el conector USB y el conector Dock estén correctamente conectados.

- **Probar un puerto USB diferente:** El puerto que está utilizando podría no funcionar, así que pruebe uno distinto. Si el iPad está conectado a un *hub* USB, pruebe a utilizar uno de los puertos USB integrados en el ordenador.

- **Reiniciar el iPad:** Mantenga pulsado el botón **Reposo/Activación** durante unos segundos hasta que el iPad se apague y, a continuación, manténgalo pulsado de nuevo hasta que aparezca el logotipo de Apple.

- **Reiniciar el ordenador:** De esta forma se reiniciarán los puertos USB del ordenador, lo que podría solucionar el problema.

- **Comprobar la versión de iTunes:** Necesita, como mínimo, la versión 9 de iTunes para que el iPad funcione.

- **Comprobar la versión del sistema operativo:** En un Mac, el iPad necesita OS X 10.5.8 o una versión posterior; en un PC con Windows, el iPad necesita Windows 7, Windows Vista o Windows XP Service Pack 3 o una versión posterior.

iTunes no se sincroniza con el iPad

Si iTunes reconoce el iPad pero no puedan sincronizarse, seguramente tendrá que configurar algunos ajustes. En el capítulo 2 encontrará algunas técnicas para resolver problemas relacionados con la sincronización. Otra posibilidad es que el iPad esté bloqueado; aunque no suele ser problema de iTunes, a veces no sabe muy bien cómo interactuar con un iPad bloqueado. La solución más fácil es desconectar el iPad, desbloquearlo y volver a conectarlo.

Problemas a la hora de sincronizar música o vídeos

Puede que tenga problemas a la hora de sincronizar música o vídeos con el iPad. Lo más probable es que sus archivos estén en un formato que el iPad no puede leer. Como ya hemos visto, los formatos WMA, MPEG-1, MPEG-2 y otros formatos no son compatibles con el iPad. Lo primero que tiene que hacer es convertirlos a un formato que pueda leer el iPad utilizando un programa de conversión. Después, transfiéralos a iTunes y pruebe a sincronizarlos de nuevo. Esto debería solucionar el problema.

Los formatos de audio compatibles con el iPad son AAC; AIFF; formatos Audible 2, 3, y 4; Apple Lossless; MP3; MP3 VBR; y WAV. Los formatos de vídeo compatibles con el iPad son H.264 y MPEG-4.

El iPad no reconoce la tarjeta SIM

Si tiene un modelo Wi-Fi y 3G y el iPad no detecta la tarjeta SIM, pruebe lo siguiente:

1. Extraiga la bandeja de la tarjeta SIM situada en el lateral del iPad utilizando la herramienta que incluye el iPad, un clip o algo similar. Introduzca la herramienta en el pequeño agujero de la bandeja y ésta se deslizará hacia afuera.

2. Asegúrese de que la tarjeta SIM no tiene polvo ni suciedad.

3. Vuelva a colocar la tarjeta SIM en la bandeja y deslícela para encajarla en la ranura.

Si haciendo esto no se soluciona el problema, póngase en contacto con Apple o con su proveedor móvil.

ÍNDICE ALFABÉTICO

ÍNDICE ALFABÉTICO

ÍNDICE ALFABÉTICO

53.50   2/16/12.